Laura S. Poli.

GW00373771

Obras completas
Sigmund Freud

Volumen 8

Obras completas
Sigmund Freud

Volumen 8

Obras completas

Sigmund Freud

Ordenamiento, comentarios y notas de James Strachey
con la colaboración de Anna Freud,
asistidos por Alix Strachey y Alan Tyson

Traducción directa del alemán de José L. Etcheverry

Volumen 8 (1905)

El chiste y su relación con lo inconciente

Amorrortu editores

Indice general

Índice general

Advertencia sobre la edición en castellano

El presente libro forma parte de las *Obras completas* de Sigmund Freud, edición en 24 volúmenes que ha sido publicada entre los años 1978 y 1985. En un opúsculo que acompaña a esta colección (titulado *Sobre la versión castellana*) se exponen los criterios generales con que fue abordada esta nueva versión y se fundamenta la terminología adoptada. Aquí sólo haremos un breve resumen de las fuentes utilizadas, del contenido de la edición y de ciertos datos relativos a su aparato crítico.

La primera recopilación de los escritos de Freud fueron los *Gesammelte Schriften*,[1] publicados aún en vida del autor; luego de su muerte, ocurrida en 1939, y durante un lapso de doce años, aparecieron las *Gesammelte Werke*,[2] edición ordenada, no con un criterio temático, como la anterior, sino cronológico. En 1948, el Instituto de Psicoanálisis de Londres encargó a James B. Strachey la preparación de lo que se denominaría *The Standard Edition of the Complete Psychological Works of Sigmund Freud*, cuyos primeros 23 volúmenes vieron la luz entre 1953 y 1966, y el 24º (índices y bibliografía general, amén de una fe de erratas), en 1974.[3]

La *Standard Edition*, ordenada también, en líneas generales, cronológicamente, incluyó además de los textos de Freud el siguiente material: 1) Comentarios de Strachey previos a cada escrito (titulados a veces *«Note»*, otras *«Introducción»*).

[1] Viena: Internationaler Psychoanalytischer Verlag, 12 vols., 1924-34. La edición castellana traducida por Luis López-Ballesteros (Madrid: Biblioteca Nueva, 17 vols., 1922-34) fue, como puede verse, contemporánea de aquella, y fue también la primera recopilación en un idioma extranjero; se anticipó así a la primera colección inglesa, que terminó de publicarse en 1950 (*Collected Papers*, Londres: The Hogarth Press, 5 vols., 1924-50).

[2] Londres: Imago Publishing Co., 17 vols., 1940-52; el vol. 18 (índices y bibliografía general) se publicó en Francfort del Meno: S. Fischer Verlag, 1968.

[3] Londres: The Hogarth Press, 24 vols., 1953-74. Para otros detalles sobre el plan de la *Standard Edition*, los manuscritos utilizados por Strachey y los criterios aplicados en su traducción, véase su «General Preface», vol. 1, págs. xiii-xxii (traducido, en lo que no se refiere específicamente a la lengua inglesa, en la presente edición como «Prólogo general», vol. 1, págs. xv-xxv).

2) Notas numeradas de pie de página que figuran entre corchetes para diferenciarlas de las de Freud; en ellas se indican variantes en las diversas ediciones alemanas de un mismo texto; se explican ciertas referencias geográficas, históricas, literarias, etc.; se consignan problemas de la traducción al inglés, y se incluyen gran número de remisiones internas a otras obras de Freud. 3) Intercalaciones entre corchetes en el cuerpo principal del texto, que corresponden también a remisiones internas o a breves apostillas que Strachey estimó indispensables para su correcta comprensión. 4) Bibliografía general, al final de cada volumen, de todos los libros, artículos, etc., en él mencionados. 5) Indice alfabético de autores y temas, a los que se le suman en ciertos casos algunos índices especiales (p.ej., «Indice de sueños», «Indice de operaciones fallidas», etc.).

El rigor y exhaustividad con que Strachey encaró esta aproximación a una edición crítica de la obra de Freud, así como su excelente traducción, dieron a la *Standard Edition* justo renombre e hicieron de ella una obra de consulta indispensable.

La presente edición castellana, traducida directamente del alemán,[4] ha sido cotejada con la *Standard Edition*, abarca los mismos trabajos y su división en volúmenes se corresponde con la de esta. Con la sola excepción de algunas notas sobre problemas de traducción al inglés, irrelevantes en este caso, se ha recogido todo el material crítico de Strachey, el cual, como queda dicho, aparece siempre entre corchetes.[5]

Además, esta edición castellana incluye: 1) Notas de pie de página entre llaves, identificadas con un asterisco en el cuerpo principal, y referidas las más de las veces a problemas propios de la traducción al castellano. 2) Intercalaciones entre llaves en el cuerpo principal, ya sea para reproducir la palabra o frase original en alemán o para explicitar ciertas variantes de traducción (los vocablos alemanes se dan en nominativo singular, o tratándose de verbos, en infinitivo). 3) Un «Glosario alemán-castellano» de los principales términos especializados, anexo al antes mencionado opúsculo *Sobre la versión castellana*.

Antes de cada trabajo de Freud, se consignan en la *Standard Edition* sus sucesivas ediciones en alemán y en inglés; por nues-

---

[4] Se ha tomado como base la 4ª reimpresión de las *Gesammelte Werke*, publicada por S. Fischer Verlag en 1972; para las dudas sobre posibles erratas se consultó, además, Freud, *Studienausgabe* (Francfort del Meno: S. Fischer Verlag, 11 vols., 1969-75), en cuyo comité editorial participó James Strachey y que contiene (traducidos al alemán) los comentarios y notas de este último.

[5] En el volumen 24 se da una lista de equivalencias, página por página, entre las *Gesammelte Werke,* la *Standard Edition* y la presente edición.

tra parte proporcionamos los datos de las ediciones en alemán y las principales versiones existentes en castellano.[6]

Con respecto a las grafías de las palabras castellanas y al vocabulario utilizado, conviene aclarar que: *a*) En el caso de las grafías dobles autorizadas por las Academias de la Lengua, hemos optado siempre por la de escritura más simple («trasferencia» en vez de «transferencia», «sustancia» en vez de «substancia», «remplazar» en vez de «reemplazar», etc.), siguiendo así una línea que desde hace varias décadas parece imponerse en la norma lingüística. Nuestra única innovación en este aspecto ha sido la adopción de las palabras «conciente» e «inconciente» en lugar de «consciente» e «inconsciente», innovación esta que aún no fue aprobada por las Academias pero que parecería natural, ya que «conciencia» sí goza de legitimidad. *b*) En materia de léxico, no hemos vacilado en recurrir a algunos arcaísmos cuando estos permiten rescatar matices presentes en las voces alemanas originales y que se perderían en caso de dar preferencia exclusiva al uso actual.

Análogamente a lo sucedido con la *Standard Edition*, los 24 volúmenes que integran esta colección no fueron publicados en orden numérico o cronológico, sino según el orden impuesto por el contenido mismo de un material que debió ser objeto de una amplia elaboración previa antes de adoptar determinadas decisiones de índole conceptual o terminológica.[7]

[6] A este fin entendemos por «principales» la primera traducción (cronológicamente hablando) de cada trabajo y sus publicaciones sucesivas dentro de una colección de obras completas. La historia de estas publicaciones se pormenoriza en *Sobre la versión castellana*, donde se indican también las dificultades de establecer con certeza quién fue el traductor de algunos de los trabajos incluidos en las ediciones de Biblioteca Nueva de 1967-68 (3 vols.) y 1972-75 (9 vols.).

En las notas de pie de página y en la bibliografía que aparece al final del volumen, los títulos en castellano de los trabajos de Freud son los adoptados en la presente edición. En muchos casos, estos títulos no coinciden con los de las versiones castellanas anteriores.

[7] El orden de publicación de los volúmenes de la *Standard Edition* figura en *AE*, 1, pág. xxi, n. 7. Para esta versión castellana, el orden ha sido el siguiente: 1978: vols. 7, 15, 16; 1979: vols. 4, 5, 8, 9, 11, 14, 17, 18, 19, 20, 21, 22; 1980: vols. 2, 6, 10, 12, 13, 23; 1981: vols. 1, 3; 1985: vol. 24.

Lista de abreviaturas

(Para otros detalles sobre abreviaturas y caracteres tipográficos, véase la aclaración incluida en la bibliografía, *infra*, pág. 227.)

AE   Freud, *Obras completas* (24 vols., en curso de publicación). Buenos Aires: Amorrortu editores, 1978–.

BN   Freud, *Obras completas*. Madrid: Biblioteca Nueva.*

EA   Freud, *Obras completas* (19 vols.). Buenos Aires: Editorial Americana, 1943-44.

GS   Freud, *Gesammelte Schriften* (12 vols.). Viena: Internationaler Psychoanalytischer Verlag, 1924-34.

GW   Freud, *Gesammelte Werke* (18 vols.). Volúmenes 1-17, Londres: Imago Publishing Co., 1940-52; volumen 18, Francfort del Meno: S. Fischer Verlag, 1968.

SA   Freud, *Studienausgabe* (11 vols.). Francfort del Meno: S. Fischer Verlag, 1969-75.

SE   Freud, *The Standard Edition of the Complete Psychological Works* (24 vols.). Londres: The Hogarth Press, 1953-74.

SR   Freud, *Obras completas* (22 vols.). Buenos Aires: Santiago Rueda, 1952-56.

* Utilizaremos la sigla *BN* para todas las ediciones publicadas por Biblioteca Nueva, distinguiéndolas entre sí por la cantidad de volúmenes: edición de 1922-34, 17 vols.; edición de 1948, 2 vols.; edición de 1967-68, 3 vols.; edición de 1972-75, 9 vols.

El chiste y su relación
con lo inconciente
(1905)

Introducción

Der Witz und seine Beziehung zum Unbewussten

Ediciones en alemán

1905   Leipzig y Viena: F. Deuticke, ii + 206 págs.
1912   2ª ed. La misma editorial, iv + 207 págs. (Con algunos pequeños agregados.)
1921   3ª ed. La misma editorial, iv + 207 págs. (Sin modificaciones.)
1925   4ª ed. La misma editorial, iv + 207 págs. (Sin modificaciones.)
1925   *GS*, **9**, págs. 1-269. (Sin modificaciones.)
1940   *GW*, **6**, págs. 1-285. (Sin modificaciones.)
1972   *SA*, **4**, págs. 9-219.

Traducciones en castellano *

1923   *El chiste y su relación con lo inconsciente. BN* (17 vols.), **3**, págs. 5-300. Traducción de Luis López-Ballesteros.
1943   Igual título. *EA*, **3**, págs. 7-274. El mismo traductor.
1948   Igual título. *BN* (2 vols.), **1**, págs. 833-947. El mismo traductor.
1953   Igual título. *SR*, **3**, págs. 7-287. El mismo traductor.
1967   Igual título. *BN* (3 vols.), **1**, págs. 825-937. El mismo traductor.
1972   Igual título. *BN* (9 vols.), **3**, págs. 1029-167. El mismo traductor.

Al examinar las relaciones entre los chistes y los sueños, Freud menciona una «ocasión subjetiva que me llevó a considerar el problema del chiste» (*infra*, pág. 165). Dicho brevemente, esa ocasión fue la queja de Wilhelm Fliess,

* {Cf. la «Advertencia sobre la edición en castellano», *supra*, pág. xi y *n.* 6.}

3

mientras leía las pruebas de imprenta de *La interpretación de los sueños* en 1899, en cuanto a que en los sueños consignados abundaban demasiado los chistes. Freud ya se había referido a este episodio en una nota al pie de la primera edición del libro (1900*a*), *AE*, **4**, págs. 304-5; hoy estamos en condiciones de establecer la fecha exacta en que ocurrió, pues contamos con la carta en que Freud respondió a la queja de Fliess. Fue escrita el 11 de setiembre de 1899 en Berchtesgaden, donde daba los toques finales a la obra, y en ella Freud le anuncia que tratará de añadir una explicación acerca de la curiosa presencia, en los sueños, de lo que semejan ser chistes (Freud, 1950*a*, Carta 118).

Sin duda, este episodio llevó a Freud a prestar mayor atención al tema; pero probablemente no fue el origen de su interés por él. Hay amplias pruebas de que venía meditándolo desde varios años atrás. Lo muestra el propio hecho de que tuviera pronta una respuesta para la crítica de Fliess, y lo confirma la referencia al mecanismo de los efectos «cómicos», que aparece más adelante en *La interpretación de los sueños* (*AE*, **5**, pág. 594) y anticipa uno de los puntos principales del capítulo final de la presente obra. Ahora bien, como era inevitable, tan pronto comenzó Freud su íntima investigación de los sueños, le resultó llamativa la frecuencia con que estructuras similares a las de los chistes aparecían figuradas en ellos o en las asociaciones a que daban lugar. *La interpretación de los sueños* está lleno de ejemplos en tal sentido, aunque quizás el más antiguo registrado sea el sueño «ingenioso» de Cäcilie M. sobre el cual informa una nota al pie del historial de Elisabeth von R., en *Estudios sobre la histeria* (1895*d*), *AE*, **2**, pág. 194.

Con independencia de los sueños, ciertos datos indican el temprano interés de Freud por los chistes. En una carta del 12 de junio de 1897 (1950*a*, Carta 65), tras relatar a Fliess un chiste sobre dos *Schnorrer*,* le dice: «Te confesaré que en los últimos tiempos he estado reuniendo una serie de anécdotas judías de profunda significación»; meses más tarde, el 21 de setiembre, le narra otra historia judía «de mi colección» (*ibid.*, Carta 69); varias otras aparecen en la correspondencia con Fliess y en *La interpretación de los sueños*. (Véase, en particular, su comentario acerca de estas anécdotas en *AE*, **4**, pág. 209.) Por supuesto, de esa recopilación extrajo los numerosos ejemplos sobre los cuales se basaron en tan amplia medida sus doctrinas.

Otra influencia de cierta importancia en Freud por esa

---

* {Véase la nota de la traducción castellana *infra*, pág. 54.}

4

época fue la de Theodor Lipps (1851-1914), profesor de Munich que escribió sobre psicología y estética y a quien se le atribuye haber acuñado el término *«Einfühlung»* {«empatía»}. Probablemente despertó el interés de Freud por Lipps el trabajo sobre lo inconciente que este último leyó en un congreso de psicología (1897) y que dio pie a una larga discusión en el último capítulo de *La interpretación de los sueños* (*AE*, **5**, págs. 599 y sigs.). Las cartas a Fliess nos anotician de que en agosto y setiembre de 1898 Freud estaba leyendo un libro anterior de Lipps, *Grundtatsachen des Seelenlebens* {Los hechos fundamentales de la vida anímica} (1883), y de nuevo le impresionaron en esta oportunidad sus acotaciones sobre lo inconciente (Freud, 1950*a*, Cartas 94, 95 y 97). Y cuando ese mismo año apareció otro libro de Lipps, esta vez acerca de un tema más específico, *Komik und Humor* {Lo cómico y el humor}, le sirvió de estímulo, como nos dice a comienzos del presente estudio, para embarcarse en él.

Fue en el terreno así abonado que cayó la semilla del comentario crítico de Fliess, aunque debieron trascurrir todavía varios años antes de que diera fruto.

A lo largo de 1905, Freud dio a publicidad tres escritos importantes: el historial clínico de «Dora» (1905*e*), los *Tres ensayos de teoría sexual* (1905*d*) y este libro sobre el chiste. En los dos últimos mencionados trabajó de manera simultánea: Ernest Jones (1955, pág. 13) nos dice que tenía los dos manuscritos en mesas contiguas, y según su talante del momento escribía en uno u otro. Fueron publicados casi al mismo tiempo, no se sabe con total certeza cuál de ellos primero. En el código del editor, los *Tres ensayos* llevan la cifra 1124 y *El chiste* la cifra 1128; pero según Jones (*ibid.*, pág. 375*n.*) esta última era «errónea»,[1] lo cual implicaría que el orden de aparición fue el inverso. No obstante, en el mismo pasaje Jones afirma categóricamente que *El chiste* «apareció inmediatamente después que el otro libro». La fecha de publicación tiene que haber sido anterior a los comienzos de junio, ya que el 4 de ese mes salió una larga reseña favorable en el periódico vienés *Die Zeit*.

La historia ulterior del libro fue muy distinta que la de los otros trabajos fundamentales de este período. Tanto *La interpretación de los sueños* como la *Psicopatología de la vida cotidiana* (1901*b*) y los *Tres ensayos* fueron ampliados y corregidos en las sucesivas ediciones a punto tal de tornar casi irreconocible lo que en ellos había de la edición

---

[1] En una comunicación privada, Jones atribuyó esta afirmación al propio Freud.

original; en cambio, al libro sobre el chiste se le hicieron una media docena de pequeños agregados en la segunda edición, de 1912, y de allí en adelante no hubo ninguna otra modificación.[2]

Es posible que esto se vincule con el hecho de que el presente libro ocupa, en cierto modo, un lugar aparte del resto de los escritos de Freud; así parece haber opinado él mismo. Hay en sus demás obras comparativamente pocas referencias a esta;[3] en las *Conferencias de introducción al psicoanálisis* (1916-17) sostiene que «me distrajo un poco de mi camino» (*AE*, **15**, pág. 215), y en la *Presentación autobiográfica* (1925*d*), *AE*, **20**, pág. 61, afirma en tono levemente peyorativo que fue una «digresión» respecto de su obra sobre los sueños. Pero, luego de un intervalo de más de veinte años, retomó imprevistamente el hilo del asunto en su breve trabajo sobre «El humor» (1927*d*), donde aplicó, para arrojar nueva luz sobre un oscuro problema, la concepción estructural de la psique que había propuesto poco tiempo atrás.

Ernest Jones dice que de todas las obras de Freud esta es la menos conocida, lo cual es sin duda válido (y nada tiene de sorprendente) para las personas que no leen en alemán.

«*Traduttore-Traditore!*». Esta frase —uno de los chistes que Freud analiza (pág. 34)— podría con propiedad figurar como lema en la portada del presente volumen. Muchas de las obras de Freud plantean graves dificultades al traductor, pero este es un caso especial. Aquí, como en *La interpretación de los sueños* y en *Psicopatología de la vida cotidiana*, y quizás en mayor medida, nos enfrentamos con gran número de ejemplos en que hay un juego de palabras intraducible. Y como en los otros casos, todo cuanto podemos hacer es explicar la política, bastante inflexible, que hemos adoptado en esta edición.[*] Dos procedimientos se siguen habitualmente al abordar esos indóciles ejemplos: o se los elimina de plano, o el traductor los remplaza por otros de su propia invención. Ninguno de esos procedimientos parece adecuado en una edición que procura presentar a los lec-

---

[2] En la presente edición se han numerado, para facilitar las referencias, las secciones en que dividió el autor los capítulos largos.

[3] Constituye una pequeña excepción el párrafo dedicado a los chistes eróticos en la carta abierta al doctor F. S. Krauss (Freud, 1910*f*), *AE*, **11**, pág. 233.

[*] {Las siguientes consideraciones de la edición inglesa valen también para la presente versión castellana.}

tores el pensamiento de Freud con la máxima exactitud. Nos hemos debido contentar, entonces, con dar las palabras alemanas problemáticas en su forma original, explicándolas con la mayor brevedad posible entre corchetes o en notas al pie. Desde luego, es inevitable que con este método se pierda el efecto del chiste; pero ha de recordarse que en cualquiera de los otros dos procedimientos que hemos mencionado queda fuera una porción (y a veces la más interesante) de las argumentaciones de Freud; y es de presumir que al lector le importan más estas argumentaciones que una momentánea diversión.

Este es un libro pleno de un fascinante material, gran parte del cual no vuelve a aparecer en ningún otro escrito de Freud. Sus minuciosas descripciones de complicados procesos psíquicos no tienen parangón fuera de *La interpretación de los sueños*, y en verdad son el producto de la misma floración súbita de genio que nos dio aquella gran obra.

James Strachey

A. Parte analítica

I. Introducción

[1]

Quien haya tenido ocasión de compulsar textos de estética y psicología para buscar algún posible esclarecimiento sobre la esencia y los nexos del chiste,* tal vez deba admitir que el empeño filosófico no se ha dedicado a este, ni de lejos, en la cabal medida a que lo haría acreedor su papel dentro de nuestra vida espiritual. Sólo puede mencionarse un corto número de pensadores que se han ocupado en profundidad de los problemas del chiste. Es cierto, entre quienes lo estudiaron hallamos los brillantes nombres del poeta Jean Paul (Richter) y de los filósofos Theodor Vischer, Kuno Fischer y Theodor Lipps; pero aun en estos autores es un tema secundario, pues el interés principal de su indagación recae sobre la problemática de lo cómico,** más amplia y atrayente.

La primera impresión que se obtiene en la bibliografía es que sería por completo imposible tratar al chiste fuera de sus nexos con lo cómico.

Según Lipps (1898),[1] la gracia {Witz} es «la comicidad enteramente subjetiva», o sea, «la que producimos nosotros, que adhiere a nuestro obrar como tal; aquella con que nos relacionamos en todo como un sujeto que está por encima, nunca como un objeto, ni siquiera como un objeto que lo aceptara voluntariamente» (*ibid.*, pág. 80). Y aclara lo dicho con esta puntualización: llamamos chiste, en general, a «toda provocación conciente y hábil de la comicidad, sea esta de la intuición o de la situación» (*ibid.*, pág. 78).

* {En la mayoría de los casos parece correcto traducir «*Witz*» por «chiste»; sin embargo, la expresión alemana es más amplia y a veces es preciso verterla por «gracia», «gracejo», «gracioso ingenio» y expresiones similares, sobre todo cuando se denota una suerte de facultad (la de hacer gracia o decir agudezas chistosas) y no tanto el producto de ellas. En estos casos siempre hemos consignado entre llaves el término alemán.}

** {«*das Komische*»; por su parte, «la comicidad» traduce «*die Komik*».}

[1] A este libro de Lipps debo el estímulo y la posibilidad de emprender el presente ensayo.

Para elucidar el nexo del chiste con lo cómico, K. Fischer (1889) recurre a la caricatura, a la que considera situada entre ambos. Asunto de la comicidad es lo feo en cualquiera de las formas en que se manifieste: «Donde está escondido, es preciso descubrirlo a la luz del abordaje cómico; donde es poco o apenas notable, hay que destacarlo y volverlo patente para que se evidencie de una manera clara y franca. (...) Así nace la caricatura» (*ibid.*, pág. 45). — «Nuestro íntegro mundo espiritual, el reino intelectual de lo que pensamos y nos representamos, no se despliega ante la mirada del abordaje externo, no admite una representación figural e intuible inmediata, pero también contiene sus inhibiciones, fallas y deformidades, un cúmulo de cosas risibles y contrastes cómicos. Para ponerlos de relieve y volverlos asequibles al abordaje estético hace falta una fuerza capaz no sólo de representar inmediatamente objetos, sino de reflexionar sobre esas mismas representaciones y volverlas patentes: una fuerza que arroje luz sobre lo pensado. Sólo el *juicio* es una fuerza así. El juicio que produce el contraste cómico es el *chiste*; implícitamente ya ha colaborado en la caricatura, pero sólo en el juicio alcanza su forma propia y el terreno de su libre despliegue» (*ibid.*, págs. 49-50).

Como vemos, Lipps sitúa el carácter que singulariza al chiste dentro de lo cómico en el quehacer, en la conducta activa del sujeto, mientras que K. Fischer lo caracteriza por la referencia a su asunto, que a su criterio sería la fealdad escondida en el mundo de los pensamientos. No es posible examinar el acierto de estas definiciones del chiste, y aun apenas se puede comprenderlas, sin insertarlas en la trama de la que aquí se presentan arrancadas; así, parece que nos veríamos constreñidos a abrirnos camino a través de las exposiciones que los autores dan de lo cómico, a fin de averiguar algo sobre el chiste a partir de ellas. No obstante, en otros pasajes advertiremos que esos autores saben indicar también unos caracteres esenciales y universalmente válidos del chiste en los que está ausente su referencia a lo cómico.

He aquí la caracterización del chiste que más parece satisfacer a Fischer: «El chiste es un juicio *que juega*» (*ibid.*, pág. 51). Para aclararla, nos remite a esta analogía: «así como la libertad estética consistiría en abordar las cosas jugando con ellas» (*ibid.*, pág. 50). En otro pasaje (*ibid.*, pág. 20), la conducta estética hacia un objeto es singularizada por la condición de que no le pidamos nada, en particular, que no le demandemos satisfacción alguna de nuestras necesidades serias, sino que nos contentemos con gozar en abordarlo. La conducta estética es una *que juega*, en oposi-

ción al trabajo. — «Bien podría ser que de la libertad estética surgiera también una modalidad del juzgar libre de las
ataduras y principios usuales, que, dado su origen, me gustaría llamar *"el juicio que juega"*; y podría ocurrir, entonces, que en este concepto estuviera contenida la primera
condición, si no la fórmula íntegra, que solucionara nuestra
tarea. "Libertad equivale a chiste {gracia} y chiste equivale
a libertad", dice Jean Paul. "El chiste es un mero juego con
ideas"» (*ibid.*, pág. 24).[2]

Desde siempre se ha gustado definir el chiste como la aptitud para hallar semejanzas en lo desemejante, vale decir,
semejanzas ocultas. Jean Paul hasta ha expresado chistosa-
mente esta idea: «El chiste es el sacerdote disfrazado que
casa a cualquier pareja». Vischer[3] le agrega esta continuación: «Casa de preferencia a aquellas parejas cuya unión los
parientes no consentirían». Empero, Vischer objeta que hay
chistes en los que no cuenta para nada una comparación ni,
por tanto, el hallazgo de una semejanza. Por eso, apartán-
dose un poco de Jean Paul, define al chiste como la aptitud
para crear con sorprendente rapidez una unidad a partir de
diversas representaciones que en verdad son ajenas entre sí
por su contenido interno y el nexo al que pertenecen. Fischer destaca luego que en toda una clase de juicios chistosos
no se hallarán semejanzas, sino diferencias; y Lipps advierte
que estas definiciones se refieren a la gracia que el chistoso
tiene, pero no a la que él *causa*.

Otros puntos de vista aducidos para la definición conceptual o la descripción del chiste, y en cierto aspecto enlazados entre sí, son el «*contraste de representación*», el «*sentido en lo sin sentido* {en el disparate}», el «*desconcierto e
iluminación*».

Definiciones como la de Von Kraepelin[4] ponen el acento
en el contraste de representación. El chiste sería «la conexión o el enlace arbitrarios de dos representaciones que
contrastan entre sí de algún modo, sobre todo mediante el
auxilio de la asociación lingüística». A un crítico como
Lipps no le resulta difícil descubrir la total insuficiencia de
estas fórmulas, pero él mismo no excluye el factor del
contraste; sólo lo desplaza a otro lugar. «El contraste queda
en pie, pero no es un contraste aprehendido de este o estotro
modo entre las representaciones conectadas con las palabras,
sino un contraste o contradicción entre el significado y la
ausencia de significado de las palabras» (Lipps, 1898, pág.

---

[2] [Jean Paul Richter, 1804, parte II, parágrafo 51.]
[3] [1846-57, **1**, pág. 422.]
[4] [1885, pág. 143.]

13

87). Unos ejemplos elucidan cómo debe entenderse esto último. «Un contraste nace sólo por el hecho de que (. . .) atribuimos a sus palabras un significado que luego no podemos volver a atribuirles» (*ibid.*, pág. 90).

En el ulterior desarrollo de esta última definición cobra relevancia la oposición entre «sentido» y «sinsentido». «Lo que por un momento creímos pleno de sentido se nos presenta como enteramente desprovisto de él. En eso consiste en tales casos el proceso cómico. (. . .) Un enunciado parece chistoso cuando le atribuimos con necesidad psicológica un significado y, en tanto lo hacemos, en el acto se lo desatribuimos. Por "significado" pueden entenderse ahí diversas cosas. Prestamos a un enunciado un *sentido* y sabemos que, según toda lógica, no puede convenirle. Hallamos en él una *verdad* que sin embargo no podemos volver a encontrarle luego, si atendemos a las leyes de la experiencia o los hábitos universales de nuestro pensar. Le adjudicamos una consecuencia lógica o práctica que rebasa su verdadero contenido, para negar justamente esa consecuencia tan pronto como estudiamos por sí misma la composición del enunciado. En todos los casos, el proceso psicológico que el enunciado chistoso provoca en nosotros y en que descansa el sentimiento de la comicidad consiste en el paso sin transiciones desde aquel prestar, tener por cierto o atribuir hasta la conciencia o la impresión de una nulidad relativa» (*ibid.*, pág. 85).

Por penetrantes que suenen estas argumentaciones, uno se preguntaría, llegado a este punto, si la oposición entre lo que posee sentido y lo que carece de él, oposición en que descansa el sentimiento de comicidad, contribuye en algo a la definición conceptual del chiste en tanto él se distingue de lo cómico.

También el factor del «desconcierto e iluminación» nos hace ahondar en el problema de la relación del chiste con la comicidad. Acerca de lo cómico en general, Kant [5] dice que una propiedad asombrosa suya es que sólo pueda engañarnos por un momento. Heymans (1896) detalla cómo se produce el efecto del chiste mediante la sucesión de desconcierto e iluminación. Elucida su punto de vista a raíz de un precioso chiste de Heine, quien hace gloriarse a uno de sus personajes, el pobre agente de lotería Hirsch-Hyacinth, de que el gran barón de Rothschild lo ha tratado como a uno de los suyos, por entero «*famillonarmente*» {«*famillionär*»}. Aquí la palabra portadora del chiste aparece a primera vista

[5] [*Crítica del juicio*, parte I, sección 1.]

14

como una mera formación léxica defectuosa, como algo ininteligible, incomprensible, enigmático. Por eso desconcierta. La comicidad resulta de la solución del desconcierto, del entendimiento de la palabra. Lipps (1898, pág. 95) completa esto señalando que al primer estadio de la iluminación, el caer en la cuenta de que la palabra desconcertante significa esto o aquello, sigue un segundo estadio en que uno intelige que es esa palabra carente de sentido la que nos ha desconcertado primero y luego nos ha dado el sentido correcto. Sólo esta segunda iluminación, la intelección de que una palabra sin sentido según el uso lingüístico común es la responsable de todo; sólo esta resolución en la nada, decimos, produce la comicidad.

No importa cuál de estas dos concepciones nos parezca más iluminadora, las elucidaciones sobre desconcierto e iluminación nos aproximan a una determinada intelección. Es que si el efecto cómico de la palabra «famillonarmente», de Heine, descansa en la resolución de su aparente falta de sentido, el «chiste» ha de situarse en la formación de esa palabra y en el carácter de la palabra así formada.

Sin conexión alguna con los puntos de vista que acabamos de considerar, otra propiedad del chiste es admitida como esencial de él por todos los autores. «La *brevedad* es el cuerpo y el alma del chiste, y aun él mismo», dice Jean Paul (1804, parte II, parágrafo 42); con ello no hace sino parafrasear lo que expresa Polonio, el viejo parlanchín, en el *Hamlet* de Shakespeare (acto II, escena 2):

«Puesto que la brevedad es el alma del gracioso ingenio *
y la prolijidad su cuerpo y ornato externo,
seré breve».

Significativa es también la pintura de la brevedad del chiste en Lipps (1898, pág. 90): «El chiste dice lo que dice no siempre con pocas palabras, pero siempre con un número exiguo de ellas, o sea, tal que según una lógica rigurosa o los modos comunes de pensar y de hablar no bastarían. Y aun puede llegar a decirlo callándolo».

«Que el chiste debe poner de relieve algo *oculto* o *escondido*» (Fischer, 1889, pág. 51) ya nos lo enseñó la reunión del chiste con la caricatura. Vuelvo sobre esta definición porque también ella tiene que ver más con la esencia del chiste que con su pertenencia a la comicidad.

* {En inglés, «*wit*»; traducido al alemán como «*Witz*» por Schlegel, en la versión de Shakespeare utilizada por Freud.}

Bien sé que estos magros extractos de los trabajos de los autores sobre el chiste no pueden hacer justicia a su valor. A causa de las dificultades que ofrece una síntesis exenta de malentendidos, por tratarse de unas argumentaciones tan complejas y finamente matizadas, no puedo ahorrarle al lector curioso el trabajo de buscar en las fuentes originarias la deseada enseñanza. Pero no sé si volverá plenamente satisfecho de esa excursión. Los ya resumidos criterios de los autores para definir el chiste y sus propiedades —la actividad, la referencia al contenido de nuestro pensar, el carácter de juicio que juega, el apareamiento de lo desemejante, el contraste de representación, el «sentido en lo sin sentido», la sucesión de desconcierto e iluminación, la rebusca de lo escondido y el particular tipo de brevedad del chiste— se nos presentan a primera vista tan certeros y tan fáciles de demostrar con ejemplos que en manera alguna corremos el peligro de subestimar el valor de esas intelecciones; pero se trata de unos *disjecta membra* que nos gustaría ver ensamblados en un todo orgánico. No aportan al conocimiento del chiste más de lo que una serie de anécdotas contribuiría a caracterizar a una personalidad cuya biografía pretendiéramos con derecho conocer. Nos falta por entero la intelección del nexo que cabría suponer entre las diversas definiciones (p. ej., la relación entre la brevedad del chiste y su carácter de juicio que juega), y el esclarecimiento sobre si el ha de llenar todas estas condiciones para ser un chiste genuino o le basta satisfacer algunas de ellas, y, en tal caso, cuáles son subrogables y cuáles indispensables. Además, desearíamos tener un agrupamiento y clasificación de los chistes sobre la base de esas propiedades suyas destacadas como esenciales. La clasificación que hallamos en los autores se basa, por una parte, en los recursos técnicos (chiste por homofonía, juego de palabras) y, por la otra, en el empleo del chiste dentro del decir (chiste caricaturesco, caracterizador, réplica chistosa).

No nos movería a perplejidad, entonces, indicar las metas a un ulterior empeño por esclarecer el chiste. Para lograr éxito, deberíamos introducir nuevos puntos de vista en el trabajo, o bien tratar de penetrar más hondo mediante un refuerzo de nuestra atención y una profundización de nuestro interés. Podemos procurar que al menos este segundo recurso no falte. De todos modos, es llamativo cuán pocos ejemplos de chistes reconocidos como tales bastan a los autores para sus indagaciones, y cómo cada uno los toma de sus precursores. No podemos sustraernos del deber de analizar los mismos ejemplos que ya han servido a los autores clásicos sobre el chiste, pero nos proponemos reunir material nuevo para ofrecer un basamento más amplio a nuestras conclusiones. Además, parece indicado tomar como objeto de indagación los ejemplos de chistes que en nuestra propia vida nos han producido la mayor impresión y nos han hecho reír con más ganas.

Se preguntará si el tema del chiste merece semejante empeño. Opino que no cabe ponerlo en duda. Si dejo de lado unos motivos personales, que el lector descubrirá en el curso de estos estudios y que me esforzaron a obtener una intelección sobre los problemas del chiste, puedo invocar el hecho de la íntima concatenación de todo acontecer anímico, que de antemano asegura un valor no despreciable para otros campos a cualquier discernimiento psicológico aun sobre un campo distante. También es lícito recordar el peculiar atractivo, y aun la fascinación, que el chiste ejerce en nuestra sociedad. Un chiste nuevo opera casi como un evento digno del más universal interés; es como la novedad de un triunfo de que unos dan parte a los otros. Hasta hombres destacados, que consideran valioso relatar su formación, las ciudades y países que han visto y los hombres sobresalientes que han tratado, no desdeñan recoger en la descripción de su vida tal o cual chiste notable que escucharon.[6]

[6] Véanse las memorias de Von Falke, 1897.

II. La técnica del chiste

Abandonémonos al azar y escojamos el primer ejemplo de chiste que nos ha salido al paso en el capítulo anterior.

En la parte de sus *Reisebilder* {Estampas de viaje} titulada «Die Bäder von Lucca» {Los baños de Lucca}, Heine delinea la preciosa figura de Hirsch-Hyacinth, de Hamburgo, agente de lotería y pedicuro, que se gloria ante el poeta de sus relaciones con el rico barón de Rothschild y al final dice: «Y así, verdaderamente, señor doctor, ha querido Dios concederme toda su gracia; tomé asiento junto a Salomon Rothschild y él me trató como a uno de los suyos, por entero *famillonarmente*».[1]

Con este ejemplo, reconocidamente notable y muy reidero, han ilustrado Heymans y Lipps su derivación del efecto cómico del chiste a partir del «desconcierto e iluminación» (cf. *supra* [pág. 14]). Empero, nosotros dejamos de lado este problema y nos planteamos otro: ¿Qué es lo que convierte en un chiste al dicho de Hirsch-Hyacinth? Una de dos cosas: o lo que lleva en sí el carácter de lo chistoso es el pensamiento expresado en la frase, o el chiste adhiere a la expresión que lo pensado halló en la frase. En lo que sigue estudiaremos y procuraremos dar alcance al polo en que se nos muestra, entre los mencionados, el carácter de chiste.

Un pensamiento puede, en general, expresarse en diversas formas lingüísticas —o sea, en palabras— que lo reflejen con igual justeza. En el dicho de Hirsch-Hyacinth estamos frente a una determinada forma de expresar un pensamiento, y, según vislumbramos, es una forma rara, no aquella que nos resultaría más fácil de entender. Ensayemos expresar el mismo pensamiento con la mayor fidelidad posible en otras palabras. Lipps ya lo ha hecho y así elucidó en cierta medida la versión del poeta. Dice (1898, pág. 87): «Comprendemos que Heine quiere decirnos que la acogida fue familiar, a saber, según la consabida manera que por el tenor

---

[1] [*Reisebilder* III, parte II, capítulo VIII.]

de la condición de millonario no suele cobrar rasgos agradables». No alteramos en nada lo que se quiere decir si adoptamos otra versión, que quizá se adecue mejor al dicho de Hirsch-Hyacinth: «Rothschild me trató como a uno de los suyos, de manera por entero *familiar* {*familiär*}, o sea como lo hace un *millonario* {*Millionär*}».* «La condescendencia de un hombre rico siempre tiene algo de molesto para quien la experimenta en sí», agregaríamos.[2]

Pero ya nos atengamos a esta formulación textual del pensamiento o a otra de índole parecida, vemos que el problema que nos hemos planteado queda ya resuelto. En este ejemplo, el carácter de chiste no adhiere a lo pensado. Es una observación correcta y aguda que Heine pone en boca de su Hirsch-Hyacinth, una reflexión de inequívoca amargura, harto comprensible en ese hombre pobre frente a la gran riqueza. Pero no nos atreveríamos a llamarla chistosa. Ahora bien, si alguien, no pudiendo aventar en la explicitación realizada el recuerdo de la versión del poeta, creyera que el pensamiento es chistoso en sí mismo, podemos remitirnos a un criterio seguro para discernir el carácter de chiste cegado en la explicitación. El dicho de Hirsch-Hyacinth nos hacía reír; la traducción de Lipps o nuestra versión, fieles a su sentido, acaso nos agraden, nos inciten a la reflexión, pero son incapaces de hacernos reír.

Entonces, si el carácter de chiste de nuestro ejemplo no adhiere al pensamiento mismo, se lo ha de buscar en la forma, en el texto de su expresión. No nos hace falta más que estudiar la particularidad de ese modo de expresión para asir lo que puede designarse como la técnica en las palabras, o expresiva, de este chiste, y que por fuerza ha de vincularse íntimamente a la esencia del chiste, pues tanto su carácter como su efecto de tal desaparecen si sustituimos aquel modo por otro. Nos encontramos, por lo demás, en pleno acuerdo con los autores al atribuir tanto valor a la forma lingüística del chiste. Así, dice Fischer (1889, pág. 72): «Es ante todo la mera forma la que convierte en chiste al juicio, y uno se acuerda aquí de un dicho de Jean Paul, que en una misma sentencia declara y demuestra justamente esta naturaleza del chiste: "Hasta ese punto triunfa el mero aprestamiento, trátese del guerrero o de las frases"».

[2] Este mismo chiste nos ocupará en otro lugar [pág. 134], donde tendremos ocasión de rectificar la explicitación que Lipps hace de él, y que la nuestra retoma; empero, esa rectificación no es susceptible de perturbar las elucidaciones que siguen.

Ahora bien, ¿en qué consiste la «técnica» de aquel chiste? ¿Qué obró sobre el pensamiento, por ejemplo en la versión que nosotros le dimos, para convertirlo en el chiste que nos hace reír tan de buena gana? Dos cosas, como lo enseña la comparación de nuestra versión con el texto del poeta. En primer lugar, se ha producido una considerable *abreviación*. Para expresar cabalmente el pensamiento contenido en el chiste, nosotros debimos agregar a las palabras «R. *me trató como a uno de los suyos, por entero familiarmente*», una frase consecuente que, reducida a su máxima brevedad, decía: «*o sea como lo hace un millonario*»; y todavía sentimos luego la necesidad de agregarle un complemento aclaratorio.[3] El poeta lo dice mucho más brevemente:

«R. *me trató como a uno de los suyos, por entero* famillonarmente».

En el chiste se ha perdido toda la restricción que la segunda frase agrega a la primera, la que consigna el tratamiento familiar.

Pero la frase perdida no se fue sin dejar algún sustituto a partir del cual podemos reconstruirla. En efecto, se ha producido además una segunda modificación.* La palabra «*familiär*» {«familiarmente»} de la expresión no chistosa del pensamiento fue trasmudada en «*famillionär*» {«famillonarmente»} en el texto del chiste, y justamente de este producto léxico dependen sin duda su carácter de chiste y su efecto risueño. La palabra neoformada coincide al comienzo con «*familiär*» de la primera frase, y en sus sílabas finales, con el «*Millionär*» de la segunda; por así decir, subroga al elemento «*Millionär*» de la segunda frase, y por lo tanto a toda esta, habilitándonos así para colegir esta segunda frase omitida en el texto del chiste. Cabe describirlo como un producto mixto de los dos componentes «*familiär*» y «*Millionär*», y es tentador ilustrar gráficamente su génesis a partir de estas dos palabras:

Famili   är
Milionär

Familio**när** [4]

[3] Esto mismo es absolutamente válido para la explicitación de Lipps.

* {Aunque hasta ahora pudo haberse obtenido en este ejemplo igual efecto chistoso en castellano, lo que sigue requiere consignar la palabra alemana; la diferencia principal radica en que en alemán las formas adverbiales no exigen, como en castellano, el agregado de un sufijo («-mente») al adjetivo.}

[4] Las sílabas comunes a las dos palabras se imprimen aquí en negrita, a diferencia de los caracteres en redonda y bastardilla emplea-

Pero el proceso mismo que trasportó el pensamiento al chiste puede figurarse del siguiente modo, que acaso al comienzo parezca sólo fantástico, pero arroja con exactitud el resultado que de hecho tenemos:

«R. me trató de manera por entero *familiär*,
o sea, todo lo que puede hacerlo un *Millionär*».

Ahora imaginemos que una fuerza compresora actuara sobre estas frases y supongamos que por alguna razón la frase consecuente sea la de menor resistencia. Esta es entonces constreñida a desaparecer, en tanto su componente más importante, la palabra «*Millionär*», que fue capaz de rebelarse contra esa sofocación, es introducido a presión, por así decir, en la primera frase, fusionado con el elemento de esta tan semejante a él, «*familiär*»; y es justamente esta posibilidad, debida al azar, de rescatar lo esencial de la segunda frase la que favorecerá el sepultamiento de los otros componentes de menor importancia. Así nace entonces el chiste:

«R. me trató de manera por entero *famili   on   är*».

(*mili*)   (*är*)

Si prescindimos de esa fuerza compresora, por cierto desconocida para nosotros, podemos describir la formación del chiste, y por tanto la técnica del chiste en este caso, como una *condensación con formación sustitutiva*; en nuestro ejemplo, la formación sustitutiva consiste en producir una *palabra mixta*. Esta última, «*famillionär*», incomprensible en sí misma, pero que enseguida se entiende y se discierne como provista de sentido en el contexto en que se encuentra, es ahora la portadora del efecto por el cual el chiste constriñe a reír, efecto a cuyo mecanismo, empero, no nos aproxima en nada el descubrimiento de la técnica del chiste. ¿Hasta dónde un proceso de condensación lingüística con formación sustitutiva mediante una palabra mixta puede procurarnos placer y constreñirnos a reír? Notamos que es este un problema diverso, cuyo tratamiento tenemos derecho a posponer hasta haber hallado un acceso a él. Por ahora nos detendremos en la técnica del chiste.

Nuestra expectativa de que la técnica del chiste no puede

dos para sus componentes. La segunda «l», que casi no posee valor para la pronunciación, pudo desde luego dejarse de lado. Cabe pensar que la coincidencia de las dos palabras en varias de sus sílabas dio ocasión a la técnica del chiste para producir la palabra mixta.

21

ser indiferente para la intelección de la esencia de este nos mueve a investigar, ante todo, si no existen otros ejemplos de chiste construidos como el «*famillionär*» de Heine. No los hay sobrados, pero sí bastantes para crear con ellos un pequeño grupo caracterizado por la formación de una palabra mixta. El propio Heine ha derivado de la palabra «*Millionär*» un segundo chiste: en cierto modo se copia a sí mismo cuando habla de un «*Millionarr*» («Ideen», cap. XIV),[5] que es una trasparente síntesis de «*Millionär*» {«millonario»} y «*Narr*» {«loco»}, y expresa, de una manera en un todo semejante al primer ejemplo, un pensamiento colateral sofocado.

He aquí otros ejemplos que han llegado a mi conocimiento: Los berlineses llaman a cierta fuente {*Brunnen*} de su ciudad, cuya erección costó muchos sinsabores al alcalde Forckenbeck, la «*Forckenbecken*», y no se le puede negar a esta denominación el carácter de chiste, por más que la palabra *Brunnen* {fuente} haya debido ser mudada primero en la poco usual *Becken* para sólo entonces conjugarla en una comunidad con el nombre propio. — El maligno gracejo {*Witz*} de Europa rebautizó en otro tiempo como «*Cleopold*» a un potentado llamado Leopold a causa de su enredo amoroso con una dama cuyo nombre de pila era Cléo; el resultado es una operación indudablemente condensadora, que con el gasto de apenas una letra mantiene siempre fresca una enojosa alusión. — Los nombres propios se prestan con suma facilidad a este tipo de elaboración por la técnica de chiste: En Viena había dos hermanos de nombre Salinger, uno de los cuales era *Börsensensal* {corredor de bolsa; *Sensal*, agente}. Esto dio asidero a llamar a uno de ellos «*Sensalinger*», en tanto que para distinguir al otro hermano se recurrió al desagradable apodo de «*Scheusalinger*» {*Scheusal*, espantajo}. Era cómodo y por cierto chistoso; no sé si justificado. El chiste suele preocuparse poco de ello.

Me contaron el siguiente chiste de condensación: Un joven que hasta entonces había llevado una vida alegre en el extranjero visita, tras larga ausencia, a un amigo que vive aquí. Este nota con sorpresa que su visitante lleva anillo matrimonial. «¡Qué! —exclama—, ¿te has casado?». «Sí —es la respuesta—: *Trauring* {anillo nupcial; *Ring*, anillo}, pero cierto». El chiste es excelente; en la palabra «*Trauring*» se conjugan dos componentes: la palabra *Ehering* {anillo matrimonial}, mudada en *Trauring* {sinónima de la anterior}, y la frase «*Traurig* {triste}, pero cierto».

En nada perjudica al efecto del chiste que la palabra

5 [*Reisebilder* II.]

mixta no sea aquí, en verdad, un producto incomprensible, inviable en otro contexto, como lo era «*famillionär*», sino que coincida por entero con uno de los dos elementos condensados.

Yo mismo proporcioné inadvertidamente en una conversación el material para otro chiste en un todo análogo al de «*famillionär*». Refería a una dama los grandes méritos de un investigador a quien juzgo injustamente ignorado. «Pero ese hombre merece entonces un monumento», dijo ella. «Es posible que alguna vez lo tenga —respondí—, pero momentáneamente su éxito es muy escaso». «*Monumento*» y «*momentáneo*» son opuestos. Y hete aquí que la dama reúne esos opuestos: «Entonces deseémosle un éxito *monumentáneo*».

A una excelente elaboración de este mismo asunto en lengua inglesa (A. A. Brill, 1911) debo algunos ejemplos de lenguas extranjeras que muestran el mismo mecanismo de condensación que nuestro «*famillionär*».[6]

Refiere Brill que el autor inglés De Quincey señala en alguna parte que gentes ancianas tienden a caer en «*anecdotage*». La palabra es fusión de dos que en parte se superponen:

anec*dote*   {anécdota}
y   *dotage*   (chochez).

En una breve historia anónima, Brill halló definida la Navidad como «*the alcoholidays*». Idéntica fusión de

alco*hol*
y   *holidays* (festividades).

Cuando Flaubert publicó su famosa novela *Salammbô*, que se desarrolla en la antigua Cartago, Sainte-Beuve se burló de ella diciendo que era una «*Carthaginoiserie*» por su trabajosa pintura de los detalles:

Carthag*inois*   {cartaginés}
chi*nois*erie   {minuciosidad extrema, «trabajo de chinos»}.

El más destacado ejemplo de chiste de este grupo tiene por autor a uno de los principales hombres de Austria, que tras haber desarrollado una significativa actividad científica

[6] [Este párrafo y los tres ejemplos que siguen fueron agregados en 1912.]

y pública desempeña hoy un alto cargo en el Estado. Me he tomado la libertad de usar como material para estas indagaciones los chistes que se atribuyen a esta persona [7] y que de hecho llevan, todos, el mismo sello; es que habría sido difícil procurárselos mejores.

Un día, a este señor N. le llaman la atención sobre un escritor que se ha hecho conocido por una serie de ensayos realmente tediosos que ha publicado en un diario vienés. Todos los ensayos tratan sobre pequeños episodios tomados de los vínculos del primer Napoleón con Austria. El autor es pelirrojo {*rothaarig*; *rot*, rojo}. El señor N. pregunta, tan pronto le mencionan ese nombre: «¿No es ese el *roter Fadian* {insulsote rojo} * que se enhebra {*ziehen sich durch*} por la historia de los Napoleónidas?».

Para hallar la técnica de este chiste tenemos que aplicarle aquel procedimiento reductivo que lo cancela alterándole la expresión y reponiendo el pleno sentido originario, tal como se lo puede colegir con certeza a partir de un buen chiste. El chiste del señor N. sobre el «*roter Fadian*» ha brotado desde dos componentes: de un juicio negativo sobre el escritor y de la reminiscencia del famoso símil con que Goethe introduce los extractos «Del diario de Otilia» en *Las afinidades electivas*.[8] La crítica desdeñosa acaso rezaba: «¡Ese es, pues, el hombre que una y otra vez, tediosamente, sólo atina a escribir folletones sobre Napoleón en Austria!». Ahora bien, esta manifestación no tiene nada de chistosa. Tampoco lo es la bella comparación de Goethe, sin duda alguna inapropiada

[7] ¿Que si tengo derecho a ello? Al menos no ha sido por una indiscreción como me he enterado de estos chistes que en esta ciudad (Viena) son de todos conocidos y corren de boca en boca. Algunos han sido dados a publicidad por Eduard Hanslick [el famoso crítico musical] en la *Neue Freie Presse* y en su autobiografía. En cuanto a los otros, debo pedir disculpas por las desfiguraciones difícilmente evitables en la tradición oral. [Parece probable que el señor N. fuera Josef Unger (1828-1913), profesor de jurisprudencia y, desde 1881, presidente de la Suprema Corte.]

* {La terminación «-*ian*» es ocasionalmente agregada en alemán a un adjetivo, convirtiéndolo en un sustantivo de sentido peyorativo. Así, «*grob*» = «vulgar», «*Grobian*» = «vulgarote»; «*dumm*» = «zonzo», «*Dummian*» = «zonzote»; «*fad*» = «insulso», «*Fadian*» = «insulsote». Además, «*Faden*» significa «hilo».}

[8] «Sabemos de una particular costumbre en la marina inglesa. Todas las jarcias de la flota real, desde las más fuertes hasta las más débiles, están trenzadas de suerte que un *roter Faden* {hilo rojo} recorre el conjunto y no se lo puede destrenzar sin desarmarlo todo; por él se conoce, aun en las más pequeñas piezas, su pertenencia a la corona. De igual modo se extiende por el diario íntimo de Otilia un hilo de afecto y dependencia que todo lo conecta y que distingue al conjunto». (Goethe, *Wahlverwandtschaften*, Sophien-Ausgabe, **20**, pág. 212.)

24

para provocarnos risa. Sólo si se las vincula entre sí y se las somete a ese peculiar proceso de fusión y condensación nace un chiste, y por cierto de primera clase.[9]

El enlace entre el juicio denigratorio sobre el aburrido historiógrafo y el bello símil de *Las afinidades electivas* tiene que haberse producido aquí, por razones que todavía no puedo explicar, de una manera menos simple que en muchos casos parecidos. Intentaré sustituir el proceso real conjeturable por la siguiente construcción. En primer lugar, acaso el elemento del continuo retorno del mismo tema en el señor N. evocó una ligera reminiscencia del consabido pasaje de *Las afinidades electivas*, que casi siempre se cita erróneamente con el texto «se extiende {*ziehen sich*} como un hilo rojo {*roter Faden*}». Entonces, el «*roter Faden*» del símil ejerce un efecto alterador sobre la expresión de la primera frase, y ello a raíz de la casual circunstancia de que también el denigrado es *rot* {rojo}, a saber, pelirrojo {*rothaarig*}. Quizá rezó entonces: «Conque este hombre rojo es el que escribe los tediosos folletones sobre Napoleón». Ahora interviene el proceso que apunta a la condensación de las dos piezas en una sola. Bajo la presión de este proceso, que había hallado su primer punto de apoyo en la igualdad del elemento *rot* {rojo}, *langweilig* {tedioso} se asimiló a *Faden* {hilo} y se trasformó en *fad* {insulso}; así, los dos componentes pudieron fusionarse en el texto del chiste, en el cual esta vez la cita ocupa casi mayor lugar que el juicio denigratorio, sin duda el único presente en el origen.

«Conque este hombre
    rote {rojo} es el que escribe esa *fade* {insulsa} tela so-
                              bre N.[apoleón].
El *rote* {rojo}   *Faden* {hilo} que se ex-
    tiende atravesándolo {*hindurchziehen sich*} todo.

¿No es ese el *roter Fadian* que se enhebra por la historia de
                              los N.[apoleónidas]?».

En un capítulo posterior [cf. pág. 98], cuando ya pueda analizar este chiste desde otros puntos de vista que los meramente formales, justificaré, pero también rectificaré, esta exposición. Pero por dudosa que ella pueda parecer, hay un hecho exento de toda duda, y es que aquí ha sobrevenido una condensación. El resultado de esta última es, por una

---

[9] Apenas me hace falta señalar cuán poco concuerda esta observación, que puede repetirse de manera regular, con la tesis de que el chiste sería un juicio que juega [cf. *supra*, pág. 12].

parte, nuevamente una considerable abreviación, y por la otra, en vez de la formación de una palabra mixta llamativa, más bien una mutua compenetración de los elementos de ambos componentes. «*Roter Fadian*» {«insulsote rojo»} sería viable, de todos modos, como insulto; en nuestro caso es con certeza un producto de condensación.

Si en este preciso punto algún lector se sintiera disgustado por un modo de abordaje que amenaza destruirle el gusto del chiste sin poder esclarecerle la fuente de ese gusto, yo le pediría que tuviera paciencia al comienzo. Todavía estamos en la técnica del chiste, cuya indagación promete conclusiones siempre que avancemos lo suficiente en ella.

El análisis del último ejemplo nos ha preparado para hallar que en otros casos, como resultado del proceso condensador, el sustituto de lo sofocado no necesariamente será la formación de una palabra mixta, sino algún otro cambio en la expresión. Otros chistes del señor N. nos enseñarán en qué puede consistir ese sustituto diferente.

«He viajado con él *tête-à-bête*». Nada más fácil que reducir este chiste. Es evidente que sólo puede querer decir: «He viajado *tête-à-tête* {frente a frente} con X, y X es una mala *bestia* {*bête*}.

Ninguna de estas dos frases es chistosa. Tampoco lo sería su reunión en una frase única: «He viajado *tête-à-tête* con la mala bestia de X». El chiste sólo se produce cuando «mala bestia» es omitido y, en sustitución, *tête* cambia una de sus *t* en *b*, leve modificación mediante la cual el «bestia» que se acababa de sofocar reaparece en la expresión. Puede describirse la técnica de este grupo de chistes como *condensación con modificación leve*, y uno vislumbra que el chiste será tanto mejor cuanto más ínfima resulte la modificación.[10]

En un todo semejante, aunque no deja de presentar su complicación, es la técnica de otro chiste. Conversando acerca de una persona en quien había mucho para alabar, pero también mucho de criticable, el señor N. dice: «Sí, la vanidad es uno de sus cuatro talones de Aquiles».[11] La leve modificación consiste aquí en que en vez de *un talón de Aquiles*, que debemos atribuir sin duda al héroe, aquí se afirma que hay *cuatro* {*vier*}. Cuatro talones, o sea cuatro patas, tiene una bestia {*Vieh*; propiamente, «vaca»}. Así, los dos pensamientos condensados en el chiste rezaban: «Y., salvo su va-

---

[10] [En las ediciones anteriores a 1925 se leía aquí «modificación sustitutiva».]

[11] [*Nota agregada* en 1912:] Parece que esta misma expresión chistosa ya había sido aplicada antes por Heine a Alfred de Musset.

nidad, es un hombre sobresaliente; pero no me gusta nada; a pesar de ello es más una bestia que un hombre».[12]

Semejante, sólo que mucho más simple, es otro chiste que escuché *in statu nascendi* en el seno de una familia. De dos hermanos, alumnos de la escuela media, uno era destacado y el otro harto mediocre. Ocurrió que también el muchacho modelo tuvo una vez un tropiezo en la escuela, y la madre se refirió al hecho expresando su preocupación de que pudiera significar el comienzo de una decadencia permanente. El muchacho oscurecido hasta entonces por su hermano aprovechó de buena gana esta ocasión. «Sí —dijo—; Karl *retrocede al galope*». La modificación consiste aquí en un pequeño agregado a la declaración de que también a su juicio el otro retrocede. Ahora bien, esta modificación subroga y sustituye a un apasionado alegato en favor de su propia causa: «De ningún modo debiera mi madre creer que él es tanto más inteligente que yo porque tiene más éxito en la escuela. No es más que una mala bestia, o sea mucho más tonto que yo».

Un buen ejemplo de condensación con modificación leve es otro chiste, muy famoso, del señor N. Dijo, acerca de una personalidad pública: «Tiene un gran futuro *detrás suyo*». El chiste apuntaba a un hombre joven que por su familia, su educación y sus cualidades personales parecía llamado a ocupar alguna vez la jefatura de un gran partido y, a la cabeza de este, alcanzar el gobierno. Pero los tiempos cambiaron, ese partido se volvió incapaz de llegar al poder, y era previsible que tampoco llegaría a nada el hombre predestinado a ser su jefe. La versión reducida a su máxima brevedad, por la cual se podría sustituir este chiste, rezaría: «El hombre ha tenido delante suyo un gran futuro, que ahora ya no cuenta». «Ha tenido» y la frase consecuente son relevadas por la pequeña alteración en la frase principal, la que remplaza el «delante» por un «detrás», su contrario.[13]

Casi de la misma modificación se valió el señor N. en el caso de un caballero que se había convertido en ministro

---

[12] Una de las complicaciones de la técnica de este ejemplo reside en que la modificación por la que se sustituye el denuesto omitido se define como *alusión* a este último, pues sólo lleva a él a través de un proceso de inferencia. Acerca de otro factor que complica en este caso la técnica, véase *infra* [págs. 97-8].

[13] En la técnica de este chiste opera todavía otro factor cuya exposición me reservo para más adelante. Atañe al carácter de la modificación en cuanto a su contenido (figuración por lo contrario [págs. 67 y sigs.], contrasentido [págs. 54 y sigs.]). Nada obsta para que la técnica del chiste se sirva de varios recursos al mismo tiempo, recursos que nosotros, empero, sólo podemos estudiar sucesivamente.

de Agricultura sin más títulos que el de administrar él mismo su finca. La opinión pública tuvo oportunidad de advertir que era el menos dotado de cuantos habían ocupado ese cargo. Cuando dimitió para volver a ocuparse de sus intereses agrarios, el señor N. dijo acerca de él: «Como Cincinato, se ha retirado a ocupar su puesto *delante* del arado». El romano, a quien lo llamaron para ocupar un cargo público cuando trabajaba en su finca, volvió luego a su puesto *detrás* del arado. Delante de este, en aquel tiempo como hoy, sólo anda... el *buey*.

Una lograda condensación con modificación leve es la de Karl Kraus,[14] quien, acerca de uno de esos periodistas llamados amarillos, informa que ha viajado con el *Orienterpresszug* a uno de los países de los Balcanes. Indudablemente, en esta palabra se encuentran otras dos: *Orientexpresszug* {tren expreso del Oriente} y *Erpressung* {extorsión}. Por el contexto, el elemento «extorsión» sólo se hace valer como modificación de «*Orientexpresszug*», exigida por el verbo [viajar]. Este chiste, en tanto semeja un error de imprenta, tiene todavía otro interés para nosotros.[15]

Podríamos engrosar mucho la serie de estos ejemplos, pero opino que no necesitamos de nuevos casos para captar con certeza los caracteres de la técnica en este segundo grupo: condensación con modificación. Si ahora comparamos este grupo con el primero, cuya técnica consistía en una condensación con formación de una palabra mixta, vemos que las diferencias no son esenciales y las transiciones son fluidas. Tanto la formación de una palabra mixta como la modificación se subordinan bajo el concepto de la formación sustitutiva y, si queremos, podemos describir la formación de una palabra mixta también como una modificación de la palabra base por el segundo elemento.

[2]

Pero aquí podemos hacer un primer alto y preguntarnos con qué factor conocido por la bibliografía coincide total o parcialmente nuestro primer resultado. Es evidente que con la brevedad, llamada por Jean Paul «el alma del chiste» (cf.

[14] [En la edición de 1905 rezaba aquí «un gracioso escritor». Karl Kraus fue un célebre periodista y director de publicaciones vienés. Cf. también *infra*, pág. 74.]
[15] [Como caso límite entre chiste y operación fallida. Cf. *Psicopatología de la vida cotidiana* (1901*b*), *AE*, **6**, págs. 128 y sigs.]

supra, pág. 15). Ahora bien, la brevedad no es en sí chis·
tosa; de lo contrario, todo laconismo sería un chiste. La bre·
vedad del chiste tiene que ser de un tipo particular. Recor·
damos que Lipps ha intentado describir con más precisión la
especificidad de la abreviación en el chiste (pág. 15). En
este punto, justamente, intervino nuestra indagación demos-
trando que la brevedad del chiste es a menudo el resultado
de un proceso particular que ha dejado como secuela una
segunda huella en el texto de aquel: la formación sustitutiva.
Pero, aplicando el proceso reductivo, que se propone deshacer el peculiar proceso de condensación, también hallamos
que el chiste depende sólo de la expresión en palabras producida por el proceso condensador. Y, desde luego, todo nuestro
interés se dirige ahora a este raro proceso, casi no apreciado
hasta hoy. Es que todavía no alcanzamos a comprender cómo
puede generarse desde él todo lo valioso del chiste, la ganancia de placer que este nos aporta.

¿Ya se han vuelto notorios en algún otro campo del acontecer anímico procesos semejantes a los que hemos descrito
aquí como técnica del chiste? Así es; en un único campo, muy
alejado en apariencia. En 1900 he publicado un libro (*La interpretación de los sueños*) que, como lo indica su título,
procura esclarecer lo enigmático del sueño presentándolo
como retoño de una operación anímica normal. Allí encuentro motivos para oponer el *contenido manifiesto del sueño*,
a menudo extraño, a los *pensamientos oníricos latentes*, pero
enteramente correctos, de los cuales aquel deriva; y me interno en la indagación de los procesos que crean al sueño a
partir de los pensamientos oníricos latentes, así como de las
fuerzas psíquicas que han participado en esa trasmudación.
Al conjunto de los procesos trasmudadores lo llamo *trabajo
del sueño*, y como una pieza de este último he descrito un
proceso de condensación que muestra la máxima semejanza
con el empleado por la técnica del chiste y que, lo mismo
que él, lleva a una abreviación y a formaciones sustitutivas
de igual carácter. Cada quien podrá familiarizarse, por el
recuerdo de sus propios sueños, con los productos mixtos
de personas y también de objetos que aparecen en el so·
ñar;[16] y aun el sueño los forma con palabras que luego el
análisis es capaz de descomponer (p. ej., «*Autodidasker*» =
= «*Autodidakt*» + «*Lasker*»).[17] Otras veces, y por cierto
con frecuencia mucho mayor, el trabajo condensador del sueño no engendra productos mixtos, sino imágenes que se

[16] [Cf. *La interpretación de los sueños* (1900*a*), *AE*, **4**, pág. 300.]
[17] [*Ibid.*, págs. 298 y sigs.]

asemejan por entero a un objeto o a una persona, salvo un agregado o variación que proviene de otra fuente; vale decir, modificaciones en un todo semejantes a las de los chistes del señor N. No hay duda alguna de que tanto aquí como allí estamos frente al mismo proceso psíquico, que podemos discernir por sus idénticos rendimientos. Una analogía tan vasta entre la técnica del chiste y el trabajo del sueño acrecentará, ciertamente, nuestro interés por la primera y moverá en nosotros la expectativa de conseguir mucho, para esclarecer el chiste, de su comparación con el sueño. Pero nos abstenemos de emprender ese trabajo, pues nos decimos que sólo hemos explorado la técnica en un número muy escaso de chistes, de suerte que no podemos saber si en verdad seguirá en pie esa analogía por la que nos guiaríamos. Por eso dejamos de lado la comparación con el sueño y volvemos a la técnica del chiste; por así decir, dejamos pendiente en este lugar de nuestra indagación un hilo que quizás habremos de retomar luego.

[3]

Lo siguiente que averiguaremos es si el proceso de la condensación con formación sustitutiva es pesquisable en todos los chistes, de suerte que se lo pueda establecer como el carácter universal de la técnica del chiste.

Aquí me acuerdo de un chiste que ha quedado en mi memoria a raíz de particulares circunstancias. Uno de los grandes maestros de mi juventud, a quien considerábamos incapaz de apreciar un chiste, así como nunca habíamos escuchado uno de sus labios, llegó un día riendo al Instituto e informó, mejor dispuesto que de ordinario, acerca de la ocasión de su alegre talante. «Es que he leído un excelente chiste. En un salón de París fue presentado un joven, supuesto pariente del gran Jean-Jacques Rousseau y que también llevaba ese nombre. Era pelirrojo. Pero su comportamiento fue tan torpe que la dama de la casa dijo al caballero que lo había presentado, a modo de crítica: *"Vous m'avez fait connaître un jeune homme roux et sot, mais non pas un Rousseau"*».* Y mi maestro echó a reír de nuevo.

De acuerdo con la nomenclatura de los autores, este es un chiste fonético [cf. pág. 45], y por cierto de tipo inferior:

* {«Usted me ha hecho conocer a un joven *pelirrojo* y *tonto*, pero no a un *Rousseau*». «*Roux-sot*» se pronuncia igual que «*Rousseau*».}

uno que juega con el patronímico, como el chiste del sermón del monje capuchino en *Wallensteins Lager*, sermón que, como es sabido, copia la manera de Abraham a Santa Clara:

«Se hace llamar *Wallenstein*
y en efecto es para todos {*allen*} nosotros una piedra {*Stein*}
de escándalo y enojo».[18]

Ahora bien, ¿cuál es la técnica de este chiste?

Es evidente que el carácter que esperábamos quizá pesquisar como universal ya falla en este primer caso nuevo. Aquí no estamos frente a una omisión, y difícilmente haya una abreviación. La dama enuncia en el chiste mismo casi todo lo que nosotros podemos suponer en su pensamiento. «Usted me ha creado la expectativa de conocer a un pariente de Jean-Jacques Rousseau, acaso un pariente espiritual, y en cambio veo a un joven pelirrojo y tonto, a un *roux* et *sot*». Es cierto que he podido hacer un agregado, una intercalación, pero ese intento reductivo no cancela el chiste.

Este permanece y adhiere a la homofonía de $\dfrac{\text{ROUSSEAU}}{\text{ROUX SOT}}$.

Así queda demostrado que la condensación con formación sustitutiva no contribuye en nada a la producción de este chiste.

Pero, ¿qué otra cosa hay? Nuevos intentos de reducción pueden enseñarme que el chiste sigue resistiendo hasta que sustituyo el nombre *Rousseau* por otro. En su lugar pongo, por ejemplo, *Racine*, y al punto la crítica de la dama, que sigue siendo tan posible como antes, pierde todo asomo de chiste. Ahora sé dónde debo buscar la técnica de este chiste, pero tal vez vacile aún sobre su formulación; ensayaré la siguiente: La técnica de chiste reside en que una y la misma palabra —el apellido— aparece en *acepción doble*, una vez como un todo y luego dividida en sus sílabas como en una charada.

Puedo citar unos pocos ejemplos idénticos a este por su técnica.

Se cuenta [19] que una dama italiana se vengó de una falta de tacto del primer Napoleón mediante un chiste basado en esta misma técnica de la acepción doble. Durante un baile

---

[18] [Schiller, *Wallensteins Lager*, escena 8. — Abraham a Santa Clara fue un famoso predicador popular y satírico austríaco (1644-1709).] Que este chiste [el de Rousseau] merece ser mejor estimado a causa de otro factor, sólo después se lo podrá mostrar [pág. 72].

[19] [Este ejemplo fue agregado en 1912.]

en la corte, Napoleón le dijo, señalándole a sus compatriotas: «*Tutti gli Italiani danzano si male*»; y ella replicó con prontitud: «*Non tutti, ma* buona parte».* (Brill, 1911.)

Cierta vez que se representó en Berlín la *Antígona* [de Sófocles], la crítica halló que le faltaba carácter antiguo. El gracejo {*Witz*} de Berlín se apropió de esta crítica de la siguiente manera: «*Antik? Oh, nee*».[20]

En círculos médicos corre un chiste análogo por partición en sílabas. Al preguntar a un joven paciente si alguna vez se ha masturbado, no se recibirá sino esta respuesta: «*O na, nie!*».**

La misma técnica del chiste en los tres [21] ejemplos, que han de bastar para su género. Un nombre recibe acepción doble, una vez entero, la otra dividido en sus sílabas, trasmitiendo otro sentido al separárselo así.[22]

La acepción múltiple de la misma palabra, una vez con-

---

* {«Todos los italianos danzan tan mal». «No todos, pero *buona parte*» (alusión a Napoleón *Bonaparte*).}

[20] Vischer, 1846-57, **1**, pág. 429, y Fischer, 1889 [pág. 75]. {«¿Antiguo? ¡Oh, no!»; en el dialecto berlinés, esto se pronuncia más o menos como «Antígona».}

** {«¡Oh no, nunca!»; «*Onanie*», onanismo.}

[21] [En rigor, en la edición de 1912 debería haberse cambiado aquí por «cuatro», pero no se hizo la corrección.]

[22] La bondad de estos chistes descansa en que al mismo tiempo aplican otro recurso técnico de orden muy superior (cf. *infra* [pág. 72]). — En este punto, por otra parte, puedo señalar un nexo entre chiste y acertijo. El filósofo Franz Brentano ha inventado un género de acertijos en que es preciso adivinar un corto número de sílabas que, reunidas en una sola palabra, o articuladas de diversos modos, arrojan otro sentido. Por ejemplo: «...*liess mich das* Platanenblatt ahnen» {«La hoja de plátano (*Platanenblatt*) me indujo a sospechar (*Ahnen*)», donde «*Platanen*» y «*blatt ahnen*» suenan casi idénticos}. O este otro: «...*wie du dem* Inder hast verschrieben, in der Hast verschrieben?» {«¿Cómo le has prescrito al hindú equivocándote por el apuro en el escrito?», donde «*Inder hast*» («al hindú has») suena como «*in der Hast*» («en el apuro») y «*verschrieben*» significa en el primer caso «prescribir» y en el segundo «cometer un desliz al escribir»}. Las sílabas por adivinar se sustituyen en la construcción de la frase por la palabra de relleno «*dal*», que se repite tantas veces como corresponda. Un colega del filósofo se tomó una ingeniosa venganza al enterarse de los esponsales de Brentano, hombre ya maduro. Preguntó: «*Daldaldal daldaldal? (Brentano brennt-a-no?)*)» {«Brentano, ¿arde todavía?»}.

¿Cuál es la diferencia entre estos acertijos «*daldal*» y los chistes del texto? Consiste en que en los primeros la técnica es indicada como una condición y el texto debe ser adivinado, mientras que en los chistes el texto se comunica y la técnica se oculta.

[Freud asistió a las clases de filosofía de Franz Brentano (1838-1917) durante su primer año como estudiante en la Universidad de Viena. Mayor explicación sobre estos acertijos se ofrece en un «Apéndice», *infra*, pág. 224.]

siderada íntegra y luego según las sílabas en que admite ser descompuesta, fue el primer caso que encontramos de una técnica que diverge de la condensación. Pero tras breve reflexión debimos colegir, por la multitud de los ejemplos que nos afluían, que la técnica recién descubierta difícilmente podría limitarse a ese recurso. Es evidente que existe un número, no abarcable a primera vista, de posibilidades de explotar en una frase una misma palabra o el mismo material de palabras para su acepción múltiple. ¿Tropezaremos con todas estas posibilidades como recurso técnico del chiste? Parece que sí; lo demuestran los siguientes ejemplos de chiste.

Primero, puede tomarse el mismo material de palabras y alterar sólo algo en su ordenamiento. Mientras menor sea el cambio y más se reciba por ello la impresión de que un sentido diverso se ha enunciado con las mismas palabras, mejor será el chiste en su aspecto técnico.

«El matrimonio X tiene un buen pasar. En opinión de algunos, el marido debe de haber *ganado mucho* {*viel verdient*} y luego con ello se ha *respaldado un poco* {*etwas zurückgelegt*}, mientras otros creen que su esposa se ha *respaldado un poco* {*etwas zurückgelegt*} y luego ha *ganado mucho* {*viel verdient*}».[23]

¡Un chiste endiabladamente bueno! ¡Y cuán escasos recursos ha requerido! *Ganado mucho–respaldado un poco, respaldado un poco–ganado mucho*; en verdad, nada más que la trasposición de las dos frases, mediante la cual lo enunciado sobre el marido es diverso de la alusión respecto de la mujer. Pero tampoco en este caso se agota en ello toda la técnica del chiste. [Cf. *infra*, págs. 40 y 72.][24]

Un rico espacio de juego se abre a la técnica del chiste cuando la «*acepción múltiple del mismo material*» se amplía de modo que la palabra —o las palabras— de que depende el chiste se usan una vez sin cambio y la otra con una *leve modificación*. Demos como ejemplo otro chiste del señor N.: Escucha a un señor, él mismo de origen judío, que dice algo odioso respecto de los judíos. «Señor consejero

[23] Spitzer, 1912, **1**, pág. 280. [Daniel Spitzer, periodista vienés (1835-1893).]
[24] [*Nota agregada* en 1912:] Como tampoco en el caso de un excelente chiste de Oliver Wendell Holmes, citado por Brill [1911]: «*Put not your trust in money, but put your money in trust*» {«No deposite su confianza en el dinero, pero confíe su dinero a un depósito (a interés)»}. Aquí se anuncia una contradicción que no se produce. La segunda parte de la oración elimina esa contradicción. Por lo demás, un buen ejemplo de la intraducibilidad de los chistes que emplean esta técnica.

áulico —le responde—: su antesemitismo me era conocido, su antisemitismo es para mí algo nuevo».

Aquí se ha alterado una sola letra, modificación que en una elocución descuidada apenas se notaría. El ejemplo recuerda a los otros chistes por modificación, de este mismo señor N. (*supra*, págs. 26 y sigs.);[25] pero, a diferencia de aquellos, le falta la condensación: en el chiste mismo se dice todo lo que se quiere decir. «Yo sé que usted antes fue judío; me asombra entonces que justamente usted insulte a los judíos».

Notable ejemplo de uno de estos chistes por modificación es la conocida exclamación: «*Traduttore-Traditore!*» {«¡Traductor, traidor!»}. La semejanza entre las dos palabras, que llegan casi a ser idénticas, figura de una manera muy impresionante la fatalidad de que el traductor deba hacer traición a su autor.[26]

La diversidad de las modificaciones leves posibles es tan grande en estos chistes que ninguno se asemeja por entero a los otros.

He aquí un chiste que, dicen, se produjo durante un examen de derecho. El candidato debe traducir un pasaje del *Corpus Juris*: «*"Labeo ait...": Yo caigo, dice él...*». «*Usted cae, digo yo*», replica el examinador, y el examen ha llegado a su término.[27] Es que no se merece nada mejor quien ha confundido el nombre del gran jurisconsulto con un vocablo, que por añadidura recuerda mal. Pero la técnica del chiste consiste en el empleo de casi las mismas palabras que atestiguan la ignorancia del examinando para su castigo por el examinador. El chiste es además un ejemplo de «prontitud», técnica que, como se verá [pág. 65], no difiere mucho de la que estamos ilustrando.

Las palabras son un plástico material con el que puede emprenderse toda clase de cosas. Hay palabras que en ciertas acepciones han perdido su pleno significado originario, del que todavía gozan en otro contexto. En un chiste de Lichtenberg se rebuscan justamente aquellas circunstancias en que las palabras descoloridas vuelven a recibir su signi-

[25] [En todas las ediciones alemanas, salvo la primera, se da una remisión equivocada.]

[26] [*Nota agregada* en 1912:] Brill [1911] cita un chiste por modificación enteramente análogo: «*Amantes amentes*» («los amantes son locos»).

[27] [Labeo, famoso jurista romano (*circa* 50 a. C.-18 d. C.); el alumno debía haber traducido: «Labeo dice...»; confundió «*Labeo*» con «*labeor*», «yo caigo». {El chiste es más nítido en alemán porque se usa la misma palabra, «*fallen*», para «caer» y para «fracasar en un examen».}]

ficado pleno. «¿Cómo *anda?*», preguntó el ciego al *paralítico.* «Como usted *ve*», fue la respuesta de este al *ciego.*

En alemán existen también palabras que pueden tomarse en diferente sentido, y por cierto en más de uno, en su acepción *plena* o en la *vacía.* O sea, pueden haberse desarrollado dos retoños diferentes de un mismo origen, convirtiéndose uno de ellos en una palabra con significado pleno, y el otro en una sílaba final o sufijo descoloridos, teniendo ambos, empero, el mismo sonido. Esta homofonía entre una palabra plena y una sílaba descolorida puede también ser casual. En ambos casos la técnica del chiste puede aprovechar tales constelaciones del material lingüístico.

A Schleiermacher se atribuye un chiste que es para nosotros importante como ejemplo casi puro de ese recurso técnico: «*Eifersucht* {los celos} son una *Leidenschaft* {pasión} que con *Eifer sucht* {celo busca} lo que *Leiden schafft* {hace padecer}».

Esto es indiscutiblemente gracioso {*witzig*}, aunque no muy eficaz como chiste. Aquí faltan una multitud de factores que pueden despistarnos en el análisis de otros chistes cuando los tomamos separadamente como objeto de indagación. El pensamiento expresado en el texto carece de valor; en todo caso proporciona una definición harto insuficiente de los celos. Ni hablar de «sentido en lo sin sentido», de «sentido oculto», de «desconcierto e iluminación». Ni aun con el máximo empeño se hallará un contraste de representación, y sólo forzando mucho las cosas, un contraste entre las palabras y lo que ellas significan. No hay ninguna abreviación; al contrario, el texto impresiona como prolijo. Pese a ello, es un chiste, y aun muy perfecto. Su único carácter llamativo es simultáneamente aquel con cuya cancelación el chiste desaparece, a saber, que las mismas palabras experimentan una acepción doble. Puede escogerse entre situarlo en la subclase en que las palabras se usan una vez enteras y la otra divididas (como *Rousseau, Antígona*), o en aquella otra en que la diversidad es producida por el significado pleno o descolorido de las palabras componentes. Fuera de este, sólo hay otro aspecto digno de nota para la técnica del chiste. Se ha establecido en este caso un nexo insólito, se ha emprendido una suerte de *unificación* al definirse los celos {*Eifersucht*} por su nombre, en cierto modo por medio de ellos mismos. También esta, como veremos [págs. 64 y sigs.], es una técnica del chiste. Por lo tanto, estos dos aspectos tendrían que ser suficientes por sí, conferir a un dicho el buscado carácter de chiste.

Si nos internamos un poco más en la diversidad de la

«acepción múltiple» de la misma palabra, advertimos de pronto que estamos frente a formas de «doble sentido» o de «juego de palabras» desde hace mucho tiempo conocidas y apreciadas universalmente como técnica del chiste. ¿Para qué nos hemos tomado el trabajo de descubrir algo nuevo que habríamos podido recoger del más superficial estudio sobre el chiste? Para justificarnos sólo podemos aducir por ahora que nosotros destacamos, sin embargo, otro aspecto de este mismo fenómeno de la expresión lingüística. Lo que en los autores aparece destinado a demostrar el carácter de «juego» del chiste cae en nuestro abordaje bajo el punto de vista de la «acepción múltiple».

Los otros casos de acepción múltiple que bajo el título de *doble sentido* pueden reunirse también en un nuevo, un tercer grupo, se dividen con facilidad en subclases que por cierto no se distinguen entre sí por diferencias esenciales, como tampoco lo hace el tercer grupo en su conjunto respecto del segundo. Tenemos aquí en primer lugar:

a. Los casos de doble sentido de un *nombre* y su *significado material*; por ejemplo: «¡Descárgate de nuestra compañía, *Pistol*!» (en Shakespeare).[28]

«Más *Hof* {cortejo} que *Freiung* {matrimonio}», dijo un vienés chistoso acerca de unas hermosas muchachas que desde hacía años eran muy festejadas pero ninguna había encontrado marido. «Hof» y «Freiung» son dos lugares contiguos de la ciudad de Viena.

«Aquí en Hamburgo no gobierna el cochino Macbeth, aquí manda *Banko*» (por Banquo) (Heine).[29]

Cuando el nombre no es susceptible de uso —se diría de abuso— sin introducirle cambios, se puede extraerle el doble sentido por medio de una pequeña modificación, ya familiar para nosotros:

«¿Por qué —se preguntaba antiguamente— han rechazado los franceses a Lohengrin?». Y se respondía: «Por causa de Elsa {*Elsa's wegen*}» {*Elsass*, Alsacia}.

b. Una profusa fuente para la técnica de chiste es el doble sentido del significado *material* y *metafórico* de una palabra. Cito un solo ejemplo. Un colega médico con fama de chistoso dijo cierta vez al poeta Arthur Schnitzler:[30] «No me asombra que te hayas convertido en un gran poeta. Ya tu padre puso el espejo a sus contemporáneos». El espejo

---

[28] [2 *Enrique IV*, acto II, escena 4.]
[29] [*Schnabelewopski*, capítulo III.]
[30] [Quien a su vez era doctor en medicina.]

que manejaba el padre del poeta, el famoso médico doctor Schnitzler, era el laringoscopio; * 31 de acuerdo con una consabida sentencia de Hamlet, la finalidad del drama, y por tanto también de su creador, es, «por así decir, ponerle el espejo a la naturaleza; mostrar a la virtud sus propios rasgos, a la infamia su imagen, y a la edad y cuerpo del tiempo su forma y estampa» (acto III, escena 2).

c. El doble sentido propiamente dicho o *juego de palabras*, al cual podríamos llamar el caso ideal de la acepción múltiple; aquí no se ejerce violencia sobre la palabra, no se la divide en sus componentes silábicos, no hace falta someterla a ninguna modificación ni trocar por otra la esfera a que pertenece (p. ej., la de los nombres propios). Tal como ella es, y como se encuentra en la ensambladura de la frase, puede, merced a ciertas circunstancias favorables, enunciar un sentido doble.

Disponemos de abundantes ejemplos de esto:

Una de las primeras acciones de gobierno de Napoleón III fue, como es sabido, la expropiación de los bienes de los Orléans. Corrió en aquel tiempo un notable juego de palabras: «*C'est le premier* vol *de l'aigle*». «*Vol*» significa «vuelo», pero también «robo» {«Es el primer vuelo = robo del águila»}.32

Luis XV quiso poner a prueba la graciosa inventiva {*Witz*} de uno de sus cortesanos, de cuyo talento le habían hablado; en la primera oportunidad ordenó al caballero hacer un chiste sobre su propia persona; él mismo, el rey, quería ser «*sujet*» {«asunto»} de ese chiste. El cortesano respondió con esta hábil agudeza: «*Le roi n'est pas* sujet». «*Sujet*» significa también «súbdito» {«El rey no es asunto = = no es súbdito»}.33

El médico que viene de examinar a la señora enferma dice, moviendo la cabeza, al marido que lo acompaña: «No me *gusta* nada su señora». «Hace mucho que tampoco a mí me *gusta*», se apresura a asentir aquel. El médico se refiere desde luego al estado de la señora, pero ha expresado su preocupación por la enferma en palabras tales que el marido puede hallar confirmada en ellas su aversión matrimonial.

Heine dice, acerca de una comedia satírica: «Esta sátira no habría sido tan *mordaz* si su autor hubiera tenido más

---

* {«*Kehlkopfspiegel*»; literalmente, «espejo de laringe».}
31 [Del cual era inventor.]
32 Citado por Fischer, 1889 [pág. 80].
33 [También en Fischer, *loc. cit.*]

para *morder*». Este chiste es más un ejemplo de doble sentido metafórico y común que un genuino juego de palabras. Pero, ¿quién podría atenerse aquí a unas fronteras tajantes?

Otro buen juego de palabras es referido por los autores (Heymans, Lipps) en una forma tal que no permite entenderlo bien. [Cf. la *n.* 35.] No hace mucho hallé la versión y formulación correctas en una recopilación de chistes en lo demás poco utilizable: [34]

«Saphir se encontró {*zusammenkommen*} cierta vez con Rothschild. Apenas habían platicado un ratito cuando Saphir dijo: "Escuche, Rothschild: me he quedado con poco dinero en caja; ¿podría usted prestarme 100 ducados?". "Muy bien —replicó Rothschild—; eso no es problema para mí {*darauf soll es mir nicht ankommen*}, pero sólo bajo la condición de que usted haga un chiste". "Eso no es problema tampoco para mí {*darauf soll's mir ebenfalls nicht ankommen*}", arguyó Saphir. "Bueno, entonces venga {*kommen Sie*} mañana a mi escritorio". Saphir se presentó puntualmente. "¡Ah! —dijo Rothschild cuando lo vio entrar—. *Usted viene por sus 100 ducados* {*Sie kommen um Ihre 100 Dukaten*}". "No —replicó aquel—. *Usted pierde sus 100 ducados* {*Sie kommen um Ihre 100 Dukaten*}, pues hasta el día del Juicio Final no se me ocurrirá devolvérselos"».[35]

«¿Qué representan {*vorstellen*; también "ponen delante"} estas estatuas?», pregunta un extranjero a un berlinés nativo a la vista de un grupo escultórico en una plaza pública. «Y

[34] Hermann, 1904.

[35] «"Cuando Saphir —dice Heymans—, ante la pregunta de un rico prestamista a quien había ido a visitar: '*Sie kommen wohl um die 300 Gulden?*', respondió: '*Nein, Sie kommen um die 300 Gulden*', esto último era lo que él quería decir, expresado en una forma lingüística absolutamente correcta y en modo alguno insólita". De hecho el asunto es así: La respuesta de Saphir, *considerada en sí*, está en perfecto orden. Comprendemos lo que quiere decir: que no se propone pagar la deuda. Pero Saphir usa las mismas palabras empleadas antes por su prestamista. No podemos entonces dejar de tomarlas también en la acepción en que fueron usadas por este. Y así la respuesta de Saphir pierde todo sentido. El prestamista en modo alguno "viene" {"*kommen*"}. Tampoco puede venir por las 300 guldas {"*um 300 Gulden kommen*"}, vale decir, no puede venir a traerlas. Además, como acreedor no tiene nada que traer, sino que exigir. La comicidad nace en la medida en que de ese modo las palabras de Saphir se disciernen al mismo tiempo como sentido y como sinsentido» (Lipps, 1898, pág. 97).

Según la versión del texto, que hemos reproducido completa para esclarecer el problema, la técnica de este chiste es mucho más simple de lo que cree Lipps. Saphir no viene para aportar los 300 florines, sino para recabárselos al rico. Con ello pierden base las elucidaciones sobre «sentido y sinsentido» en este chiste.

bueno —responde el segundo—; *la pierna derecha o la iz-quierda».*[36]

«Por lo demás, en este momento no guardo en mi memoria todos los *nombres* de estudiantes, y entre los profesores hay muchos que todavía no tienen ningún *nombre».*[37]

Acaso nos ejercitemos en la diferenciación diagnóstica citando a continuación otro conocidísimo chiste sobre profesores. «La diferencia entre profesores ordinarios {*ordentlich*} y extraordinarios {*ausserordentlich*} consiste en que los ordinarios no hacen nada extraordinario y los extraordinarios nada ordinario».

Es sin duda un juego con los dos significados de las palabras «ordinario» y «extraordinario»: por una parte, el que está dentro o fuera del *ordo* (orden, estamento)* y, por la otra, competente {*ordentlich*} o destacado {*ausserordentlich*}. Ahora bien, la concordancia entre este chiste y otros ejemplos con que nos hemos familiarizado nos advierte que en él la acepción múltiple es mucho más llamativa que el doble sentido. En efecto, no se oye en la frase otra cosa que «*ordentlich*», que retorna una y otra vez, ora como tal, ora modificado en sentido negativo. (Cf. pág. 33.) Además, también aquí se ha consumado el artificio de definir un concepto por su expresión literal (véase «los celos son una pasión» [pág. 35]); o, descrito con más precisión: definir uno por el otro dos conceptos correlativos, si bien de manera negativa, lo cual da por resultado un artificioso entrelazamiento. Por último, también en este caso cabe destacar el punto de vista de la unificación, o sea que entre los elementos del enunciado se establece un nexo más íntimo que el que uno tendría derecho a esperar de acuerdo con su naturaleza.

«El bedel[38] Sch[äfer] me saludó muy como a colega, pues él también es escritor y me ha mencionado a menudo en sus escritos semestrales; también me ha *citado* a menudo, y cuando no me encontraba en casa tuvo siempre la bondad de escribir la *citación* con tiza sobre mi puerta».[39]

Daniel Spitzer [cf. pág. 33, *n.* 23], en sus *Wiener Spaziergänge*, halló para un tipo social que floreció en la época de

[36] Este juego de palabras vuelve a analizarse *infra*. [No hallamos un ulterior análisis de este chiste, y parece probable que la nota correspondiera al final del párrafo anterior, pues el chiste Saphir-Rothschild vuelve a examinarse *infra*, pág. 43.]

[37] Heine, *Harzreise*.

* {Téngase en cuenta que el profesor ordinario es titular, y el extraordinario, sólo un suplente.}

[38] [En Gotinga, funcionario universitario a cargo del mantenimiento de la disciplina en los cursos inferiores.]

[39] Heine, *Harzreise*.

la especulación [tras la guerra francoprusiana] esta caracterización, lacónica, pero sin duda muy chistosa: «Frente *de hierro*[40]–caja *de hierro*–Diadema *de Hierro*» (esta última, una orden cuya imposición iba unida a la condición de noble). Una notabilísima unificación: todo es igualmente de hierro. Los significados diversos, pero que no contrastan entre sí de manera muy llamativa, del atributo «de hierro» posibilitan estas «acepciones múltiples».

Otro juego de palabras acaso nos facilite la transición a una nueva variedad de la técnica del doble sentido. El colega chistoso antes mencionado (pág. 36) fue autor del siguiente chiste en la época del asunto Dreyfus: «Esta muchacha me hace acordar a Dreyfus: el ejército no cree en su *inocencia*». La palabra «inocencia», sobre cuyo doble sentido se construye el chiste, tiene en un contexto el sentido usual con el opuesto «culpable», «delincuente», pero en el otro un sentido sexual, cuyo opuesto es la experiencia sexual. Ahora bien, existen muchos ejemplos de doble sentido de este tipo, y en todos ellos, para el efecto del chiste cuenta muy particularmente el sentido sexual. Acaso podría reservarse para este grupo la designación «*equivocidad*» {«*Zweideutigkeit*»}.

Un notable ejemplo de un chiste equívoco de esta clase es el de Spitzer, ya comunicado (pág. 33): «En opinión de algunos, el marido debe de haber *ganado mucho* {*viel verdient*} y luego con ello se ha *respaldado un poco* {*etwas zurückgelegt*}, mientras otros creen que su esposa se ha *respaldado un poco* {*etwas zurückgelegt*} y luego ha *ganado mucho* {*viel verdient*}».

Pero si este ejemplo de doble sentido con equivocidad es comparado con otros, salta a la vista una diferencia que no deja de tener valor para la técnica. En el chiste de la «inocencia», cada uno de los sentidos de la palabra está tan cerca como el otro de nuestra aprehensión; en realidad, no se sabría distinguir si nos resulta más usual y familiar el significado sexual o el no sexual de la palabra. No así en el ejemplo de Spitzer: en este, uno de los sentidos de «se ha respaldado un poco», el sentido trivial, se nos impone con fuerza mucho mayor; recubre y por así decir esconde al sentido sexual, que a una persona no maliciosa podría escapársele. Para marcar la oposición citemos otro ejemplo de doble sentido en el que se renuncia a ese encubrimiento del significado sexual. Heine pinta el carácter de una complaciente dama: «No podía *abschlagen* nada, excepto su agua» {*abschlagen*, rehusar, y vulgarmente «orinar»}. Suena como una indecencia, apenas

[40] [O sea, «empresario inescrupuloso»; cf. pág. 42.]

40

produce la impresión de chiste.[41] Pero también en chistes sin sentido sexual puede presentarse la peculiaridad de que los dos significados del doble sentido no nos resulten igualmente obvios, sea porque uno de los sentidos es en sí el más usual, sea porque lo privilegia su nexo con las otras partes de la oración (p. ej., «*C'est le premier* vol *de l'aigle*» [cf. pág. 37]); propongo designar a todos estos casos como de «*doble sentido* con *alusión*».

[4]

Ya llevamos conocido un número tan grande de diversas técnicas del chiste que temo que perdamos la visión de conjunto de ellas. Intentemos, pues, resumirlas:

I. La condensación:

a. con formación de una palabra mixta,
b. con modificación.

II. La múltiple acepción del mismo material:

c. todo y parte,
d. reordenamiento,
e. modificación leve,
f. la misma palabra plena y vacía.

III. Doble sentido:

g. nombre y significado material,
h. significado metafórico y material,
i. doble sentido propiamente dicho (juego de palabras),
j. equivocidad,
k. doble sentido con alusión.

Esta diversidad confunde. Podría inducirnos a lamentar el haber comenzado por los medios técnicos del chiste, y a sospechar que hemos sobrestimado el valor de estos para discernir lo esencial del chiste. Esta conjetura simplificadora tal vez tendría validez si no tropezara con un hecho incon-

[41] Véase sobre esto Fischer (1889, pág. 85), quien propone la designación «equivocidad» {«*Zweideutigkeit*»}, usada por mí de otra manera, para aquellos chistes de doble sentido en los cuales los dos significados no son igualmente evidentes, sino que uno prevalece sobre el otro. Tales designaciones son asunto de convención, pues el uso lingüístico no provee una decisión cierta.

trastable, a saber, que el chiste queda cancelado siempre, enseguida, cuando removemos lo que estas técnicas han operado en la expresión. Por eso nos vemos precisados a buscar la unidad en esta diversidad. Debería ser posible compaginar todas estas técnicas. Como ya hemos dicho [pág. 36], no resulta difícil reunir los grupos segundo y tercero. Ahora bien, el doble sentido, el juego de palabras, no es más que el caso ideal de diversa acepción del mismo material. Este último es, evidentemente, el concepto más comprensivo. Los ejemplos de división, reordenamiento del mismo material y acepción múltiple con modificación leve (*c*, *d*, *e*) se subordinarían al concepto de doble sentido, aunque no sin alguna dificultad. Pero, ¿qué relación de comunidad existe entre la técnica del primer grupo (condensación con formación sustitutiva) y la de los otros dos (acepción múltiple del mismo material)?

Pues bien; yo diría que una muy simple y nítida. La acepción múltiple del mismo material no es más que un caso especial de condensación; el juego de palabras no es otra cosa que una condensación *sin* formación sustitutiva; la condensación sigue siendo la categoría superior. Una tendencia a la compresión o, mejor dicho, al *ahorro* gobierna todas estas técnicas. Todo parece ser cuestión de economía, como dice el príncipe Hamlet («*Thrift, thrift, Horatio!*»).

Examinemos este ahorro en los diversos ejemplos. «*C'est le premier* vol *de l'aigle*» [pág. 37]. Es el primer vuelo del águila. Sí, pero es un vuelo de rapiña. Por suerte para la existencia de este chiste, *vol* significa tanto «vuelo» como «robo». ¿Acaso no se ha condensado o ahorrado nada? Sin duda todo el segundo pensamiento, y por cierto que se lo ha dejado caer sin sustituto. El doble sentido de la palabra *vol* vuelve superfluo ese sustituto, o, dicho de manera igualmente correcta: la palabra *vol* contiene el sustituto del pensamiento sofocado sin que por eso a la primera frase le haga falta un añadido o un cambio. Justamente en esto consiste el beneficio del doble sentido.

Otro ejemplo: «Frente de hierro–caja de hierro–Diadema de Hierro» [pág. 40]. ¡Qué ahorro extraordinario con relación a un desarrollo del pensamiento en cuya expresión no se encontrara el «*de hierro*»!: «Con la necesaria desfachatez y falta de escrúpulos no es difícil amasar una gran fortuna, y naturalmente la nobleza será la recompensa por tales méritos».

Así, en estos ejemplos es innegable la condensación y, por tanto, el ahorro. Debe podérselos pesquisar en todos. ¿Y dónde está el ahorro en chistes como «*Rousseau–roux et sot*» [págs. 30-1], «*Antigone–Antik? Oh, nee*» [pág. 32], en los que al comienzo echamos de menos la condensación, y que nos movieron más que otros a postular la técnica de la acepción múltiple del mismo material? Es cierto que aquí no salimos adelante con la condensación, pero si la trocamos por el concepto de «ahorro», que la comprende, lo conseguimos sin dificultad. No es difícil decir qué ahorramos en los ejemplos «Roùsseau», «Antígona», etc. Nos ahorramos exteriorizar una crítica, formular un juicio, pues ambas cosas ya están dadas en el nombre mismo. En el ejemplo de pasión–celos [pág. 35] nos ahorramos componer trabajosamente una definición: «*Eifersucht, Leidenschaft*» y «*Eifer sucht, Leiden schafft*»; no hace falta más que completarlo con algunas palabras y ya está lista la definición. Algo parecido vale para todos los otros ejemplos analizados hasta ahora. En el que menos se ahorra, como en el juego de palabras de Saphir: «*Sie kommen um Ihre 100 Dukaten*» [pág. 38], siquiera se ahorra reformular el texto de la respuesta; el texto de la pregunta basta para la respuesta. Es poco, pero en este poco reside el chiste. La acepción múltiple de las mismas palabras para la pregunta y para la respuesta pertenece indudablemente al «ahorrar». Es tal y como Hamlet quiere concebir la rápida sucesión de la muerte de su padre y las bodas de su madre:

> «Las comidas horneadas para el funeral
> se sirvieron, frías, en las bodas».[42]

Pero antes de suponer la «tendencia al ahorro» como el carácter más universal de la técnica del chiste y de preguntarnos de dónde proviene, qué intencionalidad tiene y cómo nace de ella la ganancia de placer, concederemos espacio a una duda que merece ser escuchada. Puede que toda técnica de chiste muestre la tendencia a obtener un ahorro en la expresión, pero lo inverso no es cierto. No todo ahorro en la expresión, no toda abreviación, es por eso solo chistosa. Ya habíamos llegado a este punto cuando aún esperábamos pesquisar en todo chiste el proceso de condensación; y en ese momento nos objetamos, justificadamente, que un laconismo no es todavía un chiste [pág. 29]. Por tanto, tendría que ser un particular tipo de abreviación y de ahorro aquel del que dependiera el carácter de chiste, y mientras no lleguemos a conocer esa particularidad el descubrimiento de lo común en la técnica del chiste no nos hará avanzar en la solución de

---

[42] [*Hamlet*, acto I, escena 2.]

nuestra tarea. Además, tengamos la valentía de reconocer que los ahorros logrados por la técnica del chiste no pueden causarnos gran impresión. Acaso recuerden al modo en que ahorran ciertas amas de casa: para acudir a un mercado distante, donde las legumbres valen apenas unos centavos menos, gastan tiempo y el dinero del viaje. ¿Qué se ahorra el chiste mediante su técnica? Insertar unas palabras nuevas que las más de las veces habrían afluido fácilmente, a cambio de lo cual debe tomarse el trabajo de buscar una palabra que le cubra ambos pensamientos; y más todavía: si la expresión de uno de los pensamientos ha de proporcionarle el asidero para su síntesis con el segundo pensamiento, suele ser necesario que el chiste la trasmude antes a una forma insólita. ¿No habría sido más simple y fácil, y hasta un mayor ahorro, expresar los dos pensamientos como corresponde, aunque de esa manera no se produjese ninguna relación de comunidad en la expresión? ¿Acaso el gasto de operación intelectual no cancela con creces el ahorro en palabras manifestadas? ¿Quién es el que hace el ahorro, y a quién favorece este?

Podemos escapar provisionalmente a estas dudas si situamos en otro lugar la duda misma. ¿Acaso ya conocemos realmente todas las variedades de la técnica del chiste? Por cierto que será más prudente reunir nuevos ejemplos y someterlos al análisis.

[5]

De hecho, todavía no hemos considerado un importante grupo, quizás el más numeroso, de chistes, acaso influidos por el menosprecio con que se los suele desdeñar. Son los llamados comúnmente *retruécanos* (*calembourgs*) y juzgados la variedad inferior del chiste en la palabra, probablemente porque son los más «baratos», los que se hacen con poquísimo trabajo. Y en realidad son los que menores exigencias plantean a la técnica de la expresión, así como el genuino juego de palabras importa las mayores. Si en este último los dos significados deben hallar expresión en la palabra idéntica y por eso casi siempre formulada una sola vez, en el retruécano basta que las dos palabras referidas a los dos significados se evoquen una a la otra por alguna semejanza, aun imperceptible, ya se trate de una semejanza general de su estructura, una asonancia al modo de una rima, la comunidad de las consonantes explosivas, etc. Una acumulación de tales ejemplos, no muy acertadamente llamados «chistes fonéticos» [cf. pág. 30], se encuentra en el sermón del capuchino en *Wallensteins Lager*:

«Se ocupa más de la *botella* que de la *batalla*,
Prepara más la *panza* que la *lanza*,

. . . .

Comerse prefiere a un *buey* que no a Frente de *Buey*.

. . . .

La *corriente del Rhin* se ha vuelto una *corriente de aserrín*,
Los *monasterios* son *cementerios*,
Los *obispados* están *desertados*,

. . . .

Y los países alemanes *bendecidos*
están ahora todos *pervertidos*».*

Con particular preferencia modifica el chiste a una de las vocales de la palabra; por ejemplo: acerca de un poeta italiano enemigo del Imperio, pero a quien obligaron a festejar en hexámetros a un emperador alemán, dice Hevesi (1888, pág. 87): «Como no podía derrocar a los *Cäsaren* {césares}, eliminó al menos las *Cäsuren* {cesuras}».

Entre la multitud de retruécanos que podríamos citar, acaso revista particular interés escoger un ejemplo realmente malo del que es culpable Heine.[43] Luego de presentarse largo tiempo ante su dama como un «príncipe hindú», arroja la máscara y confiesa: «Señora, le he mentido... Yo no he estado más en *Kalkutta* {Calcuta} que las *Kalkutten*braten {frituras de Calcuta} que comí ayer al mediodía». Es evidente que el defecto de este chiste consiste en que las dos palabras semejantes no son solamente tales, sino en verdad idénticas. El ave cuyas frituras él comió se llama así porque proviene, o se cree que proviene, de la misma Calcuta.

Fischer (1889, pág. 78) ha concedido gran atención a es-

---

* {«*Kümmert sich mehr um den* Krug *als den* Krieg,
Wetzt lieber den Schnabel *als den* Sabel,

. . . .

Frisst den Ochsen *lieber als den* Oxenstirn',

. . . .

Der Rheinstrom *ist worden zu einem* Peinstrom,
Die Klöster *sind ausgenommene* Nester,
Die Bistümer *sind verwandelt in* Wüsttümer,

. . . .

Und alle die gesegneten deutschen Länder
Sind verkehrt worden in Elender».}
[43] [*Reisebilder* II] «Ideen», capítulo V.

tas formas del chiste y pretende separarlas tajantemente de los «juegos de palabras». «El *calembourg* es un pésimo juego de palabras, pues no juega con la palabra como tal, sino como sonido». En cambio, el juego de palabras «pasa del sonido de la palabra a la palabra misma» [*ibid.*, pág. 79]. Por otra parte, este autor incluye también chistes como «famillonarmente», «*Antigone* (*Antik? Oh, nee*)», etc., entre los chistes fonéticos. No veo ninguna necesidad de seguirlo en esto. También en el juego de palabras es la palabra para nosotros sólo una imagen acústica con la que se conecta este o estotro sentido. Pero tampoco aquí el uso lingüístico traza distingos netos, y cuando trata al «retruécano» con desprecio y al «juego de palabras» con cierto respeto, estas valoraciones parecen condicionadas por unos puntos de vista que no son técnicos. Préstese atención al tipo de chistes que suelen escucharse como «retruécanos». Existen personas que poseen el don, estando de talante festivo, de replicar durante largo tiempo con un retruécano a cada dicho que se les dirige. Uno de mis amigos, que por lo demás es un modelo de circunspección cuando están en juego sus serios trabajos científicos, suele gloriarse de conseguirlo. Cierta vez que los contertulios a quienes tenía en vilo manifestaron su asombro por su largo aliento en ese arte, dijo: «Sí, estoy aquí *auf der Ka-Lauer*», y cuando por fin se le pidió que cesara, impuso la condición de que se lo nombrara *poeta Ka-laureado*. Ahora bien, ambos son excelentes chistes de condensación con formación de una palabra mixta. («Estoy aquí *auf der Lauer* {al acecho} para hacer *Kalauer* {retruécanos}».)

Comoquiera que fuese, ya de las polémicas sobre el deslinde entre retruécano y juego de palabras extraemos la conclusión de que el primero no puede procurarnos el conocimiento de una técnica de chiste enteramente nueva. Si en el retruécano se resigna también la exigencia a la acepción de múltiple sentido del *mismo* material, el acento sigue recayendo en el reencuentro de lo ya consabido, en el acuerdo de las dos palabras que sirven al retruécano, y así, este no es sino una subespecie del grupo que alcanza su culminación en el juego de palabras propiamente dicho.

[6]

Pero realmente existen chistes cuya técnica carece de casi todo anudamiento con los grupos considerados hasta ahora.

De Heine se cuenta que cierta velada se encontró en un salón de París con el poeta Soulié;[44] platicaban cuando entró a la sala uno de aquellos reyes parisinos de las finanzas a quienes se compara con Midas, y no meramente por el dinero. Pronto se lo vio rodeado por una multitud que lo colmaba de zalamerías. «Vea usted —dijo Soulié a Heine— cómo el siglo XIX adora al becerro de oro». Con su mirada puesta en el objeto de esa veneración, Heine respondió, como rectificándolo: «¡Oh! *Este ya no debe de ser tan joven*». (Fischer, 1889, págs. 82-3.)

Ahora bien, ¿dónde reside la técnica de este notable chiste? En un juego de palabras, opina Fischer: «Así, las palabras "becerro de oro" pueden referirse a Mammon y también a la idolatría; en el primer caso el asunto principal es el dinero, y en el segundo, la imagen animal. Por eso puede servir para designar, y de manera no precisamente lisonjera, a alguien que tiene mucho dinero y muy poco entendimiento». (*Loc. cit.*) Si intentamos sustituir la expresión «becerro de oro», eliminamos sin duda alguna el chiste. Hacemos, pues, decir a Soulié: «Vea usted cómo la gente adula a ese tipo idiota meramente porque es rico», lo cual ya no es más chistoso. Y entonces es imposible que la respuesta de Heine lo sea.

Pero reparemos en que no está en juego la comparación de Soulié, más o menos chistosa, sino la respuesta de Heine, mucho más chistosa por cierto. Entonces no tenemos derecho alguno a tocar la frase del becerro de oro; esta debe permanecer como premisa de las palabras de Heine, y la reducción sólo tiene permitido recaer sobre estas últimas. Si explicitamos las palabras «¡Oh! Este ya no debe de ser tan joven», sólo podremos sustituirlas por una frase de este tipo: «¡Oh! Este ya no es un becerro; es un buey viejo». Lo que nos resta del chiste de Heine, pues, es que no toma metafóricamente el «becerro de oro», sino personalmente: lo habría referido al potentado mismo. ¡Si es que este doble sentido no estaba ya contenido en la mención de Soulié!

Ahora bien, ¿qué ocurre aquí? Creemos notar que esta reducción no aniquila por completo el chiste de Heine, más bien deja intacto lo esencial de él. Tenemos que Soulié dice: «Vea usted cómo el siglo XIX adora al becerro de oro», y Heine responde: «¡Oh! Este ya no es un becerro; es un buey». En esta versión reducida sigue siendo un chiste. Y no es posible otra reducción de las palabras de Heine.

Lástima que este bello ejemplo contenga condiciones téc-

---

[44] [Frédéric Soulié (1800-1847), dramaturgo y novelista francés.]

nicas tan complicadas. No nos permite obtener aclaración alguna; por eso lo dejamos para buscar otro en el que creemos percibir un parentesco interno con él.

Sea uno de los «chistes de baño» que tratan de la aversión al baño de los judíos de Galitzia. Es que no les exigimos a nuestros ejemplos ningún título de nobleza, no preguntamos por su origen, sino sólo por su idoneidad: si son capaces de hacernos reír y si son dignos de nuestro interés teórico. Y justamente los chistes de judíos satisfacen de manera óptima ambas exigencias.

Dos judíos se encuentran en las cercanías de la casa de baños. «*¿Has tomado un baño?*», pregunta uno de ellos. Y el otro le responde preguntándole a su vez: «*¿Cómo es eso? ¿Falta alguno?*».

Cuando uno ríe de buena gana con un chiste, no está precisamente en la mejor predisposición para investigar su técnica. Por eso depara algunas dificultades el orientarse en estos análisis. «Es un cómico malentendido», he ahí la idea que se nos impone. — Bien, pero... ¿y la técnica de este chiste? — Evidentemente el uso con doble sentido de la palabra «*nehmen*». En uno de esos sentidos se integra, incolora ella misma, en un giro {tomar un baño}; en el otro, es el verbo con su significado no descolorido {llevarse un baño, robarlo}. Por tanto, un caso en que la misma palabra se toma en sentido «pleno» y «vacío» (grupo II, *f* [pág. 41]). Sustituyamos la expresión «tomar un baño» por la más simple y de igual valor «bañarse», y el chiste desaparece. La respuesta ya no se le adecua. Por tanto, también aquí el chiste adhiere a la expresión «tomar un baño».

Todo ello está muy bien; no obstante, otra vez parece que la reducción no se ha aplicado en el lugar correcto. El chiste no reside en la pregunta, sino en la respuesta, en la contrapregunta: «¿Cómo es eso? ¿Falta alguno?». Y a esta respuesta no se le puede quitar su gracia mediante ninguna ampliación ni alteración que mantenga intacto su sentido. Además, en la respuesta del segundo judío tenemos la impresión de que su ignorancia del «baño» fuera más importante que el malentendido de la palabra «tomar». Pero tampoco aquí vemos claro todavía; busquemos un tercer ejemplo.

Otro chiste de judíos, en el que, no obstante, sólo el andamiaje es judío; el núcleo es humano universal. Sin duda también este ejemplo tiene sus indeseadas complicaciones, pero por suerte no son de la índole de las que hasta ahora nos impidieron ver claro.

«Un pobre se granjea 25 florines de un conocido suyo de

buen pasar, tras protestarle largo tiempo su miseria. Ese mismo día el benefactor lo encuentra en el restaurante ante una fuente de salmón con mayonesa. Le reprocha: "¿Cómo? Usted consigue mi dinero y luego pide salmón con mayonesa. ¿Para eso ha usado mi dinero?". Y el inculpado responde: "No lo comprendo a usted; cuando no tengo dinero, *no puedo* comer salmón con mayonesa; cuando tengo dinero, *no me está permitido* comer salmón con mayonesa. *Y entonces, ¿cuándo comería yo salmón con mayonesa?"*».

Aquí, por fin, ya no se descubre ningún doble sentido. Y tampoco la repetición de «salmón con mayonesa» puede contener la técnica del chiste, pues no es «acepción múltiple» del mismo material, sino una efectiva repetición de lo idéntico, requerida por el contenido. Podemos quedarnos un tiempo desconcertados ante este análisis; acaso recurramos al subterfugio de impugnar el carácter chistoso de esta anécdota que nos hizo reír.

¿Qué otra cosa digna de mención podemos decir sobre la respuesta del pobre? Que se le ha prestado de manera curiosísima el carácter de lo lógico. Pero sin razón, pues la respuesta misma es alógica. El hombre se defiende de haber empleado en esas exquisiteces el dinero que le dieron, y pregunta, con una apariencia de razón, *cuándo* comería entonces salmón. Pero esa no es la respuesta correcta; su benefactor no le reprocha que se deleite con salmón justo el día en que le pidió dinero, sino que le recuerda que en su situación *no tiene ningún derecho* a pensar en tales manjares. Este sentido del reproche, el único posible, es el que omite el *bon vivant* empobrecido; su respuesta se dirige a otra cosa, como si hubiera incurrido en un malentendido sobre el reproche.

Ahora bien, ¿y si la técnica de este chiste residiera justamente en ese *desvío* de la respuesta respecto del sentido del reproche? Acaso en los otros dos ejemplos, que en nuestro sentir están emparentados con este, podamos demostrar una parecida alteración del punto de vista, un desplazamiento del acento psíquico.

Veamos, pues; esa demostración se obtiene con total facilidad, y de hecho pone en descubierto la técnica de estos ejemplos. Soulié indica a Heine que la sociedad del siglo XIX adora al «becerro de oro», tal como antaño lo hizo el pueblo judío en el desierto. Lo adecuado sería que Heine diera una respuesta de este tipo: «Sí, así es la naturaleza humana; el paso de los siglos no la ha modificado en nada», o alguna otra expresión de asentimiento. Pero Heine en su respuesta se desvía de la idea incitada, en modo alguno responde a ella; se vale del doble sentido del que es susceptible la frase «becerro de oro» para seguir un sendero desviado, escoge un ingrediente de la frase, «becerro», y responde como si el acento hubiera recaído sobre este en el dicho de Soulié: «¡Oh! Este ya no es un becerro», etc.[45]

El desvío es aún más nítido en el chiste del baño. Este ejemplo reclama una figuración gráfica.

El primer judío pregunta: «¿Has tomado un *baño*?». El acento recae sobre el elemento «baño».

El segundo responde como si la pregunta dijera: «¿Has *tomado* un baño?».

Sólo el texto «tomado un baño» es el que posibilita ese desplazamiento del acento. Si rezara «¿Te has bañado?», sería imposible cualquier desplazamiento. La respuesta, no chistosa, sería entonces: «¿Bañado? ¿Qué quieres decir? No sé qué es». Así pues, la técnica del chiste reside en el desplazamiento del acento de «baño» a «tomar».[46]

Volvamos al ejemplo del «salmón con mayonesa», que es el más puro. Lo que tiene de novedoso puede ocuparnos en varias direcciones. En primer lugar, tenemos que dar algún nombre a la técnica aquí descubierta. Propongo designarla como *desplazamiento*, porque lo esencial de ella es el desvío de la ilación de pensamiento, el desplazamiento del acento psíquico a un tema diverso del comenzado. Luego, debemos indagar en qué relación se encuentra la técnica de desplazamiento con la expresión del chiste. Nuestro ejemplo (salmón con mayonesa) nos permite discernir que el chiste por desplazamiento es en alto grado independiente de la expresión literal. No depende de las palabras, sino de la ilación de pensamiento. Para removerlo no nos sirve ninguna sustitución de las palabras conservando el sentido de la respuesta. La reducción sólo es posible si modificamos la ilación de pensamiento y hacemos que el *gourmet* responda directamente al reproche que eludió en la versión del chiste. La versión reducida rezaría entonces: «No puedo privarme de lo que me gusta, y me es indiferente de dónde tome el

---

[45] Esta respuesta de Heine es una combinación de dos técnicas de chiste: una distracción con una alusión. Es que no dice directamente: «Este es un buey».

[46] La palabra «*nehmen*» {«tomar»} es, por la variedad de maneras en que se la puede usar, muy apta para producir juegos de palabras; comunicaré un ejemplo puro de estos, para oponerlo al chiste por desplazamiento incluido en el texto: «Un conocido especulador de bolsa y director de banco se pasea con un amigo por el Ringstrasse [el principal bulevar de Viena]. Al pasar por un café, propone: "Entremos y *tomemos* algo". El amigo lo detiene: "¡Pero, Herr Hofrat, hay gente adentro!"».

50

dinero para ello. Ahí tiene usted la explicación de que precisamente hoy yo coma salmón con mayonesa, luego de pedirle dinero prestado». — Pero esto no sería un chiste, sino un *cinismo*.

Es instructivo comparar este chiste con otro que por su sentido está muy próximo a él:.

Un hombre muy inclinado a la bebida se gana el sustento en una pequeña ciudad dando clases. Pero poco a poco le conocen todos el vicio, lo cual hace que pierda a la mayoría de sus alumnos. Encargan a un amigo que lo inste a corregirse: «Vea, usted podría conseguir muchísimas horas de clase en la ciudad con tal que dejase la bebida. Hágalo, pues». — «¿Qué me propone usted? —es la indignada respuesta—. Yo doy clases para poder beber; si tengo que abandonar la bebida, ¿para qué querría *conseguir* clases?».

También este chiste presenta la apariencia de lógica que nos llamó la atención en «salmón con mayonesa», pero ya no es un chiste por desplazamiento. La respuesta es directa. El cinismo, escondido en aquel caso, se confiesa francamente aquí: «La bebida es para mí lo principal». La técnica de este chiste es en verdad muy pobre y no puede explicarnos su efecto; sólo reside en el reordenamiento del mismo material; en rigor, es la inversión de la relación medios-fin entre el beber y el dar o conseguir clases. Tan pronto como en la reducción ya no destaco este aspecto en la expresión, he eliminado el chiste. Por ejemplo: «¿Qué disparate me propone usted? Para mí la bebida es lo principal, no las clases. Estas son para mí sólo un medio para poder seguir bebiendo». Por tanto, el chiste adhería realmente a la expresión.

En el chiste del baño es inequívoca la dependencia del chiste respecto del texto («¿Has tomado un baño?»), y el cambio de este conlleva la cancelación del chiste. Pero la técnica es aquí más compleja, una unión de doble sentido (de la subclase *f*) [47] y desplazamiento. El texto de la pregunta admite un doble sentido, y el chiste se produce porque la respuesta no retoma el sentido que tenía en mente el que preguntó, sino uno colateral. Según esto, podremos hallar una reducción que deje subsistir el doble sentido en la expresión y sin embargo cancele el chiste, deshaciendo sólo el desplazamiento:

[47] [Es decir, «uso de la misma palabra plena y vacía». En la clasificación de pág. 41, la subclase *f* está incluida en el grupo II («múltiple acepción del mismo material»), no en el grupo III («doble sentido»); empero, como se señala en pág. 36, los grupos II y III se funden uno con el otro.]

«¿Has tomado un baño?». — «¿Qué dices que habría tomado? ¿Un baño? ¿Qué es eso?». Pero esto ya no es un chiste, sino una exageración odiosa o burlona.

Un papel por entero análogo desempeña el doble sentido en el chiste de Heine sobre el «becerro de oro». Posibilita a la respuesta el desvío respecto de la ilación de pensamiento incitada, que en el chiste del salmón con mayonesa acontece sin ese apuntalamiento en el texto. En la reducción, el dicho de Soulié y la respuesta de Heine acaso rezarían: «El modo en que la sociedad adula aquí a un hombre por el mero hecho de ser rico recuerda vivamente a la adoración del becerro de oro»; y Heine: «Y no me parece lo más enojoso que lo festejen a causa de su riqueza. A mi juicio, usted no insiste lo suficiente en que por su riqueza le perdonen su estupidez». Así quedaría cancelado el chiste por desplazamiento conservando el doble sentido.

En este punto debemos estar preparados para la objeción de que buscamos trazar tales enmarañados distingos en lo que forma, empero, una estrecha trama. ¿Acaso todo doble sentido no da ocasión a un desplazamiento, a un desvío de la ilación de pensamiento de un sentido a otro? Y siendo así, ¿cómo aceptar que «doble sentido» y «desplazamiento» se postulen como representantes de dos tipos enteramente diversos de técnica del chiste? Muy bien; es cierto que existe este vínculo entre doble sentido y desplazamiento, pero nada tiene que ver con nuestra distinción entre las técnicas del chiste. En el doble sentido, el chiste sólo contiene una palabra susceptible de interpretación múltiple, que permite al oyente hallar el paso de un pensamiento a otro, lo cual quizá —forzándolo un poco— pueda equipararse a un desplazamiento. En cambio, en el chiste por desplazamiento, el chiste mismo contiene una ilación de pensamiento en la que se ha consumado un desplazamiento así; aquí, este último pertenece al trabajo que ha producido al chiste, no al necesario para entenderlo. Si este distingo no nos iluminara, tenemos en los ensayos de reducción un medio infalible para verlo con evidencia. Sin embargo, no pretendemos negar cierto valor a aquella objeción. Ella nos advierte que no nos es lícito confundir los procesos psíquicos que sobrevienen a raíz de la formación del chiste (el trabajo del chiste)[48] con los procesos psíquicos mediante los cuales se

[48] [Esta expresión tiende a destacar la semejanza, ya aludida antes (págs. 29-30), entre los procesos que tienen lugar en la producción del chiste y en la del sueño. El tema es cabalmente examinado en el capítulo VI.]

52

lo entiende (el trabajo de entendimiento). Sólo los primeros son el tema de nuestra presente indagación.[49]

¿Existen todavía otros ejemplos de la técnica de desplazamiento? No son fáciles de descubrir. Un ejemplo enteramente puro, al que le falta por otra parte la logicidad tan extremada en nuestro modelo, es el siguiente chiste:

«Un mercader de caballos recomienda un corcel a uno de sus clientes: "Si usted agarra este caballo y lo monta a las 4 de la mañana, para las 6 y media está en Presburgo". — "¿Y qué hago yo en Presburgo a las 6 y media de la mañana?"».

El desplazamiento es aquí evidentísimo. El mercader aduce la temprana llegada a la pequeña ciudad sólo con el claro propósito de dar una prueba de la bondad del caballo. El cliente prescinde de la idoneidad del animal, a la que ni siquiera pone en duda, y pasa a considerar sólo los datos del ejemplo escogido para prueba. No es, pues, difícil proporcionar la reducción de este chiste.

Más dificultades ofrece otro, de técnica muy poco trasparente pero que puede resolverse como de doble sentido con desplazamiento. El chiste cuenta el subterfugio de un casamentero (un *Schadjen*, casamentero judío), y por tanto pertenece a un grupo que habrá de ocuparnos muchas veces todavía.

El casamentero ha asegurado al novio que el padre de la muchacha ya no está con vida. Tras los esponsales, se sabe que el padre todavía vive y expía una pena de prisión. El novio le hace reproches al casamentero. «Y bueno —responde este—; ¿qué le he dicho yo? ¿Acaso eso es *vida*?».

El doble sentido reside en la palabra «vida», y el desplazamiento consiste en que el casamentero salta del sentido común de la palabra, como opuesta a «muerte», al sentido que posee en el giro «Eso no es vida». Así declara con posterioridad que su manifestación de entonces fue de doble interpretación, aunque ese significado múltiple sea harto remoto justamente en este caso. Hasta aquí la técnica sería semejante a los chistes del «becerro de oro» y del «baño».

[49] Sobre los segundos, véanse los últimos capítulos de este libro. — Quizá no resulte superfluo agregar aquí algunas palabras aclaratorias: El desplazamiento se produce, por lo general, entre un dicho y una respuesta que continúa la ilación de pensamiento en una dirección diversa de la iniciada en el dicho. La legitimidad de diferenciar entre desplazamiento y doble sentido sale a la luz con la mayor evidencia en los ejemplos en que ambos se combinan, o sea, cuando el texto del dicho admite un doble sentido que no estaba en la intención del decidor, pero indica a la respuesta el camino para el desplazamiento. (Véanse los ejemplos [págs. 50-2].)

Pero en este ejemplo cabe reparar aún en otro factor, tan llamativo que estorba entender la técnica. Podría llamarse «caracterizador» a este chiste; se empeña en ilustrar con un ejemplo la mezcla de desfachatez mentirosa y prontitud de ingenio {*Witz*} que caracteriza al casamentero. Pero veremos que esta no es sino la parte visible, la fachada del chiste; su sentido, es decir, su propósito, es otro. Dejamos también para más adelante ensayar su reducción.[50]

Tras estos ejemplos complejos y de difícil análisis, nos deparará otra vez satisfacción poder discernir en un caso un modelo totalmente puro y trasparente de «chiste por desplazamiento». Un pedigüeño * hace al rico barón un pedido de ayuda en dinero para viajar a Ostende; aduce que los médicos le han recomendado baños de mar para reponer su salud. «Bueno, le daré algo —dice el rico—; pero, ¿es necesario que viaje justamente a Ostende, el más caro de los balnearios?». — «Señor barón —lo corrige aquel—, en aras de mi salud nada me parece demasiado caro». — Un correcto punto de vista, sin lugar a dudas, aunque no para el *Schnorrer*. La respuesta fue dada desde el punto de vista de un hombre rico. Y aquel se comporta como si fuera su propio dinero el que debe sacrificar en aras de su salud, como si dinero y salud correspondieran a la misma persona.[51]

[7]

Retomemos el tan instructivo ejemplo del «salmón con mayonesa». De igual manera, volvía hacia nosotros un lado visible donde se ostentaba un trabajo lógico, y mediante el análisis averiguamos que esa logicidad tenía que esconder una falacia, a saber, un desplazamiento de la ilación de pensamiento. Desde aquí nos gustaría, aunque sólo fuera siguiendo el enlace por contraste, tomar conocimiento de otros chistes que, totalmente al contrario, mostraran sin disfraz un contrasentido, un disparate, una estupidez. Tenemos la curiosidad de averiguar en qué podría consistir la técnica de estos chistes.

Comienzo por el ejemplo más fuerte y a la vez más puro de todo el grupo. Es, nuevamente, un chiste de judíos:

[50] Cf. *infra*, capítulo III [págs. 99 y sigs.]

* {*«Schnorrer»*; en la jerga judía, holgazán, individuo que vive a expensas de los demás.}

[51] [Este chiste vuelve a mencionarse *infra*, pág. 106.]

Itzig ha tomado plaza en la artillería. Sin duda se trata de un mozo inteligente, pero es indócil y carece de interés por el servicio. Uno de sus jefes, que siente simpatía por él, lo lleva aparte y le dice: «Itzig, no nos sirves. Quiero darte un consejo: Cómprate un cañón e independízate».

El consejo, que puede hacernos reír de buena gana, es un manifiesto disparate. Es claro que no hay cañones en venta, y un individuo no podría independizarse como regimiento —«establecerse», por así decir—. Pero no podemos dudar ni un momento de que ese consejo no es un mero disparate, sino un disparate chistoso, un excelente chiste. ¿Por qué vía, pues, el disparate se convierte en chiste?

No necesitamos reflexionar mucho tiempo. Por las elucidaciones de los autores, que hemos consignado en nuestra «Introducción» [pág. 14], podemos colegir que en ese sinsentido {disparate} chistoso se esconde un sentido, y que este sentido dentro de lo sin sentido convierte al sinsentido en chiste. En nuestro ejemplo es fácil hallar el sentido. El oficial que da al artillero Itzig ese consejo sin sentido sólo se hace el tonto para mostrar a Itzig cuán tonta es su conducta. Copia a Itzig: «Ahora te daré un consejo que es exactamente tan tonto como tú». Acepta y retoma la tontería de Itzig y se la da a entender convirtiéndola en base de una propuesta que no puede menos que responder a los deseos de Itzig, pues si este poseyera cañones propios y cultivara por su cuenta el oficio de la guerra, ¡cuán útiles le serían su inteligencia y su orgullo! ¡Cómo mantendría en condiciones sus cañones y se familiarizaría con su mecanismo para salir airoso de la competencia con otros poseedores de cañones!

Interrumpo el análisis del presente ejemplo para pesquisar este mismo sentido de lo sin sentido en un caso más breve y simple, pero menos flagrante, de chiste disparatado.

«No haber nacido nunca sería lo mejor para los mortales».[52] «Pero —prosiguen los sabios de *Fliegende Blätter*—[53] entre 100.000 personas difícilmente pueda sucederle a una».

El agregado moderno a la vieja sentencia es un claro disparate, más tonto aún por el «difícilmente», en apariencia cauteloso. Pero al anudarse a la primera frase como una limitación correcta sin disputa, puede abrirnos los ojos para advertir que aquella sabiduría escuchada con reverencia tampoco es mucho más que un disparate. Quien nunca nació

---

52 [Cita del relato anónimo sobre la justa entre Homero y Hesíodo, sección 316.]

53 [Célebre semanario humorístico.]

no es una criatura humana; para ese no existe lo bueno ni lo mejor. Lo sin sentido en el chiste sirve entonces aquí para poner en descubierto y figurar otro sinsentido, tal como en el ejemplo del artillero Itzig.

Puedo agregar aquí un tercer ejemplo que por su contenido difícilmente merecería la detallada comunicación que exige, pero justamente vuelve a ilustrar con particular nitidez el empleo de lo sin sentido en el chiste para figurar otro sinsentido:

Un hombre que debe partir de viaje confía su hija a un amigo con el pedido de que durante su ausencia vele por su virtud. Meses después regresa y la encuentra embarazada. Desde luego, se queja a su amigo. Este hace vanos esfuerzos para explicarse la desgracia. «Pero, ¿dónde ha dormido?» —pregunta al fin el padre. — «En el mismo dormitorio que mi hijo». — «¿Y cómo pudiste hacerla dormir en la misma habitación que tu hijo, después que tanto te encarecí su tutela?». — «Es que había un biombo entre ellos. Ahí estaba la cama de tu hija, ahí la cama de mi hijo, y entre las dos el biombo». — «¿Y si él dio la vuelta al biombo?». — «A menos que sea eso —responde el otro pensativamente—. . . Así sería posible».

De este chiste, de muy bajo nivel por sus otras cualidades, obtenemos con la mayor facilidad su reducción. Es evidente que esta rezaría: «No tienes ningún derecho a quejarte. ¿Cómo puedes ser tan *tonto* de dejar a tu hija en una casa donde no podrá menos que vivir en la permanente compañía de un mozo? ¡Como si un extraño pudiera vigilar en tales condiciones la virtud de una muchacha!». La aparente tontería del amigo tampoco aquí es otra cosa que el espejamiento de la tontería del padre. Por la reducción hemos eliminado la tontería en el chiste y, con ella, al chiste mismo. Pero no nos hemos desprendido del elemento «tontería» como tal: encuentra otro sitio dentro de la trabazón de la frase reducida a su sentido.

Ahora podemos intentar reducir también el chiste de los cañones. El oficial tendría que decirle: «Itzig, yo sé que tú eres un inteligente hombre de negocios. Pero te digo que cometes una *gran tontería* no viendo que en asuntos militares las cosas no pueden ser como en los negocios, donde cada quien trabaja para sí y contra los demás. En la vida militar es preciso subordinarse y cooperar».

Por tanto, la técnica de los chistes disparatados que hemos citado hasta aquí consiste realmente en la presentación de algo tonto, disparatado, cuyo sentido es la ilustración, la figuración, de alguna otra cosa tonta y disparatada.

¿Tiene siempre este significado el empleo del contrasentido en la técnica del chiste? He aquí otro ejemplo, que responde por la afirmativa:

Cierta vez que Foción fue aplaudido aprobatoriamente tras un discurso, se volvió hacia sus amigos y preguntó: «Pero, ¿qué tontería he dicho?».

Esta pregunta suena como un contrasentido. Pero enseguida comprendemos su sentido. «¿Qué he dicho que pueda gustarle a este pueblo tonto? Su aprobación en verdad debería avergonzarme; si ha gustado a los tontos, no puede ser algo muy inteligente».

Pero otros ejemplos pueden enseñarnos que el contrasentido muy a menudo se usa en la técnica del chiste sin el fin de servir para la figuración de otro sinsentido.

Un conocido profesor universitario, que suele sazonar con algunos chistes su árida disciplina, es congratulado por el nacimiento de su hijo menor, que le ha sido dado siendo él ya de avanzada edad. «Sí —replica a quienes lo felicitan—, es asombroso lo que pueden conseguir las manos del hombre». — Esta respuesta parece particularmente disparatada y fuera de lugar. De los hijos se dice que son una bendición de Dios, en total oposición a las obras de la mano del hombre. Pero enseguida se nos ocurre que esta respuesta tiene sin embargo un sentido, y sin duda obsceno. Ni hablar de que el padre feliz quiera hacerse el tonto para designar como tales a otras cosas o personas. La respuesta en apariencia carente de sentido nos produce sorpresa, desconcierto, como dirían los autores. Ya sabemos [cf. págs. 14-5] que estos derivan todo el efecto de tales chistes de la alternancia de «desconcierto e iluminación». Luego intentaremos [pág. 126] formarnos un juicio sobre ello; ahora nos contentamos con destacar que la técnica de este chiste consiste en la presentación de eso desconcertante, sin sentido.

Entre estos chistes de tontería ocupa un lugar particular uno de Lichtenberg:

«Le asombraba que los gatos tuvieran abiertos dos agujeros en la piel justo donde están sus ojos». Asombrarse por algo obvio, algo que en verdad no es sino la exposición de una identidad, por cierto no es otra cosa que una tontería [cf. *infra*, pág. 88]. Recuerda a una exclamación de Michelet,[54] entendida en serio. La cito de memoria: «¡Cuán magníficamente ha dispuesto las cosas la naturaleza que el hijo, tan pronto viene al mundo, encuentra ya una madre dispuesta a acogerlo!». La frase de Michelet es una tontería

54 *La femme* [1860].

real, pero la de Lichtenberg es un chiste que se vale de la tontería para algún otro fin, un chiste tras el cual se esconde algo. ¿Qué? En este momento todavía no podemos indicarlo.

[8]

En dos grupos de ejemplos hemos averiguado ya que el trabajo del chiste se vale de desviaciones respecto del pensar normal —el *desplazamiento* y el *contrasentido*— como recursos técnicos para producir la expresión chistosa. Es una justificada expectativa que también otras *falacias* puedan hallar el mismo empleo. Y en efecto cabe indicar algunos ejemplos de esta índole:

Un señor llega a una confitería y se hace despachar una torta; pero enseguida la devuelve y en su lugar pide un vasito de licor. Lo bebe y quiere alejarse sin haber pagado. El dueño del negocio lo retiene. «¿Qué quiere usted de mí?». — «Debe pagar el licor». — «A cambio de él ya le he dado la torta». — «Tampoco la ha pagado». — «Pero tampoco la he comido».

También esta pequeña historia muestra la apariencia de una logicidad que ya conocemos como fachada apta para una falacia. Es evidente que el error consiste en que el astuto cliente establece entre la devolución de la torta y su cambio por el licor un vínculo inexistente. La situación se descompone más bien en dos procesos que para el vendedor son independientes entre sí, y sólo en el propósito del comprador mantienen el nexo de sustitución. Ha tomado y ha devuelto primero la torta, por la cual en consecuencia nada debe; luego toma el licor, que debe pagar. Puede decirse que el cliente emplea en doble sentido la relación «a cambio de»; más correctamente, por medio de un doble sentido establece una conexión que de hecho no es sostenible.[55]

Esta es la oportunidad para confesar algo que no carece

[55] [*Nota agregada* en 1912:] Una técnica de disparate semejante resulta cuando el chiste quiere mantener en pie una conjunción que aparece cancelada por las particulares condiciones de su propio contenido. Tal, por ejemplo, en Lichtenberg: «Cuchillo sin hoja, al que le falta el mango». [Esto vuelve a explicarse en un pasaje de «Contribución a la historia del movimiento psicoanalítico» (1914*d*), *AE*, **14**, págs. 63-4.] También, el chiste referido por Von Falke [1897, pág. 271]: «¿Este es el lugar en que el duque de Wellington pronunció aquellas palabras?». — «Sí, este es el lugar, pero nunca pronunció esas palabras».

de importancia. Aquí nos ocupamos de explorar la técnica del chiste a raíz de ejemplos, y por tanto debiéramos estar seguros de que los ejemplos citados por nosotros son realmente genuinos chistes. Pero sucede que en una serie de casos vacilamos sobre si deben llamarse o no chistes. Por cierto que no dispondremos de un criterio antes que la indagación nos lo haya proporcionado; en cuanto al uso lingüístico, no es confiable y su legitimidad requiere a su vez ser examinada; para decidirlo no podemos apoyarnos sino en cierta «sensación», que tenemos derecho a interpretar en el sentido de que en nuestros juicios la decisión se consuma siguiendo determinados criterios que todavía no alcanzamos a discernir. Pero si la fundamentación ha de ser suficiente, no nos bastará invocar esa «sensación». En cuanto al ejemplo aducido en último término, no podemos menos que dudar si tenemos derecho a presentarlo como chiste, acaso como un chiste sofístico, o lisa y llanamente como un sofisma. Todavía no sabemos en qué reside el carácter de chiste.

En cambio, es inequívocamente un chiste el ejemplo siguiente, que exhibe por así decir la falacia complementaria. Es, otra vez, una historia de casamenteros:

El *Schadjen* defiende a la muchacha por él propuesta de las críticas del joven. «La suegra no me gusta —dice este—; es una persona malvada, estúpida». — «Usted no se casa con la suegra, usted quiere a la hija». — «Sí, pero ella ya no es joven, ni tiene tampoco un rostro hermoso». — «Eso no importa; si ya no es joven ni hermosa, tanto más fiel le será». — «Tampoco hay de por medio mucho dinero». — «¿Quién habla de dinero? ¿Se casa usted con el dinero? ¡Lo que usted quiere es una esposa!». — «Pero, ¡también tiene una joroba!». — «¿Y qué quiere usted? ¿Que no tenga ningún defecto?».

Se trata entonces en realidad de una muchacha fea que ya no es joven, de dote escasa, que tiene una madre repelente y además es contrahecha. No son circunstancias que inviten al matrimonio. El casamentero, respecto de cada uno de estos defectos, sabe desde qué punto de vista se lo podría disimular; en cuanto a la joroba, que no admite disculpa, la reclama como el defecto que es preciso admitir en cualquier ser humano. Esto vuelve a presentar la apariencia de lógica que es característica del sofisma y que está destinada a encubrir la falacia. La muchacha evidentemente tiene unos defectos flagrantes, más de los que podrían pasársele por alto, y uno que no se puede omitir; no es para desposarla. El casamentero hace como si cada uno de los defectos hubiera quedado eliminado por su subterfugio, cuando en verdad de todos ellos resta alguna desvalorización que se suma a la del que sigue. Se empeña en considerar por separado cada factor y se rehúsa a hacer su suma.

La misma omisión es el núcleo de otro sofisma que ha sido muy festejado pero de cuya legitimidad para llamarse chiste cabe dudar.

A ha tomado prestado de *B* un caldero de cobre, y cuando lo devuelve, *B* se le queja porque el caldero muestra un gran agujero que lo torna inservible. He aquí su defensa: «En primer lugar, yo no pedí prestado a *B* ningún caldero; en segundo lugar, el caldero ya estaba agujereado cuando lo tomé de *B*; en tercer lugar, yo devolví intacto el caldero». Cada uno de esos alegatos es bueno por sí; pero todos juntos se excluyen recíprocamente. *A* considera por separado lo que debe mirarse en su trabazón, tal como procedía el casamentero con los defectos de la novia. Puede decirse también: *A* pone «y» en un lugar donde sólo es posible «o bien... o bien».[56]

Nos sale al paso otro sofisma en la siguiente historia de casamenteros:

El pretendiente le ha alegado que la novia tiene una pierna más corta y cojea. El *Schadjen* le replica: «Usted anda errado. Supóngase que se casara con una mujer de miembros sanos y derechos. ¿Qué conseguiría? Nunca estaría seguro de que no cayera, se quebrara una pierna y luego quedara paralítica para toda la vida. ¡Y después los dolores, la agitación, los honorarios del médico! Pero si toma *esta*, nada de eso le podrá suceder; es *asunto terminado*».

La apariencia de lógica es aquí muy tenue, y nadie preferiría el «accidente terminado» al meramente posible. El error contenido en la ilación de pensamiento podrá descubrirse más fácilmente en un segundo ejemplo, una historia a la que no puedo despojar por completo del dialecto:

En el templo de Cracovia, el gran rabino N. ora con sus discípulos. De pronto lanza un grito y, ante las preguntas de sus preocupados discípulos, dice: «Acaba de fallecer el gran rabino L. en Lemberg». La comunidad organiza el duelo por el difunto. En el trascurso de los días siguientes preguntan a los que llegan de Lemberg cómo murió el rabino, de qué adolecía; pero ellos nada saben, lo han dejado gozando de la mejor salud. Por último resulta como cosa totalmente cierta que el rabí L. no falleció en Lemberg en el momento en que el rabino N. sintió su muerte por vía

---

[56] [Esta anécdota se examina nuevamente *infra*, pág. 194.]

telepática, puesto que sigue con vida. Un extraño aprovecha la oportunidad para enrostrarle este episodio a uno de los discípulos del rabino de Cracovia: «Fue sin duda un gran baldón para vuestro rabino que haya visto en ese momento morir al rabino L. en Lemberg. El hombre sigue con vida todavía hoy». «No importa —replica el discípulo—, el *Kück* [57] desde Cracovia hasta Lemberg fue de todos modos algo grandioso».

Aquí se manifiesta sin disfraz la falacia común a los dos últimos ejemplos. El valor de la representación fantaseada es elevado abusivamente respecto de lo objetivo; la posibilidad es casi equiparada a la efectiva realidad. La mirada a la lejanía desde Cracovia a través del territorio que la separa de Lemberg sería una imponente operación telepática si diera por resultado algo verdadero, pero esto no le importa al discípulo. Habría sido posible que el rabino de Lemberg muriera en el preciso instante en que el rabino de Cracovia anunció su muerte, y para el discípulo el acento se desplaza de la condición bajo la cual aquella operación de su maestro sería digna de asombro, al asombro incondicionado por esta operación. «*In magnis rebus voluisse sat est*»* [58] testimonia un punto de vista parecido. Así como en este ejemplo se prescinde de la realidad en favor de la posibilidad, en el anterior el casamentero insta al pretendiente a considerar la posibilidad de que una mujer quede paralítica por un accidente como algo mucho más sustantivo, frente a lo cual, se pretende, es desdeñable que esté o no paralítica.

A este grupo de las falacias *sofistas* le sigue otro, interesante, en que la falacia puede denominarse *automática*. Quizá sólo se deba a un capricho del azar que todos los ejemplos que tengo para citar de este nuevo grupo pertenezcan otra vez a las historias de casamenteros.

«Un casamentero se ha procurado, para su elogiosa presentación de la novia, un ayudante que debe refirmar todo lo que él diga. "Ella ha crecido como un abeto", dice el casamentero. — "Como un abeto", repite el eco. — "Y tiene unos ojos que hay que ver". — "¡Ah! ¡Y qué ojos tiene!", refirma el eco. — "Y sus formas son incomparables". — "¡Y qué formas!". — "Pero es verdad —admite

---

[57] Palabra {yiddish} proveniente del alemán «*gucken*» {«mirar», «atisbar»}; de ahí, «mirada penetrante», «visión a distancia». [Freud alude a esta historia en su trabajo de 1921, publicado póstumamente, «Psicoanálisis y telepatía» (1941*d*), *AE*, **18**, pág. 179.]

* {«En las cosas magnas basta con haber deseado».}

[58] [Bajo una forma algo diferente —«*in magnis et voluisse sat est*»—, esta cita pertenece a Propercio, *Elegías*, x, 6.]

el casamentero— que tiene una pequeña joroba". — "¡Pero qué joroba!", vuelve a refirmar el eco». Las otras historias son enteramente análogas, aunque su riqueza de sentido es mayor.

«El novio quedó muy ingratamente sorprendido cuando le presentaron a la novia, y lleva aparte al casamentero para cuchichearle sus críticas. "¿Para qué me ha traído aquí?", le pregunta en tono de reproche. "Ella es fea y vieja, bizquea y tiene malos dientes y chorrea de los ojos...". — "Puede usted hablar en voz alta —replica el casamentero—; también es sorda"».

«El novio hace junto con el casamentero la primera visita a casa de la novia, y mientras aguardan en la sala la presentación de la familia el casamentero señala una vitrina donde se exponen hermosísimos objetos de plata. "Mire usted ahí; por esas cosas advierte usted cuán rica es esta gente". — "Pero —pregunta el desconfiado joven—, ¿no habrán tomado en préstamo esos hermosos objetos para esta ocasión a fin de producir una impresión de riqueza?". — "¡Qué ocurrencia! —responde el casamentero rechazando la idea—. ¿Quién prestaría algo a esta gente?"».

En los tres casos ocurre lo mismo. Una persona que varias veces sucesivas ha reaccionado en igual forma continúa con esta manera de manifestarse también en la siguiente ocasión, cuando es inadecuada y contraría sus propósitos. Omite adaptarse a los requerimientos de la situación, cediendo al automatismo del hábito. Así, en la primera historia el ayudante olvida que lo han traído para inclinar el ánimo del pretendiente en favor de la novia propuesta, y si hasta entonces cumplió su tarea subrayando con sus repeticiones las excelencias de la novia, ahora subraya también su joroba, que, admitida a regañadientes por el casamentero, él habría debido empequeñecer. El casamentero de la segunda historia queda tan fascinado con la enumeración de los defectos y tachas de la novia que completa de su coleto la lista, aunque ciertamente no sea ese su oficio ni su propósito. Por último, en la tercera historia se deja arrastrar por su celo de convencer al joven sobre la riqueza de la familia hasta el punto de porfiar en esa sola pieza de prueba y aducir algo que no puede menos que contrariar su empeño como un todo. Dondequiera prevalece el automatismo sobre la variación, con arreglo a fines, del pensar y el expresarse.

He aquí algo que se intelige con facilidad, pero por fuerza nos produce confusión: reparar en que estas tres historias pueden ser designadas «cómicas» con el mismo derecho que las llamamos «chistosas». El descubrimiento del automatismo psíquico pertenece a la técnica de lo cómico, lo mismo que todo desenmascaramiento, toda traición que uno se haga a sí mismo. Aquí nos vemos enfrentados de pronto con el problema del vínculo del chiste con la comicidad, que procurábamos eludir. (Cf. la «Introducción» [pág. 11].) ¿Son estas historias sólo «cómicas» y no también «chistosas»? ¿Trabaja aquí lo cómico con los mismos recursos que el chiste? Y otra vez: ¿en qué consiste el carácter peculiar de lo chistoso?

Debemos atenernos al hecho de que la técnica del grupo de chistes citados en último término no consiste en otra cosa que en argumentar «*falacias*», pero nos vemos obligados a admitir que su indagación nos ha proporcionado hasta ahora más oscuridad que conocimiento. Sin embargo, no resignamos la expectativa de obtener, mediante una noticia más completa sobre las técnicas del chiste, un resultado que pueda servir de punto de partida para ulteriores intelecciones.

[9]

Los siguientes ejemplos de chistes, con los que continuaremos nuestra investigación, dan menos trabajo. Su técnica, sobre todo, nos recuerda algo ya familiar.

En primer lugar, un chiste de Lichtenberg:

«Enero es el mes en que uno ofrece deseos a sus buenos amigos, y los otros meses, aquellos en que no se cumplen».

Como de estos chistes se puede decir que son más finos que eficaces, y trabajan con recursos menos llamativos, deberemos reforzar acumulativamente la impresión que producen.

«La vida humana se descompone en dos mitades; en la primera uno desea que llegue la segunda, y en la segunda uno desea volver a la primera».

«La experiencia consiste en que uno experimenta lo que no desea experimentar».

(Ambos tomados de Fischer, 1889 [págs. 59-60].)

Es inevitable que estos ejemplos nos recuerden un grupo ya tratado que se singulariza por la «acepción múltiple del mismo material» [págs. 32 y sigs.]. El último ejemplo, en particular, nos moverá a preguntar por qué no los incluimos a continuación en aquel lugar, en vez de traerlos a cuento aquí en un nuevo contexto. Es que de nuevo la «experiencia» se describe por su propia formulación textual, como antes los celos (cf. pág. 35). Y en verdad yo no tendría gran cosa que objetar a esa rectificación. Pero opino que en los otros dos ejemplos, que por su carácter son sin duda semejantes, hay otro factor más notable y sustantivo que la acepción múltiple de las mismas palabras: falta aquí todo lo que roce el doble sentido. Y además querría destacar que en estos casos se producen unidades nuevas e inesperadas, vínculos recíprocos entre representaciones, y definiciones mutuas o por referencia a un tercer término común. Me gustaría llamar *unificación* a este proceso; evidentemente, es análogo a la condensación por compresión en las mismas palabras. Así, las dos mitades de la vida humana se describen mediante un vínculo recíproco descubierto entre ellas; en la primera uno desea que llegue la segunda, y en la segunda, volver a la primera. Dicho con mayor exactitud, dos nexos recíprocos muy semejantes se han escogido para la figuración. Y la semejanza de los vínculos corresponde luego a la semejanza de las palabras, lo cual podría hacernos recordar justamente la acepción múltiple del mismo material (desear que llegue – desear volver). En el chiste de Lichtenberg, enero y los meses contrapuestos a él son caracterizados mediante un nexo algo modificado respecto de un tercer término; son los deseos de felicidad, que uno recibe en enero y no se cumplen en los otros meses. Aquí es bien nítida la diferencia respecto de la acepción múltiple del mismo material, que por cierto se aproxima al doble sentido.[59]

[59] Para describir la «unificación» mejor de lo que permiten los anteriores ejemplos, me valdré de la peculiar relación contraria, ya mencionada [pág. 32, *n.* 22], que hay entre chiste y acertijo: uno esconde lo que el otro exhibe. Muchos de los acertijos con cuya producción se entretenía el filósofo G. T. Fechner cuando quedó ciego se singularizan por un alto grado de unificación, que les presta un particular encanto. Tómese, por ejemplo, el bello acertijo número 203 (Dr. Mises [seudónimo de Fechner], *Rätselbüchlein*, 4ª edición aumentada, sin fecha):

«Die beiden ersten finden ihre Ruhestätte
Im Paar der andern, und das Ganze macht ihr Bette».

{«Mis dos primeras (*To-ten*; Toten, el muerto) hallan su lugar de reposo en el par de las otras (*Grä-ber*; Gräber, la tumba), y el todo (*Totengräber*, el enterrador) les hace la cama».}

De los dos pares de sílabas que debemos adivinar no se nos indica más que un vínculo recíproco, y del todo, sólo un vínculo con el primer par.

Ó también los dos ejemplos que siguen, de descripción por relación con un tercer término idéntico o poco modificado:

«Die erste Silb' hat Zähn' und Haare,
Die zweite Zähne in den Haaren.

Un buen ejemplo de chiste de unificación, que no necesita ser elucidado, es el siguiente:

El poeta francés J. B. Rousseau escribió una oda a la posteridad («A la postérité»); Voltaire halló que el valor de la poesía de manera alguna justificaba que pasase a la posteridad, y dijo a modo de chiste: «Esta poesía no llegará a su destinataria». (Según Fischer [1889, pág. 123].)

Este último ejemplo es apto para indicarnos que es esencialmente la unificación la que está en la base de los chistes llamados «de prontitud» [cf. pág. 34]. La prontitud consiste, en efecto, en que la defensa responda a la agresión: en «dar vuelta el filo», en «pagar con la misma moneda»; por tanto, en la producción de una unidad inesperada entre ataque y contraataque.

Por ejemplo, el panadero dice al posadero a quien le supura un dedo: «¿Lo habrás metido sin duda en tu cerveza?».
— «No fue eso, sino que se me incrustó bajo la uña una miga de tus panecillos». (Según Überhorst, 1900, 2.)

> *Wer auf den Zähnen nicht hat Haare,*
> *Vom Ganzen kaufe keine Ware».* (N° 170)

{«La primera sílaba tiene dientes y pelo (*Ross*, caballo); la segunda tiene dientes en el pelo (*Kamm*, el peine). Nadie que no tenga pelo en los dientes (dicho alemán que significa "saber defenderse"; entonces, "nadie que sepa defenderse") comprará artículos al todo (*Rosskamm*, el mercader de caballos)».}

> «*Die erste Silbe frisst,*
> *Die andere Silbe isst,*
> *Die dritte wird gefressen,*
> *Das Ganze wird gegessen».* (N° 168)

{«La primera sílaba pace (*Sau*, la marrana), la segunda come (*Er*, él), la tercera es engullida (*Kraut*, la hierba), el todo es comido (*Sauerkraut, choucroute*)». *Nota bene:* En alemán se usan dos verbos distintos para «comer», según se trate de animales o de personas.}

El ejemplo más perfecto de unificación se encuentra en un acertijo de Schleiermacher, al que no se le puede negar el carácter de chistoso:

> «*Von der letzten umschlungen*
> *Schwebt das vollendete Ganze*
> *Zu den zwei ersten empor».*

{«Abrazado por la última (*Strick*, la soga), el todo completo (*Galgenstrick*, el ahorcado) oscila izado sobre las dos primeras (*Galgen*, el cadalso)».}

En la gran mayoría de los acertijos de sílabas está ausente la unificación, es decir que la clave a partir de la cual debe adivinarse una sílaba es por entero independiente de las claves de la segunda y la tercera sílabas, y a la vez del punto de apoyo para la adivinación independiente del todo.

Serenissimus[60] hace un viaje por sus posesiones, y entre la multitud repara en un hombre que se parece llamativamente a su propia, alta persona. Lo llama para preguntarle: «¿Sin duda su madre sirvió alguna vez en palacio?». — «No, Alteza —respondió el hombre—; fue mi padre».

En una de sus cabalgatas de placer, el duque Karl von Württemberg encuentra a un tintorero ocupado en su oficio. «¿Puedes teñir de azul mi caballo blanco?», le espeta el conde, y recibe esta respuesta: «Por cierto que sí, Alteza, ¡siempre que soporte la cocción!». [Fischer, 1889, pág. 107.]

En esta notable «retorsión» —que responde a una pregunta disparatada con una condición igualmente imposible— opera además otro factor técnico que habría faltado de haber sido esta la respuesta del tintorero: «No, Alteza; me temo que el caballo blanco no soportaría la cocción».

La unificación dispone además de otro medio, sobremanera interesante: la ilación con la conjunción «y». Ella significa un nexo; no la comprendemos de otro modo. Por ejemplo, cuando Heine refiere en sus *Harzreise*, acerca de la ciudad de Gotinga: «En general, los moradores de Gotinga se dividen en estudiantes, profesores, filisteos y ganado», comprendemos esta conjunción precisamente en el sentido que el agregado de Heine subraya todavía («. . . y estos cuatro estamentos no están separados ni muchísimo menos»). O cuando habla [*ibid.*] de la escuela donde debió soportar «tanto latín, azotes y geografía», esta coordinación, que se vuelve susceptible de interpretación múltiple por la inserción de las zurras entre las dos disciplinas académicas, quiere decirnos que la concepción del estudiante sobre la escuela, definida inequívocamente por las zurras, debe ser extendida también, sin ninguna duda, al latín y la geografía.

En Lipps [1898, pág. 177] hallamos, entre los ejemplos de «enumeración chistosa» («coordinación»), uno que se aproxima mucho al «estudiantes, profesores, filisteos y ganado» de Heine; es el verso: «Con un tenedor y con trabajo / su madre del guiso lo extrajo»; como si el trabajo fuera un instrumento al igual que el tenedor, agrega Lipps a manera de explicitación. Pero recibimos la impresión de que este verso no sería chistoso, sino muy cómico, mientras que la coordinación de Heine es inequívocamente un chiste. Quizá recordemos estos ejemplos más tarde, cuando ya no podamos eludir más el problema de los nexos entre comicidad y chiste. [Cf. *infra*, pág. 201.]

[60] [Nombre que en el imperio alemán daban convencionalmente las publicaciones humorísticas a los miembros de la realeza.]

En el ejemplo del duque y el tintorero notamos que seguía siendo un chiste por unificación en caso de que el tintorero hubiera respondido: «*No*, me temo que el caballo blanco no soportaría la cocción». Pero su respuesta fue: «*Sí*, Alteza, siempre que el caballo blanco soporte la cocción». En la sustitución del «no», que es lo que correspondería, por un «sí» reside un nuevo recurso técnico del chiste, cuyo empleo estudiaremos en otros ejemplos.

Un chiste vecino al recién citado de Fischer es más simple [1889, págs. 107-8]: Federico el Grande escucha hablar de un predicador de Silesia que posee fama de tener trato con los espíritus; lo hace venir y lo recibe con esta pregunta: «¿Puede usted conjurar espíritus?». La respuesta fue: «Como usted mande, Majestad; pero ellos no vienen». Pues bien; aquí salta a la vista que el recurso del chiste no consistió sino en la sustitución del «no», que era lo único posible, por su contrario. Para llevar a cabo esta sustitución fue preciso anudar al «sí» un «pero», de suerte que «sí» y «pero» tuvieran el mismo sentido que un «no».

Esta *figuración por lo contrario*, como la llamaremos, sirve al trabajo del chiste en diversos desempeños. En los dos ejemplos que siguen resalta de una manera casi pura. Heine: «Esta mujer se asemeja en muchos puntos a la Venus de Milo: como ella, es extraordinariamente vieja; como ella, carece de dientes, y como ella, en la superficie amarillenta de su cuerpo presenta algunas manchas blancas».

He ahí una figuración de la fealdad por medio de sus puntos de semejanza con lo más hermoso; desde luego que tales acuerdos sólo pueden consistir en unas propiedades expresadas con doble sentido o en cosas secundarias. Esto último se aplica al segundo ejemplo. «El gran espíritu», en Lichtenberg:

«Había reunido en sí las cualidades de los más grandes hombres; llevaba la cabeza torcida como Alejandro, siempre tenía algo para desatar en su cabellera como César, era capaz de beber café como Leibnitz, y cierta vez que estuvo sentado cómodamente en su poltrona olvidó de comer y beber, como Newton, y fue preciso despertarlo como a este; usaba su peluca como el doctor Johnson, y siempre llevaba desprendido un botón de la pretina, como Cervantes».

Un ejemplo particularmente bueno de figuración por lo contrario, en el que se ha renunciado por completo al empleo de palabras de doble sentido, es el que ha traído J. von Falke (1897, pág. 271) a su regreso de un viaje a Irlanda. El escenario es un retablo de figuras de cera (como podría ser el de Madame Tussaud). Hay un guía que acompaña con sus explicaciones, de figura en figura, a un grupo de jóvenes y ancianos. «*This is the Duke of Wellington and his horse*» {«Este es el duque de Wellington y su caballo»}, ante lo cual una joven señorita pregunta: «*Which is the Duke of Wellington and which is his horse?*» {«¿Cuál es el duque de Wellington y cuál su caballo?»}. Y la respuesta: «*Just as you like, my pretty child; you pay the money and you have the choice*» {«Como usted quiera, hermosa niña; usted paga el dinero y es suya la elección»}.

La reducción de este chiste irlandés rezaría: «¡Qué desvergüenza atreverse a ofrecer al público estas figuras de cera! No se distinguen caballo y caballero. (Exageración en broma.) ¡Y para ver eso uno paga su buen dinero!». Ahora bien, esta manifestación indignada se dramatiza, se la funda en un pequeño episodio; en lugar del público en general aparece una sola dama, y la figura ecuestre recibe un nombre individual, que en Irlanda no puede ser otro que el del popular duque de Wellington. La desvergüenza del propietario o guía, que extrae a la gente el dinero del bolsillo y no le da nada a cambio, es figurada por lo contrario, mediante un dicho en que él se precia de escrupuloso hombre de negocios a quien no lo mueve otra cosa que el respeto por los derechos que el público ha adquirido mediante el pago. No obstante, reparamos en que la técnica de este chiste no es del todo simple. Al encontrarse un camino para hacer que el embustero declare solemnemente su escrupulosidad, el chiste es un caso de figuración por lo contrario; pero en tanto lo hace en una ocasión en que se pide de él algo por entero diverso, de suerte que aduce su seriedad comercial cuando se espera que se pronuncie sobre el parecido de las figuras, es un ejemplo de desplazamiento. La técnica del chiste reside en la combinación de esos dos recursos.

Desde este ejemplo, no es muy grande la distancia a un pequeño grupo que podría denominarse «chistes de sobrepuja». En ellos, el «sí», que sería lo adecuado en la reducción, es sustituido por un «no», que empero según su contenido tiene el mismo valor que un «sí», reforzado además, y lo mismo para el caso inverso. La contradicción remplaza a una corroboración con sobrepuja; así, por ejemplo, el epigrama de Lessing: [61]

[61] [«Auf die Galathee», *Sinngedichte*.] Siguiendo un modelo de la «Griechischen Anthologie».

«¡La buena de Galatea! Se dice que ennegrece
/su cabellera;
si cuando la compró, ya negra era».

O la intencionada defensa aparente de la sabiduría académica por Lichtenberg:

«Hay más cosas en el Cielo y la Tierra que las que tu sabiduría académica sueña», había dicho despreciativamente el príncipe Hamlet.[62] Lichtenberg sabe que esta condena no es ni con mucho decisiva, pues no valora todo lo que puede objetarse a la sabiduría académica. Por eso agrega lo que falta: «Pero también hay en la sabiduría académica muchas cosas que no se encuentran ni en el Cielo ni en la Tierra». Su figuración destaca, por cierto, aquello que resarce a la sabiduría académica del defecto que Hamlet le censura, pero en ese resarcimiento hay implícito un segundo reproche, todavía mayor.

Más trasparentes aún, por estar libres de toda huella de desplazamiento, son dos chistes de judíos, de gran calibre por lo demás.

Dos judíos hablan sobre el bañarse. «Yo tomo un baño por año —dice uno—, lo necesite o no».

Por cierto, esa arrogante declaración de limpieza no hace más que declararlo convicto de suciedad.

Un judío observa restos de comida en la barba de otro. «Puedo decirte lo que has comido ayer». — «Dílo, pues». — «Bueno, lentejas». — «Erraste: ¡anteayer!».

Un precioso chiste de sobrepuja, que puede reconducirse con facilidad a una figuración por lo contrario, es también el siguiente:

El rey, en su magnanimidad, visita la clínica quirúrgica y encuentra al profesor amputando una pierna; acompaña cada etapa de la operación con manifestaciones de su real benevolencia: «¡Bravo, bravo, mi querido profesor!». Terminada la operación, el profesor se vuelve a él y le pregunta, con una profunda reverencia: «¿Manda Su Majestad también la otra pierna?».

Lo que el profesor pudo haber pensado durante la aprobación real, es claro, no puede expresarse tal cual: «Esto no puede menos que causar la impresión de que yo le corto a este pobre diablo su pierna por orden del rey, y sólo para complacer a este. Sin embargo, he tenido de hecho otros motivos para practicar esta operación». Pero entonces se dirige

[62] [«*There are more things in heaven and earth, Horatio, / Than are dreamt of in your philosophy*» (*Hamlet*, acto I, escena 5).]

al rey y le dice: «Yo no he tenido otros motivos para realizar una operación que la orden de Su Majestad. La aprobación que me ha dispensado me ha hecho tan dichoso que sólo espero una orden de Su Majestad para amputar también la pierna sana». Consigue hacerse entender enunciando lo contrario de lo que piensa y guarda para sí. Esto contrario es una sobrepuja increíble.

La figuración por lo contrario es, como lo vemos por estos ejemplos, un recurso muy frecuente, y de muy poderoso efecto, de la técnica del chiste. Pero hay algo que no podemos ignorar, y es que esta técnica en modo alguno es propia del chiste. Cuando Marco Antonio, tras haber modificado en el foro, con un largo discurso, la actitud de los oyentes que rodean el cadáver de César, les espeta por última vez las palabras:

«Pues Bruto es un hombre *honorable*...»,

sabe que ahora el pueblo le gritará, al contrario, el sentido verdadero de sus palabras:

«¡Son unos *traidores* esos hombres honorables!».[63]

O cuando *Simplicissimus*[64] rotula una colección de brutalidades y cinismos inauditos como manifestaciones de «*hombres de espíritu*», no es sino otra figuración por lo contrario. Ahora bien, se la llama «ironía», ya no chiste. Justamente, no caracteriza a la ironía otra técnica que la figuración por lo contrario. Por lo demás, se lee y se escucha hablar de *chiste irónico*. Ya no cabe duda, entonces, de que la sola técnica no basta para caracterizar al chiste. Tiene que agregarse algo más, que hasta ahora no hemos descubierto. Es verdad, se mantiene como un hecho incontrastable que deshaciendo la técnica se elimina al chiste. Provisionalmente puede resultarnos difícil imaginar unidos los dos puntos fijos que hemos obtenido para el esclarecimiento del chiste.

[11]

Si la figuración por lo contrario se cuenta entre los recursos técnicos del chiste, nace en nosotros la expectativa de que

---

[63] [*Julio César*, acto III, escena 2.]
[64] [El famoso semanario cómico de Munich.]

este pueda utilizar también su opuesto, la figuración por lo *semejante* y emparentado. Y, en efecto, la prosecución de nuestras indagaciones puede enseñarnos que esta es la técnica de un nuevo grupo, muy vasto, de chistes en el pensamiento.[65] Describiremos la peculiaridad de esta técnica con mucho mayor acierto si en vez de figuración por lo «emparentado» decimos por lo que «se copertenece» o «forma una misma trama». Y aun comenzaremos por este último carácter, ilustrándolo enseguida con un ejemplo.

Una anécdota norteamericana refiere:[66] Dos comerciantes poco escrupulosos consiguieron, mediante una serie de muy aventuradas empresas, hacerse de una gran fortuna, tras lo cual todos sus empeños se dirigieron a ingresar en la buena sociedad. Entre otros recursos, les pareció adecuado procurarse unos retratos del pintor más notable y cotizado de la ciudad, cada uno de cuyos cuadros era considerado un acontecimiento. Los preciosos retratos se presentaron en el curso de una gran *soirée*, y los propios dueños de casa condujeron al experto y crítico más influyente hasta la pared del salón donde aquellos estaban colgados uno junto al otro; querían arrancarle un juicio admirativo. El contempló largo rato los cuadros, después sacudió la cabeza como si echara de menos algo, y se limitó a preguntar, señalando el espacio vacío entre los dos: «*And where is the Saviour?*» {«¿Y dónde está el Salvador?»} (o sea: yo echo de menos ahí la imagen del Salvador).

El sentido de este dicho es claro. Se trata, de nuevo, de la figuración de algo que no puede expresarse directamente. ¿Por qué vía se produce esta «*figuración indirecta*»? A través de una serie de asociaciones y razonamientos que se intercalan con facilidad, seguimos el camino retrocedente desde la figuración del chiste.

La pregunta «¿Dónde está el Salvador, el cuadro del Salvador?» nos permite colegir que el que pronunció el dicho recordó, al tener ante sí los dos cuadros, una visión familiar a él tanto como a nosotros, que empero mostraba, como elemento aquí faltante, la imagen del Salvador en medio de otras dos imágenes. Sólo hay un caso así: Cristo en la cruz entre los dos ladrones. El chiste pone de relieve lo que falta; la semejanza corresponde a las imágenes, que el chiste omite, situadas a derecha e izquierda del Salvador. Y esa semejanza sólo puede consistir en que también los cuadros colgados en

[65] [Por contraste con los chistes en la palabra. Cf. *infra*, pág. 85.]
[66] [Freud relató nuevamente esta anécdota en la tercera de las cinco conferencias que pronunció en la Clark University (cf. 1910a, *AE*, **11**, págs. 26-7).]

71

el salón son los de unos ladrones. Lo que el crítico quiso decir y no podía era, pues: «Son ustedes un par de pillos»; más precisamente: «¿Qué me importan a mí sus cuadros? Son ustedes un par de pillos, eso es lo que yo sé». Y en definitiva eso fue lo que dijo a través de algunas asociaciones y razonamientos, por un camino que designamos como el de la *alusión*.

Al punto recordamos que ya hemos tropezado con la alusión a raíz del doble sentido: cuando de los dos significados que hallan expresión en una misma palabra uno se sitúa en el primer plano como el más frecuente y usual, hasta el punto de que por fuerza ha de ocurrírsenos primero, mientras que el otro está relegado como el más remoto, designaríamos este caso como de *doble sentido con alusión* [pág. 41]. En toda una serie de los ejemplos indagados hasta aquí habíamos notado que su técnica no era simple, y ahora discernimos la alusión como el factor que los complicaba (p. ej., el chiste de reordenamiento de la mujer que se había respaldado un poco y entonces había ganado mucho [pág. 33], o el chiste de contrasentido, a raíz de las congratulaciones por el nuevo hijo, acerca de todo lo que son capaces de conseguir las manos del hombre [pág. 57]).

Ahora bien, en la anécdota norteamericana estamos frente a la alusión exenta de doble sentido, y hallamos que su carácter es la sustitución por algo que está conectado en la trama de pensamientos. Es fácil colegir que el nexo utilizable puede ser de más de un tipo. Para no perdernos en la multitud de casos, elucidaremos sólo las variaciones más notables, y estas, en unos pocos ejemplos.

El nexo utilizado para la sustitución puede ser una mera *asonancia*, de suerte que esta subclase se vuelve análoga al retruécano en el caso del chiste en la palabra. Empero, no se trata de la asonancia entre dos palabras, sino entre frases enteras, entre conexiones características de palabras, etc.

Por ejemplo, Lichtenberg ha acuñado esta sentencia: «Baño nuevo sana bien», que de manera instantánea nos recuerda al proverbio: «Escoba nueva barre bien», con el que tiene en común la segunda y la última palabras, y toda la estructura de la oración.* Y por otra parte, sin duda ha nacido en la cabeza del gracioso {*witzig*} pensador como una copia del consabido proverbio. La sentencia de Lichtenberg se convierte así en una alusión al proverbio. Por medio de esta

---

* {En alemán, además, «*Bäder*» («baño») y «*Besen*» («escoba») son más semejantes entre sí que las palabras castellanas correspondientes.}

alusión se hace referencia a algo que no se nos dice directamente, a saber, que en el efecto de los baños coopera algo más que las aguas termales, cuyas propiedades permanecen idénticas.

De manera parecida puede resolverse técnicamente otra chanza o chiste[67] de Lichtenberg: «Una muchacha de apenas doce modas {*Moden*} de edad». Esto suena a la determinación temporal «doce lunas {*Monden*}» (o sea, meses {*Monate*}), y sin duda en su origen fue un error en la escritura por esta última expresión, admisible en la poesía. Pero tiene su sentido utilizar las cambiantes modas en lugar de los cambios de la luna para determinar la edad de una mujer.

El nexo puede consistir en la igualdad salvo una sola *modificación leve*. Por tanto, esta técnica vuelve a ser paralela a una técnica en la palabra [pág. 33]. Las dos clases de chistes provocan casi la misma impresión; empero, cabe separarlas mejor entre sí según los procesos que operan en el trabajo del chiste.

Como ejemplo de un chiste en la palabra o retruécano de esta clase: La gran cantante, pero célebre por la amplitud no sólo de su voz, Marie *Wilt*, recibe la afrenta de que para aludir a su mala figura se utilice el título de una pieza de teatro extraída de la famosa novela de Julio Verne: «La vuelta al *Wilt* {por *Welt* = mundo} en 80 días».

O «Cada braza, una reina», modificación de la consabida sentencia de Shakespeare, «Cada pulgada, un rey»; alude a esta cita y al mismo tiempo se refiere a una dama noble y en extremo obesa. En realidad, no habría muchos argumentos serios que oponer si alguien prefiriera clasificar este chiste entre las condensaciones con modificaciones como formación sustitutiva. (Véase «*tête-à-bête*», pág. 26.)

Acerca de una persona de elevadas miras, pero terca en la persecución de sus metas, dijo un amigo: «Tiene un ideal metido en la cabeza» {«*Er hat ein Ideal vor dem Kopf*»}. «*Ein Brett vor dem Kopf haben*» {«Tener una tabla metida en la cabeza»} es el giro usual al que alude esta modificación y cuyo sentido reclama para sí. También aquí puede describirse la técnica como una condensación con modificación.

La alusión por modificación y la condensación con formación sustitutiva se vuelven casi indistinguibles cuando la modificación se limita al cambio de letras, por ejemplo:

---

67 [La diferencia entre ambos es exhaustivamente analizada en un capítulo posterior (págs. 124 y sigs.).]

Dichteritis {«poetitis»}. La alusión a la maligna epidemia de *Diphtheritis* {difteria} califica también de peligro público a los ineptos para poetizar.

Las partículas de negación posibilitan muy hermosas alusiones con costos mínimos en cuanto a variantes:

«Mi compañero de *des*creencia, Spinoza», dice Heine. «Nosotros, jornaleros, siervos de la gleba, negros, villanos, por la *des*gracia de Dios», empieza en Lichtenberg un manifiesto, no continuado, de estos desdichados, que en todo caso tienen más derecho a aquel título que reyes y príncipes al inmodificado.

Por último, también la *omisión* es una forma de la alusión; se la puede comparar a la condensación sin formación sustitutiva. En verdad, en toda alusión hay algo omitido, a saber, el camino de pensamiento que desemboca en la alusión. Depende sólo de qué resulte más llamativo en el texto de la alusión, si la laguna o el sustituto que en parte la llena. Así, a través de una serie de ejemplos regresaremos de la omisión cruda a la alusión propiamente dicha.

Una omisión sin sustitución se encuentra en el siguiente ejemplo:[68] En Viena vive un escritor agudo y pendenciero que por la mordacidad de sus invectivas se atrajo repetidas veces maltratos corporales de parte de los atacados. Cierta vez que corrían lenguas sobre un nuevo desaguisado de uno de sus habituales enemigos, un tercero dijo: «Si *X* llega a enterarse, recibirá otra bofetada».[69] En la técnica de este chiste participa en primer lugar el desconcierto frente al aparente contrasentido, pues recibir una bofetada no nos parece en modo alguno la consecuencia inmediata de enterarse de algo; no se nos ilumina el sentido. El contrasentido se disipa si uno intercala en la laguna: «…escribirá un artículo tan mordaz contra la persona en cuestión que, etc.». Alusión por omisión y contrasentido son, entonces, los recursos técnicos de este chiste.

Heine: «Se alaba tanto que los sahumerios suben de precio». Esta laguna es fácil de llenar. Lo omitido está aquí remplazado por una consecuencia que sólo remite a él por vía de alusión. El autoelogio huele mal.

Y henos aquí de nuevo con los dos judíos que se encuen-

---

[68] [En su historial clínico del «Hombre de las Ratas» (1909*d*), *AE*, **10**, pág. 177*n*., Freud citó este ejemplo para ilustrar el uso de una técnica semejante en los síntomas obsesivos.]

[69] [El designado como «X» era Karl Kraus, a quien ya se hizo referencia antes (pág. 28). Freud citó otro de sus chistes en «La moral sexual "cultural" y la nerviosidad moderna» (1908*d*), *AE*, **9**, pág. 178.]

tran ante la casa de baños: «Ha pasado ya otro año», suspira uno de ellos.

Estos ejemplos no dejan subsistir ninguna duda de que la omisión forma parte de la alusión.

Una laguna todavía más llamativa presenta el siguiente ejemplo, que es empero un genuino y verdadero chiste por alusión. Tras un festival artístico realizado en Viena, se editó un libro burlesco donde se anotaba, entre otros, el siguiente apotegma, en extremo curioso:

«Una esposa es como un paraguas. Uno acaba siempre por tomar un coche de alquiler». Un paraguas no protege suficientemente de la lluvia. El «Uno acaba siempre por...» sólo puede significar: cuando llueve en forma; y un coche de alquiler es un vehículo público. Pero como aquí estamos frente a la forma del símil, pospondremos para más adelante la indagación en profundidad de este chiste. [Cf. págs. 104-5.]

Un verdadero avispero de las más picantes alusiones contienen los «Bäder von Lucca», de Heine, que hacen la más artística aplicación de esta forma de chiste a fines polémicos (contra el conde de Platen).[70] Mucho antes de que el lector pueda vislumbrar ese empleo, cierto tema, particularmente inapropiado para una figuración directa, es preludiado por alusiones tomadas del más variado material, por ejemplo en las contorsiones verbales de Hirsch-Hyacinth: «Usted es demasiado corpulento y yo demasiado flaco; usted tiene mucha imaginación y yo tanto mayor sentido para los negocios; yo soy un práctico y usted es un *diarrético*; en suma: usted es mi completo anti*podex*». — «Venus *Urinia*» — «la gruesa Gudel von *Dreckwall* en Hamburgo», y cosas por el estilo;[71] luego los episodios que el autor refiere cobran un giro que al comienzo sólo parece testimoniar su maleducado atrevimiento, pero pronto revela su referencia simbólica al propósito polémico y, con ello, se da a conocer como una

[70] [Cf. *supra*, pág. 18. Augusto, conde de Platen (1796-1835), fue un poeta lírico que se granjeó la enemistad de Heine a causa de una obra en que satirizó al movimiento romántico. Era un homosexual sublimado {*sublimated*}.]

[71] [Todos estos términos se refieren a material anal. La «Venus Urinia», aunque a primera vista sugiere la orina, es una palabra empleada impropiamente en lugar de «Urania», el celestial amor homosexual de *El banquete* de Platón. «Gudel» era realmente una acaudalada aristócrata de Hamburgo, a quien Hyacinth pone aquí el seudónimo «Dreckwall», de connotaciones anales («*Dreck*», «excrementos»). Todos estos ejemplos aparecen en el capítulo IX de «Die Bäder von Lucca» (parte III de *Reisebilder*, de Heine). El resto de este capítulo se ocupa principalmente de anécdotas de tipo anal.]

alusión. Por fin[72] estalla el ataque a Platen, y entonces, de cada una de las frases que Heine dirige contra el talento y el carácter de su enemigo brotan y borbotean las alusiones a la pederastia del conde. Por ejemplo:

«Aunque las musas no le son, por cierto, propicias, él en su violencia retiene empero al genio de la lengua, o más bien sabe hacerle violencia; puesto que le falta el libre amor de este genio, tiene que empecinarse en correr detrás de este joven también, y sabe asir sólo las formas exteriores, que a pesar de su linda redondez nunca se expresan noblemente».

«Le ocurre, además, como al avestruz, que se cree oculto todo el tiempo que esconde su cabeza en la arena, dejando sólo el trasero visible. Nuestro ilustre pájaro habría hecho mejor escondiendo en la arena el trasero y mostrándonos la cabeza».

La alusión es quizás el medio del chiste más usual y fácil de manejar, y está en la base de la mayoría de las efímeras producciones chistosas que salpicamos en nuestra conversación y no toleran ser trasplantadas de este suelo en que nacieron y perdurar autónomamente. Ahora bien, es a raíz de ella como volvemos a recordar la circunstancia que ha empezado a despistarnos en la apreciación de la técnica del chiste. En efecto, tampoco la alusión es en sí chistosa; existen alusiones correctamente formadas que no pueden reclamar ese carácter. Chistosa es sólo la alusión «chistosa», de suerte que vuelve a escapársenos la caracterización del chiste, que hemos perseguido en su técnica.

En ocasiones he designado la alusión como *figuración indirecta*, y ahora llamaré la atención sobre el hecho de que las diversas variedades de la alusión, junto con la figuración por lo contrario y otras técnicas que todavía hemos de mencionar, muy bien pueden reunirse en un único gran grupo, para el cual *figuración indirecta* sería el nombre más comprensivo. Entonces, *falacia–unificación–figuración indirecta* se llaman los puntos de vista bajo los cuales pueden situarse las técnicas del chiste en el pensamiento con que nos hemos familiarizado.

Prosiguiendo en la indagación de nuestro material creemos discernir ahora una nueva subclase de la figuración indirecta, que admite ser caracterizada con precisas lindes, pero sólo

[72] [En el capítulo XI, el último del libro.]

unos pocos ejemplos la documentan. Es la figuración *por algo pequeño o ínfimo,*[73] que resuelve la tarea de expresar un carácter íntegro mediante un detalle ínfimo. Este grupo se nos alinea con la alusión si reflexionamos en que justamente esa nimiedad se entrama con lo que ha de figurarse, puede derivarse de esto como una consecuencia. Por ejemplo:

Un judío de Galitzia viaja en tren y se ha puesto bien cómodo, desabrochada la chaqueta, los pies sobre el asiento. Entonces sube un señor vestido a la moderna. Y al punto el judío se compone, adopta una postura recatada. El extraño hojea un libro, echa cuentas, medita y de pronto dirige al judío esta pregunta: «Dígame usted, por favor, ¿cuándo cae Yom Kippur (el Día del Perdón)?». «¡Ah, ya, ya!», dice el judío, y vuelve a poner los pies sobre el asiento antes de responder.

No se puede negar que este modo de figuración por algo pequeño se anuda con la tendencia al ahorro que, tras nuestra exploración de la técnica del chiste, nos quedó como el rasgo común último [pág. 42 y sigs.].

He aquí otro ejemplo en un todo semejante:

El médico a quien se le ha demandado asistir en el parto a la señora baronesa declara que el momento aún no es llegado, y propone al barón jugar entretanto una partida de naipes en la habitación vecina. Pasado un rato, la exclamación de dolor de la señora baronesa llega a oídos de ambos hombres: «*Ah, mon Dieu, que je souffre!*». El marido se incorpora de un salto, pero el médico hace un ademán de restarle importancia: «No es nada, sigamos jugando». Un rato después vuelve a escucharse a la parturienta: «*¡Dios mío, Dios mío, qué dolores!*». — «*¿Quiere usted pasar, profesor?*», pregunta el barón. — «No, no; todavía no es el momento». — Por último, se escucha desde la habitación contigua un inequívoco «¡Ay-ay-ay ay!»; entonces el médico arroja los naipes y dice: «Es el momento».

Cómo el dolor hace que la naturaleza originaria irrumpa a través de todos los estratos de la educación, y cómo una decisión importante se toma, acertadamente, sobre la base de una manifestación en apariencia insignificante, he ahí dos cosas que este buen chiste muestra con el ejemplo de la progresiva alteración de la queja de la distinguida señora en trance de dar a luz.

---

[73] [El desplazamiento sobre algo ínfimo fue luego reconocido por Freud como mecanismo característico de la neurosis obsesiva. Véase el historial clínico del «Hombre de las Ratas» (1909*d*), *AE*, **10**, págs. 188 y 190.]

En cuanto a otra variedad de la figuración indirecta utilizada por el chiste, el *símil*, nos la hemos reservado tanto tiempo porque en su apreciación se tropieza con dificultades nuevas, o se disciernen con particular nitidez dificultades planteadas a raíz de otros problemas. Confesamos ya que en muchos de los ejemplos sometidos a estudio no podemos aventar la duda sobre si se los debe considerar o no chistes [p. ej., págs. 49 y 59], y admitimos que esta incertidumbre cuestiona las bases de nuestra indagación. Ahora bien, ningún otro material me hace sentir esa incertidumbre con mayor intensidad y frecuencia que los chistes de símiles. La sensación que suele decirme —y no sólo a mí, sino probablemente a muchos otros en las mismas condiciones—: «Ese es un chiste, es lícito calificarlo de chiste», y ello aun antes que se descubra el oculto carácter esencial del chiste; esa sensación, pues, me deja en la estacada las más de las veces en el caso de las comparaciones graciosas. Cuando de entrada declaro sin reservas que una de ellas es un chiste, un momento después creo notar que el contento que me depara es de cualidad diversa de la que suele procurarme el chiste, y la circunstancia de que la comparación graciosa rara vez sea capaz de producir la risa explosiva por la que se acredita un chiste bueno me vuelve imposible sustraerme de la duda como de costumbre, o sea, limitándome a los mejores y más eficaces ejemplos del género.

Es fácil demostrar que existen ejemplos eficaces y notablemente bellos de símiles que en modo alguno nos impresionan como chistes. Uno de ellos es la fina comparación entre la ternura que recorre el diario íntimo de Otilia y el hilo rojo de la marina inglesa (pág. 24, *n.* 8); y no puedo abstenerme de citar en igual sentido otro que no me canso de admirar y me ha producido imborrable impresión. Es el símil con que Ferdinand Lassalle cerró uno de los famosos discursos que pronunció en su propia defensa («La ciencia y los obreros»): «Un hombre que, como se los he declarado, consagró su vida a la consigna "La ciencia y los obreros"; un hombre así, digo, si hubiere de tropezar en su camino con una condena judicial, no recibiría de ella otra impresión que la que haría al químico, abismado en sus experimentos científicos, la explosión de una retorta. La resistencia de la materia le haría apenas arrugar el ceño y, eliminada la perturbación, proseguiría calmosamente sus investigaciones y trabajos».

Una rica cosecha de símiles certeros y graciosos se encuentra en los escritos de Lichtenberg (en el segundo volumen de la edición de Gotinga de 1853); y de ahí tomaré el material para nuestra indagación.

«No se puede llevar la antorcha de la verdad a través de la multitud sin chamuscar alguna barba».

Sin duda que esto parece chistoso, pero si uno lo considera con mayor detenimiento nota que el efecto chistoso no proviene de la comparación misma, sino de una propiedad accesoria suya. La «antorcha de la verdad» no es por cierto una comparación novedosa, sino harto usual, y aun se la ha reducido a frase estereotipada, como les ocurre siempre a las comparaciones felices y aceptadas por el uso lingüístico. Pero mientras que en ese giro nosotros apenas si reparamos ya en la comparación, Lichtenberg le devuelve toda su plenitud originaria al seguir hilando sobre ella y extraerle una consecuencia. Ahora bien, ese modo de *tomar en sentido pleno* giros *descoloridos* nos resulta ya familiar como técnica del chiste, y halla un sitio dentro de la acepción múltiple del mismo material (págs. 34-5). Muy bien podría ocurrir que la impresión chistosa de la oración de Lichtenberg sólo se debiera a su apuntalamiento en esta técnica del chiste.

Igual apreciación merecerá sin duda otra comparación graciosa del mismo autor:

«El hombre no era precisamente una gran *luz*, pero sí un gran *candelero*... Era profesor de filosofía».

Llamar a un erudito «una gran luz», un *lumen mundi*, hace tiempo que ha dejado de ser una comparación eficaz, haya producido o no en su origen el efecto de chiste. Pero se la refresca, se le devuelve su plenitud, derivando de ella una modificación y obteniendo de esa suerte una segunda comparación, nueva. Es el modo en que ha nacido la segunda comparación el que parece contener la condición del chiste, no las comparaciones tomadas por sí mismas. Sería un caso de la misma técnica de chiste que en el ejemplo de la antorcha.

Por otra razón, pero que ha de apreciarse en parecidos términos, la siguiente comparación parece chistosa:

«Veo las *reseñas* como una especie de *enfermedad infantil* que aqueja en mayor o menor medida a los libros recién nacidos. Se conocen ejemplos en que los más sanos mueren a causa de ellas, y los más endebles a menudo las pasan. Muchos, nunca las sufren. Suele intentarse prevenirlas mediante *amuletos* de *prefacios* y *dedicatorias*, o aun *inocularlas con los propios pareceres*; pero no siempre vale esto de socorro».

La comparación de las reseñas con las enfermedades infantiles tiene en principio por único fundamento que ellas aquejan poco después de ver la luz del mundo. Si hasta aquí es chistosa, no me atrevo a decidirlo. Pero luego prosigue, y vemos cómo los ulteriores destinos de los nuevos libros pueden figurarse en el marco de ese mismo símil, o por símiles apuntalados en él. Ese modo de prolongar la comparación es indudablemente chistoso, pero ya sabemos merced a qué técnica lo parece; es un caso de *unificación*, de producción de un nexo insospechado. El carácter de la unificación no varía, empero, por el hecho de que aquí consista en seguir la línea de un símil.

En una serie de otras comparaciones se está tentado de situar la impresión chistosa, que sin lugar a dudas está presente, en otro factor que, de nuevo, en sí nada tiene que ver con la naturaleza del símil. Se trata de comparaciones que contienen una combinación llamativa, a menudo una reunión que suena absurda, o se sustituyen por una tal como resultado de la comparación. La mayoría de los ejemplos de Lichtenberg pertenecen a este grupo.

«Es lástima que uno a los escritores no pueda verles las *doctas entrañas* para averiguar lo que han comido». «Doctas entrañas» es un caso de atribución desconcertante, en verdad absurda, que sólo por la comparación se esclarece. ¿Qué tal si la impresión chistosa de esta comparación se remontara íntegramente al carácter desconcertante de esa combinación? Correspondería a uno de los recursos del chiste que ya conocemos bien: la figuración por *contrasentido* [págs. 54 y sigs.].

Lichtenberg ha usado en otro chiste esta misma comparación entre alimentarse de un material docto y literario, y la nutrición física:

«Tenía en muy alta estima el hacerse *docto de gabinete*, y por eso era en un todo partidario del *docto pienso*».

Igual atribución absurda, o al menos llamativa, que, según empezamos a notarlo, es la genuina portadora del chiste, muestran otros símiles del mismo autor:

«Ese es el *lado de barlovento de mi constitución moral*; ahí puedo mantenerme al pairo».

«Todo hombre tiene también su *trasero moral*, que no muestra *si no está apremiado* y cubre todo el tiempo que puede con los *calzones del buen decoro*».

El «trasero moral» es la atribución llamativa que subsiste como el resultado de una comparación. Pero luego la comparación prosigue con un juego de palabras en toda la regla («apremio») y una segunda combinación, todavía más insólita («los calzones del buen decoro»), que acaso sea chistosa en sí misma, pues así lo parecen los calzones mismos, por el hecho de serlo del buen decoro. Y no puede movernos a asombro que luego el todo nos produzca la impresión de una comparación muy chistosa; empezamos a caer en la cuenta de nuestra universal tendencia a extender al todo un carácter que adhiere sólo a una parte de él. Por lo demás, los «calzones del buen decoro» nos traen a la memoria un parecido verso desconcertante de Heine:

«Hasta que al fin se me acabaron los botones
en los calzones de la paciencia».[74]

Es inequívoco que estas dos últimas comparaciones muestran un carácter que no se reencuentra en todos los buenos símiles, es decir, los certeros. Son en alto grado «*rebajadoras*», podría decirse; reúnen una cosa de elevada categoría, algo abstracto (aquí: el buen decoro, la paciencia), con otra de naturaleza muy concreta y aun de inferior condición (los calzones). En otro contexto habremos de entrar a considerar si esta peculiaridad tiene algo que ver con el chiste. Ensayemos analizar otro ejemplo en que ese carácter rebajador resulta sumamente nítido. El mayordomo Weinberl, en la farsa de Nestroy *Einen Jux will er sich machen* {Quiere gastar una broma}, que pinta en su imaginación cómo recordará su juventud algún día cuando sea un sólido y venerable comerciante, dice: «Cuando así, en íntimo coloquio, se rompa el hielo frente al almacén del recuerdo, cuando la puerta del sótano de la prehistoria vuelva a abrirse y la despensa de la fantasía se llene toda ella con mercaderías de entonces...».[75] Son, por cierto, comparaciones de cosas abstractas con otras harto ordinarias y concretas, pero el chiste depende —exclusivamente o sólo en parte— de la circunstancia de que un mayordomo se sirva de estas comparaciones tomadas del ámbito de su actividad cotidiana. Ahora bien, vincular lo abstracto con esas cosas ordinarias que llenan su vida es un acto de *unificación*.

Volvamos a las comparaciones de Lichtenberg.

«Los móviles por los que uno hace algo podrían ordenarse como los 32 rumbos de la Rosa de los Vientos, y sus nombres formarse de manera semejante; por ejemplo, "pan-panfama" o "fama-famapan"».[76]

Como es tan frecuente en los chistes de Lichtenberg, también aquí la impresión de lo certero, ingenioso, agudo, pre-

[74] [*Romanzero*, libro III (*Hebräische Melodien*), Yehuda ben Halevi IV.]

[75] [Este pasaje se halla en dialecto austríaco en el original.]

[76] [Freud volvió a esta analogía casi treinta años más tarde, en su carta abierta a Einstein, *¿Por qué la guerra?* (1933*b*), *AE*, **22**, pág. 193.]

valece a punto tal que despista nuestro juicio sobre el carácter de lo chistoso. Si el brillante sentido de una sentencia
de esta clase va mezclado con algo de chiste, es probable
que nos veamos inducidos a declarar que en su conjunto
es un excelente chiste. Por mi parte, aventuraría la tesis de
que todo cuanto hay aquí de efectivamente chistoso procede del asombro por la rara combinación «pan-panfama».
Por tanto, como chiste sería una figuración por contrasentido.

La combinación rara o atribución absurda puede presentarse por sí sola como resultado de una comparación:

Lichtenberg: «Una mujer de dos plazas. – Un banco de
iglesia de una plaza».* Tras ambas frases se esconde la comparación con una cama, y en ambas, además del desconcierto, coopera el factor técnico de la *alusión*, en un caso
al efecto soporífero {*einschläfernd*} de los sermones, y en el
otro al inagotable tema de las relaciones sexuales.

Si hasta aquí hemos hallado que toda vez que una comparación se nos antojaba chistosa debía esa impresión a la
mezcla con una de las técnicas de chiste que ya conocemos,
algunos otros ejemplos parecen probar en definitiva que
una comparación puede ser también en sí y por sí chistosa.
Lichtenberg caracteriza a ciertas odas:

«Son en la poesía lo que las inmortales obras de Jakob
Böhme en la prosa: una especie de picnic donde el autor
pone las palabras y el lector el sentido».

«Cuando filosofa suele arrojar una grata claridad lunar
sobre las cosas; es en general placentera, pero no muestra
ninguna con nitidez».

O Heine: «Su rostro se asemeja a un palimpsesto donde
tras la negra escritura de un monje que copió el texto de
un Padre de la Iglesia acechan los versos medio borrados
de un poeta amatorio de la antigua Grecia». [*Harzreise.*]

O, en «Die Bäder von Lucca» [*Reisebilder* III], una
analogía proseguida con fuerte tendencia rebajadora:

«El sacerdote católico actúa más bien como un adminis-
trador empleado en un gran comercio; la Iglesia, la gran
casa cuyo jefe es el papa, le asigna una ocupación determinada a cambio de cierto salario; él trabaja con poco celo,
como todo aquel que no lo hace por cuenta propia y tiene
muchos colegas, entre los cuales, dentro de una gran empresa, puede fácilmente pasar inadvertido. Sólo toma a pecho

* {«De dos plazas» y «de una plaza»: «*zweischläfrig*» y «*einschlä-
frig*», respectivamente; las expresiones alemanas se aplican de manera exclusiva a camas («*schlafen*», «dormir»), y por ende el texto
original es más unívoco.}

el crédito de la casa, y más todavía su supervivencia, pues una bancarrota lo privaría de su medio de vida. En cambio, el párroco protestante es él mismo en todas partes el patrón y lleva adelante el negocio de la religión por cuenta propia. Y no atiende un gran comercio, como su colega católico, sino uno pequeño; como debe promoverlo solo, no puede permitirse trabajar con poco celo; tiene que encarecer a la gente sus artículos de fe y desprestigiar los artículos de sus competidores, y, como genuino pequeño comerciante, permanece en su tiendita lleno de envidia profesional hacia todas las grandes casas, y muy en particular hacia la gran casa de Roma, que mantiene a sueldo a miles y miles de tenedores de libros y mozos de expedición y posee factorías en las cuatro partes del mundo».

En vista de estos ejemplos, así como de muchos otros, ya no cabe poner en entredicho que una comparación puede ser en sí chistosa, sin que esa impresión deba ser referida a su complicación con alguna de las técnicas del chiste ya familiares. Empero, se nos escapa por completo lo que presidiría el carácter chistoso del símil, puesto que él sin duda no adhiere al símil como forma de expresión del pensamiento ni a la operación de comparar. No podemos hacer otra cosa que incluir al símil entre las variedades de la «figuración indirecta» utilizada por la técnica del chiste, y nos vemos precisados a dejar irresuelto el problema que en el caso del símil nos ha salido al paso con nitidez mucho mayor que en los recursos del chiste ya tratados. Debe de existir una particular razón para que en el símil hallemos más dificultades que en otras formas de expresión en cuanto a decidir si algo es o no un chiste.

Ahora bien, esa laguna que nos queda sin entender no es motivo para que se nos acuse de haber malgastado infructuosamente el tiempo en esta primera indagación. Dada la íntima trabazón que debemos estar preparados para atribuir a las diversas propiedades del chiste, habría sido impropio esperar que pudiéramos esclarecer por completo un aspecto del problema antes de echar un vistazo a los otros. Ahora, justamente, pasaremos a abordarlo desde otro costado.

¿Tenemos la certeza de que a nuestra indagación no se le ha escapado ninguna técnica posible del chiste? No, por cierto; pero si continuamos el examen de material nuevo podemos convencernos de que hemos tomado conocimiento de los recursos técnicos más frecuentes e importantes del trabajo del chiste, al menos hasta donde es necesario para formarse un juicio sobre la naturaleza de este proceso psíquico. Por ahora ese juicio está en suspenso; en cambio, poseemos unos importantes indicios que hemos obtenido acerca de la dirección en que cabe esperar un ulterior esclarecimiento del problema. Los interesantes procesos de la condensación con formación sustitutiva, que hemos discernido como el núcleo de la técnica para el chiste en la palabra, nos remiten a la formación del sueño, en cuyo mecanismo se han descubierto estos mismos procesos psíquicos. Pero ahí mismo nos remiten también las técnicas del chiste en el pensamiento: el desplazamiento, la falacia, el contrasentido, la figuración indirecta, la figuración por lo contrario, que en su conjunto y por separado reaparecen en la técnica del trabajo del sueño. Al desplazamiento debe el sueño su apariencia extraña, que nos estorba el discernirlo como prosecución de nuestros pensamientos de vigilia; el empleo del contrasentido y la absurdidad en el sueño lo ha privado de la dignidad de producto psíquico, induciendo en los autores el erróneo supuesto de que las condiciones de la formación del sueño son la desintegración de las actividades mentales, la suspensión de la crítica, la moral y la lógica. La figuración por lo contrario es tan usual en el sueño que aun los libros populares sobre interpretación de sueños, totalmente erróneos, suelen tenerla en cuenta; la figuración indirecta, la sustitución del pensamiento del sueño por una alusión, por algo pequeño, por un simbolismo análogo al símil, he ahí lo que distingue al modo de expresión del sueño del de nuestro pensar despierto.[77] Una concordancia tan vasta como la que se advierte entre los recursos del trabajo del chiste y los del trabajo del sueño en modo alguno puede ser casual. Demostrarla en sus detalles y pesquisar su fundamento serán nuestras ulteriores tareas. [Cf. *infra*, capítulo VI.]

---

[77] Véase el capítulo VI («El trabajo del sueño») de mi libro *La interpretación de los sueños* (1900a).

III. Las tendencias del chiste

Cuando al final del capítulo anterior registré la comparación de Heine del sacerdote católico con un empleado de una gran casa comercial, y del protestante con un pequeño comerciante autónomo, sentí una inhibición que quería moverme a no utilizar este símil. Me dije que entre mis lectores probablemente habría algunos para quienes no sólo la religión, sino su gobierno y su personal, son venerables; y aquella comparación no haría más que indignarlos, cayendo así en un estado afectivo que les arrebataría todo interés por el distingo en cuestión, a saber, si el símil parece chistoso en sí o sólo a consecuencia de algún otro añadido. En cuanto a otros símiles —p. ej., el vecino a este, el de la placentera claridad lunar que cierta filosofía arroja sobre las cosas—, no hay cuidado de que tengan esa consecuencia, perturbadora para nuestra indagación, sobre una parte de los lectores. Aun el más piadoso de los hombres conservaría de todos modos su aptitud para formarse un juicio acerca de nuestro problema.

Es fácil colegir aquel carácter del chiste con el cual se relaciona la diversidad de reacción del oyente frente a él. Unas veces el chiste es fin en sí mismo y no sirve a un propósito particular, y otras veces se pone al servicio de un propósito de esa clase; se vuelve *tendencioso*. Sólo el chiste que tiene tendencia corre el peligro de tropezar con personas que no quieran escucharlo.

El chiste no tendencioso ha sido designado por T. Vischer como chiste «*abstracto*»; prefiero llamarlo «*inocente*».

Puesto que antes hemos diferenciado los chistes, según el material que su técnica aborda, en chistes en la palabra y chistes en el pensamiento, es forzoso que indaguemos el nexo de esa clasificación con la que acabamos de presentar. Ahora bien, chistes en la palabra y en el pensamiento, por un lado, y abstractos y tendenciosos, por el otro, no mantienen relación alguna de recíproco influjo; son dos clasificaciones, por entero independientes una de la otra, de las producciones chistosas. Quizás alguien haya podido recibir la impresión de que los chistes inocentes lo serían sobre todo en la palabra, mientras que la técnica, más complicada, del chiste en el pensamiento se utilizaría las más de las veces al servicio de fuertes tendencias. Sin embargo, existen chistes inocentes que trabajan con el juego de palabras y la homofonía, y otros igualmente inocentes que se valen de todos los recursos del chiste en el pensamiento. También es fácil mostrar que el chiste tendencioso puede ser, según su técnica, un mero chiste en la palabra. Por ejemplo, los que «juegan» con nombres propios, cuya tendencia es a menudo ultrajar y lastimar, pertenecen a los chistes en la palabra, como lo indica su designación misma. Empero, los más inocentes entre los chistes vuelven a ser chistes en la palabra, como las rimas gemelas,* tan en boga últimamente, cuya técnica consiste en la acepción múltiple del mismo material con una peculiarísima modificación:

«*Und weil er Geld in Menge hatte,
lag stets er in der Hängematte*».

{«Como ganaba mucho dinero,
bien lo pasaba el ducho minero».}

Nadie pondrá en duda, espero, que el contento producido por estas rimas, que no tienen otras pretensiones, es el mismo que discernimos en el chiste.

Buenos ejemplos de chistes en el pensamiento, abstractos o inocentes, se encuentran en abundancia entre las comparaciones de Lichtenberg, de las que ya conocemos algunas. He aquí otras:

«Habían enviado a Gotinga un tomito en octavo y recibieron de vuelta en cuerpo y alma a un alumno en cuarto».**

«Para realizar este edificio convenientemente es preciso sobre todas las cosas ponerle buenos cimientos, y no conozco más sólidos que aquellos que por cada echada en pro llevan una en contra».

«Uno engendra el pensamiento, otro lo apadrina, un tercero concibe hijos con él, el cuarto lo visita en el lecho de muerte y el quinto lo entierra». (Símil con unificación.)

«Tanto no creía en fantasmas que ni siquiera les tenía miedo». El chiste reside exclusivamente, en este caso, en la

* {«*Schüttelreime*», versos rimados con metátesis de consonantes, como en el ejemplo que damos en castellano.}
** {«*Oktavbändchen*», libro en octavo (formato pequeño); «*Quartanten*», alumno del cuarto curso.}

86

figuración por contrasentido que consiste en poner en la frase de comparativo lo que suele estimarse en menos, y en la positiva lo que se juzga más importante. Si la despojáramos de esta vestidura chistosa, diría: «Es mucho más fácil librarse con el entendimiento del miedo a los fantasmas que defenderse de él si la ocasión llega». Esto último ya no tiene nada de chistoso, sino que es un conocimiento psicológico no suficientemente apreciado todavía, el mismo que Lessing expresó en las famosas palabras:

«No son libres todos los que se burlan de sus cadenas».[1]

Puedo aprovechar la oportunidad que aquí se ofrece para aventar un malentendido siempre posible. Chiste «inocente» o «abstracto» en modo alguno significa lo mismo que chiste «sin sustancia», sino que designa ni más ni menos lo opuesto de los chistes «tendenciosos» que luego consideraremos. Como lo muestra nuestro último ejemplo, un chiste inocente (o sea, desprovisto de tendencia) puede también tener mucha sustancia, enunciar algo valioso. Ahora bien, la sustancia de un chiste es por entero independiente de él; no es sino la del pensamiento que aquí se expresa de manera chistosa mediante un particular arreglo. Así como los relojeros suelen dotar de una preciosa caja a una máquina singularmente buena, también en nuestro caso puede ocurrir que las mejores operaciones de chiste se utilicen para revestir justamente los pensamientos con más sustancia.

Pero si nos atenemos con firmeza al distingo entre sustancia de pensamiento y vestidura chistosa, llegamos a una intelección capaz de esclarecernos muchas incertidumbres en nuestro juicio sobre los chistes. En efecto, resulta —lo cual es sin duda sorprendente— que es la impresión sumada de sustancia y operación del chiste la que nos produce agrado en este, y que fácilmente nos dejamos engañar por uno de esos factores sobre la dimensión del otro. Sólo la reducción del chiste nos esclarece ese juicio engañoso.

Por lo demás, esto mismo es válido para el chiste en la palabra. Cuando nos dicen que «la experiencia consiste en que uno experimenta lo que no desea experimentar» [pág. 63], quedamos desconcertados, creemos haber escuchado una verdad nueva y pasa un rato antes que discernamos en ese disfraz el lugar común: «De los escarmentados nacen los avisados» (Fischer [1889, pág. 59]). La certera operación de chiste que consiste en definir la «experiencia» casi ex-

---

[1] [*Nathan der Weise*, acto IV, escena 4.]

clusivamente por el empleo de la palabra «experimentar» nos engaña de tal suerte que sobrestimamos la sustancia de la oración. Lo mismo nos sucede en el chiste por unificación, de Lichtenberg, sobre «enero» (pág. 63), que no nos dice más que lo que harto sabemos: los deseos de Año Nuevo se cumplen tan rara vez como otros deseos; y así en muchos casos semejantes.

Lo contrario experimentamos con otros chistes en que nos cautiva evidentemente lo acertado y correcto del pensamiento, de suerte que rotulamos a la oración como un chiste brillante cuando en verdad sólo el pensamiento lo es, en tanto que la operación del chiste suele ser endeble. Justamente en los chistes de Lichtenberg el núcleo de pensamiento suele ser mucho más valioso que la vestidura del chiste, a la que extendemos luego de manera injustificada la estima que merece aquel. Por ejemplo, la observación sobre la «antorcha de la verdad» (pág. 79) es una comparación apenas chistosa, pero tan acertada que tendemos a destacar la oración misma como particularmente chistosa.

Los chistes de Lichtenberg descuellan sobre todo por su contenido de pensamiento y su acierto. Goethe ha dicho acerca de este autor, y con razón, que sus ocurrencias chistosas y chanzas esconden verdaderos problemas; mejor: rozan la solución de problemas. Por ejemplo, cuando anota, como una ocurrencia chistosa: «Siempre leía *"Agamemnon"* {"Agamenón"} en vez de *"angenommen"* {"supuesto"}, tanto había leído a Homero» (lo cual técnicamente se compone de tontería + homofonía de la palabra), ha descubierto nada menos que el secreto del desliz en la lectura.[2] Un caso semejante es el del chiste cuya técnica nos pareció bastante insatisfactoria (pág. 57): «Le asombraba que los gatos tuvieran abiertos dos agujeros en la piel justo donde están sus ojos». La tontería que aquí se exhibe es sólo aparente; en realidad, tras esa observación simplota se esconde el gran problema de la teleología en la organización animal; hasta que la historia evolutiva no esclarezca la coincidencia, no es cosa tan obvia que la fisura del párpado se abra en el lugar preciso para dejar expedita la córnea.

Retengamos esto en la memoria: de una oración chistosa recibimos una impresión global en la que no somos capaces de separar lo que han aportado el contenido de pensamien-

2 Véase mi *Psicopatología de la vida cotidiana* (1901*b*) [*AE*, **6**, pág. 213; también se cita este chiste en un ejemplo agregado en 1910 al capítulo VI de esa obra, *ibid.*, pág. 113, y se lo analiza, asimismo, al final de la 2ª de las *Conferencias de introducción al psicoanálisis* (1916-17), *AE*, **15**, pág. 35.]

to y el trabajo del chiste; quizás hallemos luego un paralelismo a esto, más significativo aún. [Cf. págs. 129-30.]

[2]

Para nuestro esclarecimiento teórico sobre la esencia del chiste, por fuerza han de resultarnos de mayor socorro los chistes inocentes que los tendenciosos, y los insustanciales que los profundos. Es que los juegos de palabras inocentes e insustanciales nos plantearán el problema del chiste en su forma más pura, pues en ellos escapamos al peligro de que nos confunda su tendencia o de que engañe nuestro juicio su hondo sentido. Con un material de esta índole, puede que nuestro discernimiento haga un nuevo progreso.

Escojo un ejemplo de chiste en la palabra, lo más inocente posible:

Una muchacha que recibe el anuncio de una visita mientras hace su toilette exclama: «¡Ah! Lástima grande que una no pueda dejarse ver justo cuando está más *anziehend* {"cuando está más poniéndose la ropa"; también, "cuando está más atractiva"}» (Kleinpaul, 1890).

Pero como me asaltan dudas sobre si tengo derecho a declarar no tendencioso este chiste, lo sustituyo por otro, bien simplote, y al que se puede considerar exento de esa objeción:

En una casa adonde me habían invitado a comer se sirvió al término de la comida el plato llamado «*roulard*»,* cuya preparación supone alguna destreza en la cocinera. «¿Hecho en casa?», pregunta uno de los convidados, y el anfitrión responde: «Sí, efectivamente, un *home-roulard*» (*Home Rule*).**

Esta vez no le indagaremos la técnica al chiste, sino que atenderemos a otro factor, que es por cierto el más importante. Escuchar este improvisado chiste deparó contento a los presentes —yo mismo me acuerdo muy bien—, y nos hizo reír. En estos casos, como en muchísimos otros, la sensación de placer que experimenta el oyente no puede provenir de la tendencia ni del contenido de pensamiento del chiste; no nos queda otra posibilidad que relacionarla con la técnica de este. Por tanto, sus recursos técnicos ya des-

---

* {La grafía correcta en francés sería «*Roulade*».}
** {«*Home Rule*»: gobierno autónomo; en especial, se designan con ese nombre las luchas que libró Irlanda por su independencia. Cf. *infra*, pág. 118.}

critos —condensación, desplazamiento, figuración indirecta, etc.— tienen la capacidad de provocar en el oyente una sensación de placer, aunque todavía no podamos inteligir cómo resultan ellos dotados de esa capacidad. De esta manera, tan simple, obtenemos la segunda tesis para el esclarecimiento del chiste; la primera decía (pág. 19) que el carácter de chiste depende de la forma de expresión. Pero reparemos en que esta segunda tesis en verdad no nos ha enseñado nada nuevo. Sólo aísla lo que ya estaba contenido en una experiencia que hicimos antes. En efecto, recordemos que cuando conseguíamos reducir el chiste, es decir, sustituir su expresión por otra conservando escrupulosamente su sentido, quedaba cancelado no sólo el carácter de chiste sino el efecto reidero, o sea, el contento que el chiste produce.

Llegados a este punto, no podemos proseguir sin considerar lo que sostienen nuestras autoridades filosóficas.

Los filósofos, que incluyen el chiste en lo cómico, y tratan lo cómico mismo dentro de la estética, caracterizan el representar estético mediante la condición de que en él no queremos nada de las cosas ni con ellas, no utilizamos las cosas para satisfacer alguna de nuestras grandes necesidades vitales, sino que nos conformamos considerándolas y gozando de su representación. «Este goce, esta manera de la representación, es la puramente estética, que descansa sólo en el interior de sí, sólo dentro de sí tiene su fin y no cumple ningún otro fin vital» (Fischer, 1889, pág. 20). [Cf. *supra*, pág. 12.]

No creemos contradecir estas palabras de Fischer, tal vez sólo traducimos su pensamiento a nuestra terminología, si destacamos que, empero, no puede decirse que la actividad chistosa carezca de fin o de meta, ya que se ha impuesto la meta inequívoca de producir placer en el oyente. Dudo mucho de que seamos capaces de emprender nada que no lleve un propósito. Cuando no necesitamos de nuestro aparato anímico para el cumplimiento de una de las satisfacciones indispensables, lo dejamos que trabaje él mismo por placer, buscamos extraer placer de su propia actividad. Conjeturo que esta es en general la condición a que responde todo representar estético, pero lo que yo entiendo de estética es demasiado escaso para pretender ponerme a desarrollar esta tesis; no obstante, y sobre la base de las dos intelecciones ya obtenidas, acerca del chiste puedo aseverar que es una actividad que tiene por meta ganar placer a partir de los procesos anímicos —intelectuales u otros—. Es verdad que también otras actividades llevan el mismo fin. Acaso se diferencien según el ámbito de actividad anímica del cual procuran conseguir placer, o acaso por los métodos de que se valen para ello. En este momento no podemos decidirlo; pero retengamos que como resultado de nuestra indagación la técnica del chiste y la tendencia al ahorro, que la gobierna parcialmente (págs. 42 y sigs.), han quedado vinculadas con la producción de placer.

Ahora bien, antes de pasar a la solución de este enigma, a saber, cómo los recursos técnicos del trabajo del chiste pueden excitar placer en el oyente, recordemos que a fin de simplificar y de obtener una mayor trasparencia hemos dejado de lado los chistes tendenciosos. No obstante, estamos obligados a indagar cuáles son las tendencias del chiste y la manera en que él sirve a esas tendencias.

Una observación, sobre todo, nos advierte que no debemos dejar de lado al chiste tendencioso en la indagación del origen del placer provocado por el chiste. El efecto placentero del chiste inocente es las más de las veces moderado; un agrado nítido y una fácil risa es casi siempre todo cuanto puede conseguir en el oyente, y de ese efecto, además, una parte debe cargarse en la cuenta de su contenido de pensamiento, como ya lo notamos en ejemplos apropiados (pág. 88). El chiste no tendencioso casi nunca consigue esos repentinos estallidos de risa que vuelven irresistible al tendencioso. Puesto que la técnica puede ser la misma en ambos, nos está permitido conjeturar que el chiste tendencioso por fuerza dispondrá, en virtud de su tendencia, de unas fuentes de placer a que el chiste inocente no tiene acceso alguno.

Ahora bien, es fácil abarcar el conjunto de las tendencias del chiste. Cuando este no es fin en sí mismo, o sea, no es inocente, se pone al servicio de dos tendencias solamente, que aun admiten ser reunidas bajo un único punto de vista: es un chiste *hostil* (que sirve a la agresión, la sátira, la defensa) u *obsceno* (que sirve al desnudamiento). De antemano cabe apuntar, también aquí, que la modalidad técnica del chiste —que sea un chiste en la palabra o en el pensamiento— no tiene ninguna relación con esas dos tendencias.

Más espacio requiere exponer la manera en que el chiste sirve a tales tendencias. Prefiero empezar esta indagación, no con el chiste hostil, sino con el desnudador. Por cierto, mucho más raramente se lo ha considerado digno de estudio, como si cierta repugnancia se hubiera trasferido aquí del tema de esos chistes al hecho positivo de su existencia; en cuanto a nosotros, no nos dejaremos despistar por ello, pues enseguida tropezaremos con un caso límite de chiste que promete esclarecernos más de un punto oscuro.

Bien se sabe lo que se entiende por «pulla indecente» {*Zote*}: poner de relieve en forma deliberada hechos y circunstancias sexuales por medio del decir. No obstante, esta definición no es más exacta que cualquier otra. A pesar de ella, una conferencia sobre la anatomía de los órganos sexuales o sobre la fisiología de la concepción no tendrá ni un solo punto de contacto con la pulla indecente. Además, es propio de la pulla dirigirse a una persona determinada que a uno lo excita sexualmente, y en quien se pretende provocar igual excitación por el hecho de que, al escuchar la indecencia, toma noticia de la excitación del decidor. En lugar de excitada, puede ocurrirle que se vea avergonzada o turbada, lo cual no es sino un modo de reaccionar a su excitación y, por ese rodeo, una confesión de esta. Así, en su origen la pulla indecente está dirigida a la mujer y equivale a un intento de seducirla. Si luego relatar o escuchar tales pullas produce contento a un hombre en una sociedad de hombres es porque al mismo tiempo se representa la situación originaria, que no puede concretarse a consecuencia de inhibiciones sociales. Quien ríe por la pulla escuchada, lo hace como un espectador ante una agresión sexual.

Eso sexual que forma el contenido de la pulla abarca algo más que lo particular de cada uno de los sexos; queremos decir que también comprende lo común a ambos, a lo cual se extiende la vergüenza: lo excrementicio en todo su alcance. Pero este mismo es el alcance que tiene lo sexual en la infancia; en ella, para la representación, existe en alguna medida una cloaca dentro de la cual lo sexual y lo excrementicio se separan mal o no se separan.[3] Por todo el orbe de pensamiento de la psicología de las neurosis, lo sexual incluye además lo excrementicio, se lo entiende en el antiguo sentido, infantil.

La pulla es como un desnudamiento de la persona, sexualmente diferente, a la que está dirigida. Al pronunciar las palabras obscenas, constriñe a la persona atacada a representarse la parte del cuerpo o el desempeño en cuestión, y le muestra que el atacante se representa eso mismo. No cabe duda de que el motivo originario de la pulla es el placer de ver desnudado lo sexual.

No podrá menos que aclarar las cosas el remontarnos aquí hasta los fundamentos. La inclinación a ver desnudo lo específico del sexo es uno de los componentes originarios de nuestra libido. A su vez quizá sea ya una sustitución, y se

[3] Véanse mis *Tres ensayos de teoría sexual* (1905*d*), publicados al mismo tiempo que la presente obra.

92

remonte a un placer, que hemos de suponer primario, de tocar lo sexual. Como es tan frecuente, también aquí el ver ha relevado al tocar.[4] La libido de ver o tocar es en cada quien de dos maneras, activa y pasiva, masculina y femenina, y según sea el carácter sexual que prevalezca se plasmará predominantemente en una u otra dirección. En niños pequeños es fácil observar su inclinación al autodesnudamiento. Donde el núcleo de esta inclinación no ha experimentado su destino ordinario, el de la superposición de otras capas y la sofocación, se desarrolla hasta constituir aquella perversión de los adultos conocida como «esfuerzo exhibicionista». En la mujer, a la inclinación exhibicionista pasiva se le sobrepone de una manera casi regular la grandiosa operación reactiva del pudor sexual, pero ello no sin que se le reserve, en el vestido, una puertecita de escape. Apenas hace falta señalar lo extensible y variable, de acuerdo con la convención y las circunstancias, que es esta medida de exhibición permitida a la mujer.

En el varón, un grado considerable de esta aspiración subsiste como pieza integrante de la libido y sirve como introducción al acto sexual. Cuando esta aspiración se hace valer en el primer acercamiento a la mujer, se ve precisada, por dos motivos, a servirse del decir. En primer lugar, para insinuársele y, en segundo, porque el despertar de la representación por medio del dicho pone a la mujer misma en la excitación correspondiente y es apto para despertar en ella la inclinación al exhibicionismo pasivo. Este dicho cortejante no es todavía la pulla indecente, pero se propasa hacia ella. En efecto, toda vez que la aquiescencia de la mujer sobreviene enseguida, el dicho obsceno es efímero, pronto deja sitio a la acción sexual. Distinto es cuando no puede contarse con la pronta aquiescencia de la mujer, y en cambio afloran las reacciones defensivas de ella. Entonces el dicho sexualmente excitador deviene fin en sí mismo como pulla; al verse interceptada la agresión sexual en su progreso hasta el acto, se detiene en provocar la excitación y extrae placer de los indicios de esta en la mujer. Con ello la agresión cambia también su carácter, en el mismo sentido que cualquier moción libidinosa que tropiece con un obstáculo; se vuelve directamente hostil, cruel, pide ayuda entonces, contra el obstáculo, a los componentes sádicos de la pulsión sexual.

[4] Véase la «pulsión de contrectación» {«*Kontrektationstrieb*»}, de Moll (1898). [Moll describe la pulsión de contrectación por él propuesta como una impulsión a entrar en contacto con otros seres humanos. Hay unas puntualizaciones de Freud al respecto en *Tres ensayos* (1905*d*), *AE*, **7**, pág. 154, *n*. 53.]

La inflexibilidad de la mujer es, pues, la condición inmediata para la plasmación de la pulla indecente; claro está, siempre que parezca significar una mera posposición y no haga perder esperanzas para un intento posterior. El caso ideal de una resistencia de esta índole en la mujer es el de la simultánea presencia de otro hombre, de un tercero, pues entonces el consentimiento inmediato de ella queda poco menos que excluido. Este tercero pronto cobra la máxima significación para el desarrollo de la pulla; al comienzo, empero, no se puede prescindir de la presencia de la mujer. Entre gentes campesinas o en posadas de mala muerte se puede observar que sólo la entrada de la camarera o la posadera hace que salga a relucir la pulla; únicamente en niveles sociales más elevados ocurre lo contrario: la presencia de una persona del sexo femenino pone fin a la pulla; los hombres se reservan este tipo de conversación, que en su origen presupone una mujer que se avergüence, hasta encontrarse solos, «entre ellos». Así, poco a poco, en lugar de la mujer es el espectador, y ahora el oyente, la instancia a que está destinada la pulla, mudanza con la cual el carácter de esta se aproxima ya al del chiste.

A partir de este punto, dos factores pueden reclamar nuestra atención: el papel del tercero, el oyente, y las condiciones de contenido de la pulla misma.

El chiste tendencioso necesita en general de tres personas; además de la que hace el chiste, una segunda que es tomada como objeto de la agresión hostil o sexual, y una tercera en la que se cumple el propósito del chiste, que es el de producir placer. Más adelante deberemos buscar el fundamento más profundo de esta constelación; por ahora nos atendremos al hecho que se anuncia en ella, a saber, que no es quien hace el chiste, sino el oyente inactivo, quien ríe a causa de él, o sea, goza de su efecto placentero. Es la misma relación en que se encuentran las tres personas en la pulla indecente. Cabe describir así el proceso: El impulso libidinoso de la primera despliega, tan pronto como halla inhibida su satisfacción por la mujer, una tendencia hostil dirigida a esta segunda persona, y convoca como aliada a la tercera persona, originariamente perturbadora. Mediante el dicho indecente de la primera, la mujer es desnudada ante ese tercero, quien ahora es sobornado como oyente —por la satisfacción fácil de su propia libido—.

Cosa curiosa, ese echar pullas es en todas partes quehacer predilecto entre la gente vulgar, e infaltable cuando se está de talante alegre. Pero también es notable que en ese complejo proceso que conlleva tantos de los caracteres del chiste tendencioso no se exijan a la pulla misma ninguno de los requisitos formales que distinguen al chiste. El mero enunciar la franca desnudez depara contento al primero y hace reír al tercero.

Sólo cuando subimos hasta una sociedad refinada y culta se agrega la condición formal del chiste. La pulla se vuelve chistosa y sólo es tolerada cuando es chistosa. El recurso técnico de que se vale casi siempre es la alusión, o sea, la sustitución por algo pequeño, algo que se sitúa en un nexo distante y que el oyente reconstruye en su representar hasta la obscenidad plena y directa. Mientras mayor sea el malentendido entre lo que la pulla presenta de manera directa y lo que ella necesariamente incita en el oyente, tanto más fino será el chiste y tanto más alto se le permitirá osar remontarse hasta la buena sociedad. Además de la alusión grosera y la refinada, como es fácil mostrarlo con ejemplos, la pulla chistosa dispone de todos los otros recursos del chiste en la palabra y el chiste en el pensamiento.

Por fin se vuelve aquí palpable el servicio que el chiste presta a su tendencia. Posibilita la satisfacción de una pulsión (concupiscente u hostil) contra un obstáculo que se interpone en el camino; rodea este obstáculo y así extrae placer de una fuente que se había vuelto inasequible por obra de aquel. El obstáculo mismo no es en verdad otra cosa que la insusceptibilidad de la mujer, creciente en correlación a los grados superiores de la sociedad y la cultura, para soportar lo sexual sin disfraz. La mujer, concebida como presente en la situación inicial, es retenida en lo sucesivo como si lo estuviera, o bien su influjo sigue amedrentando al hombre aun ausente ella. Puede observarse cómo hombres de estamentos superiores se ven movidos enseguida, en compañía de muchachas de inferior condición, a dejar que la pulla chistosa descienda hasta su forma simple.

Al poder que estorba o impide a la mujer, y en menor medida al hombre, el goce de la obscenidad sin disfraz lo llamamos «represión»; en él discernimos ese mismo proceso psíquico que en casos patológicos graves mantiene alejados de la conciencia íntegros complejos de mociones junto con sus retoños, y que demostró ser factor principal en la causación de las llamadas «psiconeurosis». Atribuimos a la cultura y a la educación elevada una gran influencia sobre el despliegue de la represión, y suponemos que bajo esas condiciones sobreviene en la organización psíquica una alteración, que hasta puede ser congénita como una disposición heredada, a consecuencia de la cual lo que antes se sentía agradable aparece ahora desagradable y es desautorizado con todas las fuerzas psíquicas. Por obra de este trabajo represivo de la cultura se pierden posibilidades de goce primarias, pero desestimadas ahora en nuestro interior por la censura. Pues bien, la psique del ser humano tolera muy mal cualquier renuncia, y así hallamos que el chiste tendencioso ofrece un medio para deshacer esta, para recuperar lo perdido. Cuando reímos por un fino chiste obsceno, reímos de lo mismo que provoca risa al campesino en una pulla grosera; en ambos casos el placer proviene de la misma fuente. Pero nosotros no somos capaces de reír por la pulla grosera; nos avergonzaríamos o ella nos parecería asquerosa; sólo podemos reír cuando el chiste nos ha prestado su socorro.

Parece corroborarse, pues, lo que desde el comienzo conjeturamos [pág. 91], a saber, que el chiste tendencioso dispone de otras fuentes de placer que el chiste inocente, en el cual todo placer se anuda de algún modo a la sola técnica. Y podemos volver a destacar que, en el chiste tendencioso, somos incapaces de diferenciar mediante nuestra sensación entre el aporte de placer que proviene de las fuentes de la técnica y el que deriva de las fuentes de la tendencia. Por eso no sabemos en sentido estricto de qué reímos.[5] En todos los chistes obscenos nuestro juicio sucumbe a flagrantes engaños sobre la «bondad» del chiste por lo que atañe a sus condiciones formales; la técnica de estos chistes suele ser pobrísima, mientras que es enorme su éxito reidero.

[3]

Ahora indaguemos si es similar el papel del chiste al servicio de la tendencia *hostil*.

De entrada tropezamos aquí con las mismas condiciones. Los impulsos hostiles hacia nuestros prójimos están sometidos desde nuestra infancia individual, así como desde las épocas infantiles de la cultura humana, a las mismas limitaciones y la misma progresiva represión que nuestras aspiraciones sexuales. Empero, no hemos llegado tan lejos como para poder amar a nuestros enemigos u ofrecerles la mejilla izquierda después que nos abofetearon la derecha; y, por otra parte, todos los preceptos morales que limitan el

[5] [En todas las ediciones anteriores a 1925, esta oración aparecía en bastardillas.]

odio activo exhiben todavía hoy los más claros indicios de que en su origen estuvieron destinados a regir dentro de una pequeña comunidad tribal. Tan pronto como todos nosotros tenemos derecho a sentirnos ciudadanos de un pueblo, nos permitimos prescindir de la mayoría de esas limitaciones frente a un pueblo extraño. Empero, dentro de nuestro propio círculo hemos hecho progresos en el gobierno sobre las mociones hostiles; como lo expresa drásticamente Lichtenberg: aquello por lo que hoy decimos «Disculpe usted», antes nos valía una bofetada. La hostilidad activa y violenta, prohibida por la ley, ha sido relevada por la invectiva de palabra, y a medida que crece nuestro saber sobre el encadenamiento de las mociones humanas vamos perdiendo, por su consiguiente «*Tout comprendre c'est tout pardonner*» {«Comprenderlo todo es perdonarlo todo»}, la capacidad de encolerizarnos con el prójimo que nos estorba el camino. Cuando niños, estamos aún dotados de potentes disposiciones hostiles; luego, la elevada cultura personal nos enseña que es indigno valerse de insultos, y aun donde la lucha en sí continúa permitiéndose ha crecido enormemente el número de las cosas cuyo empleo como recursos de combate no se autoriza. Desde que debimos renunciar a expresar la hostilidad de hecho —estorbados en ello por el tercero desapasionado, cuyo interés reside en la conservación de la seguridad personal— hemos desarrollado, igual que en el caso de la agresión sexual, una nueva técnica de denostar, con la que intentamos granjearnos el favor de ese tercero contra nuestro enemigo. Nos procuramos a través de un rodeo el goce de vencerlo empequeñeciéndolo, denigrándolo, despreciándolo, volviéndolo cómico; y el tercero, que no ha hecho ningún gasto, atestigua ese goce mediante su risa.

Ahora estamos preparados para entender el papel del chiste en la agresión hostil. El chiste nos permitirá aprovechar costados risibles de nuestro enemigo, costados que a causa de los obstáculos que se interponen no podríamos exponer de manera expresa o conciente; por tanto, también aquí *sorteará limitaciones y abrirá fuentes de placer que se han vuelto inasequibles*. Además, sobornará al oyente, con su ganancia de placer, a tomar partido por nosotros sin riguroso examen, como nosotros mismos, en otras ocasiones, sobornados por el chiste inocente, solemos sobrestimar la sustancia de la oración expresada como chiste. Como lo manifiesta nuestra lengua con entero acierto: «*Die Lacher auf seine Seite ziehen*» {«Poner de nuestra parte a los que ríen» = «burlarse de la gente»}.

Considérense, por ejemplo, los chistes del señor N. que

insertamos aquí y allá en el capítulo anterior. Todos ellos son denuestos. Es como si el señor N. quisiera exclamar: «¡Pero si ese ministro de Agricultura es él mismo un buey!» [pág. 28]; «Ni me hablen de Fulano; ¡ese revienta de vanidad!» [págs. 26-7]; «¡Jamás he leído nada más aburrido que los ensayos de ese historiador sobre Napoleón en Austria!» [pág. 24]. Pero la elevada posición de esa personalidad le impide expresar sus juicios en esa forma. Por eso estos últimos recurren al chiste, que les asegura la audiencia que nunca habrían hallado en su forma no chistosa, a despecho de su eventual sustancia de verdad. Uno de esos chistes, el del «*roter Fadian*» [págs. 24-5], es especialmente instructivo, y acaso el más subyugante. ¿Qué es lo que en él nos constriñe a reír y hace que no nos interese en absoluto si así se comete una injusticia contra el pobre escritor? Sin duda la forma chistosa; el chiste, pues. Pero, ¿de qué reímos? Ciertamente, de la persona misma que nos es presentada como «*roter Fadian*» y, en particular, de su condición de pelirroja. Las personas cultas se han desarraigado el hábito de reír de los defectos físicos, y por lo demás el ser pelirrojo ni siquiera se cuenta entre los defectos risibles. Pero sí es considerado tal entre los escolares y el pueblo ordinario, y aun en el nivel de cultura de ciertos representantes comunales y parlamentarios. Y hete aquí que el chiste del señor N., de la manera más artificiosa, ha posibilitado que nosotros, gente adulta y de refinados sentimientos, nos riamos como lo haría un escolar de los rojos cabellos del historiador X. Por cierto que esto no estaba en los propósitos del señor N.; pero es harto dudoso que alguien que se deje subyugar por su chiste pueda conocer su exacto propósito.

Si en estos casos el obstáculo que se oponía a la agresión y que el chiste ayudaba a sortear era interno —la revuelta estética contra el denuesto—, en otros casos puede ser de naturaleza enteramente externa. Así, cuando Serenissimus pregunta al extraño cuya semejanza con su propia persona le resulta llamativa: «¿Su madre estuvo alguna vez en palacio?», y la inmediata respuesta reza: «No; fue mi padre» [pág. 66]. Sin duda que el interrogado habría querido aplastar al desvergonzado que osaba injuriar la memoria de su querida madre; pero ese desvergonzado es Serenissimus, a quien no se puede aplastar, ni siquiera afrentar, si no se quiere pagar con la vida esa venganza. Es forzoso entonces tragarse en silencio el ultraje; pero por suerte el chiste enseña el camino para desquitarse sin peligro, recogiendo la alusión y volviéndola contra el atacante mediante el recurso técnico de la unificación. Aquí la impresión de lo chistoso está hasta tal punto comandada por la tendencia que ante la réplica chistosa solemos olvidar que la pregunta misma del atacante es chistosa por alusión.

Es harto común que circunstancias exteriores estorben el denuesto o la réplica ultrajante, tanto que se advierte una muy notable preferencia en el uso del chiste tendencioso para posibilitar la agresión o la crítica a personas encumbradas que reclamen autoridad. El chiste figura entonces una revuelta contra esa autoridad, un liberarse de la presión que ella ejerce. En esto reside también el atractivo de la caricatura, que nos hace reír aun siendo mala, sólo porque le adjudicamos el mérito de revolverse contra la autoridad.

Si tenemos en cuenta que el chiste tendencioso es apropiadísimo para atacar lo grande, digno y poderoso que inhibiciones internas o circunstancias externas ponen a salvo de un rebajamiento directo, se nos impondrá una particular concepción de ciertos grupos de chistes que parecen habérselas con personas inferiores o impotentes. Me refiero a las historias de casamenteros, de las que ya consignamos varias a raíz de la indagación de las diversas técnicas del chiste en el pensamiento. En algunas, como en los ejemplos «También es sorda» [pág. 62] y «¿Quién prestaría algo a esta gente?» [loc. cit.], el casamentero es puesto en ridículo como un hombre desprevenido e incauto que se vuelve cómico al escapársele la verdad de una manera automática, por así decir. Pero, ¿se compadece lo que hemos averiguado acerca de la naturaleza del chiste tendencioso, por una parte, y, por la otra, la magnitud del agrado que nos producen esas historias, con la pobreza de espíritu de las personas de quienes el chiste parece reírse? ¿Son ellas unos oponentes dignos del chiste? ¿No ocurrirá más bien que el chiste simule ir dirigido al casamentero para dar en el blanco de algo más sustantivo y, como dice el proverbio, le pegue a la alforja pensando en la mula? Realmente, no cabe rechazar esta última concepción.

La interpretación ya dada sobre las historias de casamenteros admite una continuación. Es cierto que no necesito entrar en ella, que puedo contentarme con ver en aquellas unos «chascarrillos» {«Schwank»} y negarles el carácter de chistes. Y, en efecto, hay en el chiste un condicionamiento subjetivo de esa índole; en este punto nos ha saltado a la vista, y habremos de indagarlo luego [capítulo V]. Significa que sólo es chiste lo que yo considero tal. Lo que para mí es un chiste puede ser para otro una mera historia cómica. Pero si un chiste consiente semejante duda, ello sólo puede deberse a que tiene una vitrina, una fachada —cómica en los casos que consideramos— con la que se da por satisfecha la mirada de algunos, mientras que otros tal vez hagan el intento de espiar tras ella. Y es lícito también mover la sospecha de que esa fachada está destinada a enceguecer la mirada crítica y, por tanto, que tales historias tienen algo que esconder.

En todo caso, si nuestras historias de casamenteros son chistes, lo son tanto mejores porque merced a su fachada son capaces no sólo de esconder lo que tienen para decir, sino que tienen algo —prohibido— para decir. He aquí cuál sería aquella continuación interpretativa que descubre lo escondido y desenmascara esas historias de fachada cómica como chistes tendenciosos: Quien en un momento de descuido deja que de ese modo se le escape la verdad, de hecho se alegra por haber puesto término al disimulo. Esta es una intelección psicológica correcta y profunda. Sin esa complicidad interior nadie se deja subyugar por un automatismo como el que aquí saca a luz la verdad.[6] Pero con ello la ridícula persona del casamentero se trueca en una que merece conmiseración y simpatía. ¡Cuán dichoso debe hacerle el poder arrojar por fin de sí el lastre del disimulo si coge al vuelo la primera ocasión para gritar la verdad que faltaba! Tan pronto nota que la causa está perdida, pues al joven no le gusta la novia, de buena gana se traiciona y revela que ella tiene además un defecto oculto en que aquel no reparó, o aprovecha la ocasión para aportar un detalle, un argumento decisivo con el que manifiesta su desprecio por la gente a cuyo servicio trabaja: «Por favor, ¿quién prestaría algo a esta gente?». Ahora, toda la ridiculez recae sobre los padres —a quienes apenas se alude en la historia— que se permiten tales fraudes sólo para conseguir marido a su hija; sobre la bajeza de la muchacha misma, que admite casarse con tales amaños, y sobre la indignidad del matrimonio que se concluirá tras semejantes preliminares. El casamentero es el hombre apto para expresar esa crítica pues conoce mejor que nadie esa clase de abusos, que no puede proclamar en voz alta porque no es sino un pobre hombre que sólo puede vivir, justamente, aprovechándolos. Ahora bien, en parecido conflicto se encuentra el espíritu del pueblo que ha creado estas historias y otras del mismo tenor; en efecto, sabe que la sacralidad del matrimonio contraído tolera mal que se le mencionen los procesos que llevaron a él.

[6] Es el mismo mecanismo que gobierna el «desliz en el habla» y otros fenómenos en que uno se traiciona a sí mismo. Cf. *Psicopatología de la vida cotidiana* (1901*b*) [p. ej., el capítulo V].

Recordemos, además, la puntualización hecha a raíz de la indagación de la técnica del chiste, a saber, que un con trasentido en el chiste a menudo sustituye a una burla y una crítica contenida en los pensamientos que hay tras él [pág. 56], en lo cual, por otra parte, el trabajo del chiste obra igual que el del sueño; aquí hallamos de nuevo corroborada esa relación de las cosas. Que burla y crítica no se refieren a la persona del casamentero, que en los anteriores ejemplos sólo aparece como el chivo emisario del chiste, lo probará otra serie en que aquel es caracterizado, bien al contrario, como una persona superior cuya dialéctica muestra estar a la altura de cualquier dificultad. Son historias de fachada lógica en vez de cómica, chistes sofistas en el pensamiento. En una de ellas (cf. pág. 60), el casamentero sabe refutar la cojera de la novia, que se le aduce como defecto de ella. Ese es al menos «asunto terminado»: otra mujer con miembros derechos estaría de continuo expuesta a caerse y romperse una pierna, y luego vendrían la enfermedad, y los dolores, y los gastos del tratamiento, todo lo cual uno se ahorra con la que ya está coja. O, como en otra historia [pág. 59], sabe refutar con buenos argumentos cada una de las objeciones que hace el pretendiente a la novia, para oponer al fin a la última de ellas, que es incontrovertible: «¿Y qué quiere usted? ¿Que no tenga ningún defecto?», como si de las tachas anteriores no hubiera subsistido un necesario resto. No es difícil en estos dos ejemplos hallar el lado débil de la argumentación; y hasta lo hicimos cuando indagábamos la técnica. Pero es otra cosa la que ahora nos interesa. Si al dicho del casamentero se le presta una apariencia lógica tan fuerte que sólo se discierne como vana tras un examen cuidadoso, la verdad que hay tras ello es que el chiste da la razón al casamentero; el pensamiento no osa hacer esto último en serio y sustituye esa seriedad por la apariencia que el chiste presenta, pero aquí la chanza, como tan a menudo sucede, deja traslucir lo serio. No nos equivocaremos suponiendo, respecto de todas las historias de fachada lógica, que en efecto quieren decir lo que afirman con una argumentación deliberadamente falaz. Sólo este uso del sofisma para una figuración encubierta de la verdad les presta el carácter de chiste, el cual, por tanto, depende principalmente de la tendencia. Y, en efecto, lo que ambas historias se proponen indicar es que el pretendiente se coloca de hecho en ridículo al examinar con tanto cuidado cada una de las excelencias de la novia, frágiles todas ellas, y al olvidar de ese modo que debe prepararse para convertir en su mujer a una criatura humana con sus inevitables defectos, siendo que la única cualidad que volvería tolerable el matrimonio con la personalidad más o menos defectuosa de la mujer sería la simpatía mutua y la complacencia en una adaptación amorosa, de lo cual ni siquiera se habla en todo aquel trato.

En otras historias se expresa aún con mayor claridad la burla al pretendiente, contenida en estos ejemplos, y en la que el casamentero desempeña con buen derecho el papel de quien es superior. Pero mientras más nítidas son ellas, tanto menos contienen de la técnica del chiste; son, por así decir, casos límite de este, con cuya técnica ya no comparten sino la formación de una fachada. Sin embargo, por el hecho de poseer igual tendencia y encubrirla tras la fachada, les está reservado el cabal efecto del chiste. Por lo demás, la pobreza de recursos técnicos permite comprender que muchos chistes de esta clase no puedan prescindir del elemento cómico del dialecto coloquial, que ejerce un efecto semejante a la técnica del chiste.

He aquí una historia de esta índole, que poseyendo toda la fuerza del chiste tendencioso ya no permite discernir nada de su técnica. El casamentero pregunta: «¿Qué requiere usted de su novia?». — Respuesta: «Debe ser hermosa, y también rica, y culta». — «Bien —dice el casamentero—; pero con eso yo arreglo a tres partidos». Aquí la referencia al novio se administra de manera directa, no ya en la vestidura de un chiste.

En los ejemplos anteriores, la agresión disfrazada aún se dirigía a personas; en los chistes de casamentero, a todas las partes envueltas en el trato matrimonial: novia, novio, y los padres de ella. Pero de igual modo los objetos atacados por el chiste pueden ser instituciones, personas en tanto son portadoras de estas, estatutos de la moral o de la religión, visiones de la vida que gozan de tal prestigio que sólo se puede vetarlas bajo la máscara de un chiste, y por cierto de uno encubierto por su fachada. Acaso los temas a que apuntan estos chistes tendenciosos sean unos pocos; sus formas y vestiduras son en extremo variadas. Creo que haremos bien distinguiendo con un nombre particular este género del chiste tendencioso. Cuál ha de ser el nombre apropiado, lo averiguaremos tras interpretar algunos de sus ejemplos.

Me vienen a la memoria dos historias: la del *gourmand* empobrecido a quien sorprendieron comiendo «salmón con mayonesa» [págs. 48-9] y la del profesor aficionado a la bebida [pág. 51]; prosigo la interpretación de ambas, en las que habíamos visto unos chistes por desplazamiento sofista. Desde entonces hemos aprendido que si a la fachada de una historia va adherida la apariencia de lógica, el pensamiento mismo ha querido decir en serio: «El hombre tiene razón»; pero dada la contradicción con que se tropezaría, no se ha osado concedérsela sino en un punto en el que su sinrazón es fácilmente demostrable. El «*pointe*» escogido es el cabal compromiso entre su razón y su sinrazón; claro que ello no equivale a una decisión, pero sí responde al conflicto que tenemos en nosotros mismos. Las dos historias son simplemente epicúreas. Dicen: «Sí, el hombre tiene razón, no hay nada superior al goce y no importa mucho la manera en que uno se lo procure». Eso suena terriblemente inmoral, y de hecho no es mucho mejor que eso, pero en el fondo no es otra cosa que el «*carpe diem*» del poeta que invoca el carácter incierto de la vida y la vanidad de la abstención virtuosa. Si nos resulta tan repelente la idea de que pueda tener razón ese hombre del chiste de «salmón con mayonesa», ello se debe a que la verdad es ilustrada con un goce de inferior calidad, que nos parece harto prescindible. En realidad, cada uno de nosotros ha tenido horas y épocas en que ha otorgado su parte de razón a esa filosofía de la vida y ha reprochado a la doctrina moral que sólo atine a exigirnos cosas sin resarcirnos a cambio. Desde que hemos perdido la fe en el más allá, donde toda abstinencia será recompensada con una satisfacción —o al menos son poquísimas las personas pías, si es que la abstinencia ha de tomarse como signo distintivo de la fe—, desde ese mismo momento el «*carpe diem*» se vuelve una seria admonición. De buena gana pospongo la satisfacción, pero... ¿acaso sé si mañana seguiré existiendo? «*Di doman' non c'è certezza*».*[7]

Estoy dispuesto a renunciar a todos los caminos de satisfacción prohibidos por la sociedad, ¿pero estoy seguro de que la sociedad me premiará esa abstinencia abriéndome —aunque con cierta dilación— uno de los caminos permitidos? Se puede decir en voz alta lo que estos chistes murmuran, a saber, que los deseos y apetitos de los seres humanos tienen derecho a hacerse oír junto a la moral exigente y despiadada; y justamente en nuestros días se ha dicho, en expresivas y cautivadoras frases, que esa moral no es sino el precepto egoísta de unos pocos ricos y poderosos que en todo momento pueden satisfacer sin dilación sus deseos. Mientras el arte de curar no consiga más para asegurar la vida, y mientras las instituciones sociales no logren más para volverla

---

* {«Sobre el mañana no hay certeza».}

[7] Lorenzo de Medici [(1449-1492), de su «Il trionfo di Bacco e di Arianna»; Freud reprodujo nuevamente la sentencia en una carta a Lou-Andreas Salomé del 13 de mayo de 1924 (cf. Freud, 1966a)].

dichosa, no podrá ser ahogada esa voz en nosotros que se subleva contra los requerimientos morales. Todo hombre honrado deberá terminar por hacerse esa confesión, siquiera para sí. Sólo mediante el rodeo de una nueva intelección se podrá decidir este conflicto. Uno debe anudar tanto su vida a la de otros, debe poder identificarse tan estrechamente con los demás, que la brevedad de sus días se vuelva superable; y uno no tiene derecho a cumplir los reclamos de sus propias necesidades de una manera ilegítima, sino que debe dejarlos incumplidos, porque sólo la persistencia de tantos reclamos incumplidos puede desarrollar el poder que modifique el régimen social. Pero no todas las necesidades personales se dejan desplazar de esa manera y trasferir a otras, y no existe una solución universalmente válida para este conflicto.

Ahora sabemos cómo debemos llamar a chistes como los indicados en último término; son chistes *cínicos* y lo que esconden son *cinismos*.

Entre las instituciones que el chiste cínico suele atacar, ninguna hay más importante ni más enérgicamente protegida por preceptos morales, pero tampoco ninguna invita más al ataque, que la del matrimonio, a la cual por lo demás se refieren la mayoría de los chistes cínicos. No hay exigencia más personal que la de libertad sexual, y en ninguna parte la cultura ha intentado ejercer una sofocación más intensa que en el campo de la sexualidad. Baste para nuestros propósitos con un solo ejemplo, el citado en la pág. 75, «Anotación en el álbum de Don Carnaval»:

«Una esposa es como un paraguas. Uno acaba siempre por tomar un coche de alquiler».

Ya hemos elucidado la complicada técnica de este ejemplo: una comparación desconcertante, imposible en apariencia pero que, como ahora vemos, no es en sí chistosa; además, una alusión (coche de alquiler = trasporte público) y, como potente recurso técnico, una omisión que refuerza la incomprensibilidad. La comparación podría desarrollarse del siguiente modo: Uno se casa para ponerse a salvo del asedio de la sensualidad, y luego resulta que el matrimonio no le permite satisfacer ninguna necesidad algo más intensa, justamente como uno lleva consigo un paraguas para protegerse de la lluvia y luego se moja a pesar de él. En ambos casos es preciso procurarse una protección más fuerte: en este, tomar un vehículo público; en aquel, mujeres asequibles por dinero. Ahora el chiste ha quedado sustituido casi enteramente por un cinismo. Uno no se atreve a decir en voz alta y en público que el matrimonio no es la institución que permite satisfacer la sexualidad del varón, a menos que lo esfuerce a ello el amor a la verdad y el celo reformador de un Christian von Ehrenfels.[8] Entonces, la fuerza de este chiste reside en que sin embargo —por toda clase de rodeos— lo ha dicho.

Un caso particularmente favorable para el chiste tendencioso se dará cuando la crítica deliberada e impugnadora se dirija contra la persona propia; expresado con mayor cautela: contra una persona en que la propia participa, o sea una persona de acumulación {*Sammelperson*}, como el propio pueblo. Acaso esta condición de la autocrítica nos explique que justamente en el suelo de la vida popular judía hayan nacido muchos de los más certeros chistes, de lo cual ya hemos ofrecido aquí abundantes muestras. Son historias creadas por judíos y dirigidas contra peculiaridades judías. Los chistes que hacen los extraños sobre los judíos son casi siempre chascarrillos brutales, que se ahorran el chiste por el hecho de que el extraño considera al judío mismo como una figura cómica. También admiten esto último los chistes sobre judíos hechos por judíos; sin embargo, estos conocen tanto sus defectos reales como la relación de tales defectos con sus virtudes, y el hecho de que la persona propia esté envuelta en lo censurado crea la condición subjetiva del trabajo del chiste, difícil de establecer de otro modo. [Cf. págs. 134 y sigs.] Por otra parte, no sé si es tan frecuente que un pueblo se ría en esa medida de su propio ser.

Como ejemplo puedo referirme a la historia, ya citada en la pág. 77, de un judío que abandona todo decoro en su compostura en el tren tan pronto advierte que el recién ingresado al vagón es un correligionario. Dimos a conocer este chiste como documento de la ilustración por un detalle, la figuración por algo pequeñísimo; está destinado a pintar la mentalidad democrática del judío, que no admite diferencia alguna entre amo y siervo, pero por desdicha perturba también la disciplina y la convivencia. Otra serie de chistes, particularmente interesante, pinta las relaciones mutuas entre judíos ricos y pobres; sus héroes son el *Schnorrer* y el caritativo amo de casa o el barón. El *Schnorrer* que todos los domingos es admitido como huésped en la misma casa aparece un buen día acompañado por un joven desconocido, que hace ademán de ponerse también a la mesa. «¿Quién es ese?», pregunta el dueño de casa, y recibe esta respuesta: «Desde la semana pasada es mi yerno; le he prometido los alimentos el primer año». La tendencia de estas historias es

[8] Véanse sus ensayos (1903). [Un trabajo posterior de este autor fue el punto de partida de «La moral sexual "cultural" y la nerviosidad moderna» (Freud, 1908*d*), donde Freud hizo varias puntualizaciones críticas sobre la institución del matrimonio.]

siempre la misma; en la que sigue se pone de relieve con la mayor nitidez: El *Schnorrer* mendiga al barón el dinero para viajar a Ostende; el médico le ha recomendado baños de mar a causa de sus achaques. El barón encuentra que Ostende es un balneario particularmente caro; podría elegir uno más barato. Pero el pedigüeño desautoriza esa propuesta con estas palabras: «Señor barón, en aras de mi salud nada me parece demasiado caro». He ahí un precioso chiste por desplazamiento, que habríamos podido tomar como modelo en su género.[9] Es evidente que el barón quiere ahorrar su dinero, pero el pedigüeño le responde como si el dinero del barón fuera cosa propia, que por otra parte está obligado a estimar en menos que a su salud. Aquí se nos invita a reír por la frescura de esa pretensión, pero es excepcional que estos chistes no estén dotados de una fachada que desoriente el entenderlos. La verdad tras ello es que, de acuerdo con los sagrados preceptos de los judíos, el pedigüeño que en su pensamiento trata como cosa propia al dinero del rico casi tiene realmente derecho a esa confusión. Desde luego, la revuelta que ha dado nacimiento a este chiste se dirige contra la ley que implica una carga tan opresiva aun para el judío piadoso.

Otra historia refiere: Por la escalera de la casa del rico, un *Schnorrer* se topa con un colega que lo disuade de proseguir su camino. «No subas hoy, el barón está de mal humor: a nadie le da más de un florín». — «Subiré sin embargo —dice el primer pedigüeño—. ¿Por qué le regalaría aunque fuera un solo florín? ¿Acaso él me regala algo a mí?».

Este chiste se sirve de la técnica del contrasentido, pues hace afirmar al pedigüeño que el barón no le regala nada en el mismo momento en que se dispone a mendigar ese regalo. Pero el contrasentido es sólo aparente; es casi correcto que el rico no le regala nada, pues es la ley la que lo obliga a darle limosna y, en rigor, debe estarle agradecido por ofrecerle la oportunidad de ser caritativo. La concepción ordinaria, profana, de la limosna lucha aquí con la religiosa; se revuelve francamente contra la religiosa en la historia del barón que, muy conmovido por el relato que el pedigüeño le hace de sus males, llama a sus servidores y les dice: «¡Echenlo fuera! Me parte el corazón». Esta exposición franca de la tendencia constituye, otra vez, un caso límite del chiste. De la queja, que ya no sería chistosa: «En realidad

---

[9] [De hecho, ya había sido presentado como ejemplo de chiste de desplazamiento en la pág. 54. Cabe la posibilidad de que Freud lo haya agregado posteriormente en aquel lugar, olvidando luego modificar el presente pasaje.]

no es ningún privilegio ser rico entre los judíos. La miseria ajena no le deja a uno gozar de la felicidad propia», estas últimas historias se distancian casi únicamente por escenificarla en una situación singular.

Otras historias, que desde el punto de vista técnico son también casos límite del chiste, atestiguan un cinismo hondamente pesimista. He aquí una de ellas: Un duro de oído consulta al médico, quien acierta el diagnóstico: es probable que el paciente beba mucho aguardiente y eso lo ponga sordo. Le desaconseja hacerlo, y el duro de oído le promete seguir esa indicación al pie de la letra. Pasado un tiempo, el médico se topa con él por la calle y le pregunta con voz fuerte cómo le va. «Bien, gracias», es la respuesta. «No hace falta que grite, doctor; he abandonado la bebida y he vuelto a oír bien». Pasado otro tiempo, el encuentro se repite. El doctor pregunta, con voz normal, cómo le va, pero advierte que el otro no le ha oído: «¿Cómo? ¿Qué dice?». — «Me parece que ha vuelto a beber aguardiente —le grita el doctor en la oreja— y por eso no oye». «Puede ser —responde el duro de oído—. Empecé a beber otra vez aguardiente, pero quiero decirle la razón. Todo el tiempo que no bebí yo oía, pero nada de lo que oía era tan bueno como el aguardiente». Técnicamente, este chiste no es otra cosa que una ilustración; el uso del dialecto y las artes del relato tienen que servir para provocar la risa, pero tras ello acecha la triste pregunta: «¿Acaso no tuvo razón el hombre al elegir eso?».

Es por la alusión de estas historias pesimistas a las múltiples y desesperanzadas miserias del judío que yo debo clasificarlas en el chiste tendencioso.

Otros chistes cínicos en un sentido similar, y por cierto no sólo historias de judíos, atacan dogmas religiosos y aun la fe en Dios. La historia del «*Kück* del rabino» [págs. 60-1], cuya técnica consistía en la falacia de equiparar fantasía y realidad (también se la podía concebir como desplazamiento), es un chiste crítico o cínico de esa clase, dirigido contra los taumaturgos y sin duda también contra la creencia en milagros. A Heine moribundo se le atribuye un chiste directamente blasfemo. Cuando el benévolo sacerdote le encarecía la Gracia de Dios y la esperanza de que en Él hallaría perdón para sus pecados, se dice que respondió: «*Bien sûr qu'il me pardonnera; c'est son métier*» {«Desde luego que me perdonará; es su oficio»}. Es una comparación menospreciadora que técnicamente acaso sólo posea el valor de una alusión, pues un *métier*, negocio o profesión, es por ejemplo el de un artesano o un médico, quienes por cierto sólo tienen un único *métier*. Pero la fuerza del chiste reside en su tendencia. Está destinado a decir ni más ni menos que esto: «Desde luego que me perdonará; para eso está, con ningún otro fin me lo he procurado» (como uno emplea a su médico, a su abogado). Y, de ese modo, en el moribundo que yace impotente se mueve todavía la conciencia de haber creado a Dios y haberlo dotado de poder para servirse de él llegado el momento. La supuesta creatura se da a conocer, poco antes de su aniquilamiento, como el creador.

[4]

A los géneros del chiste tendencioso tratados hasta aquí,

el desnudador u obsceno,
el agresivo (hostil) y
el cínico (crítico, blasfemo),

querría yo agregar un cuarto, más raro, cuyo carácter dilucidaremos con un buen ejemplo.

En una estación ferroviaria de Galitzia, dos judíos se encuentran en el vagón. «¿Adónde viajas?», pregunta uno. «A Cracovia», es la respuesta. «¡Pero mira qué mentiroso eres! —se encoleriza el otro—. Cuando dices que viajas a Cracovia me quieres hacer creer que viajas a Lemberg. Pero yo sé bien que realmente viajas a Cracovia. ¿Por qué mientes entonces?».

Esta preciosa historia, que hace la impresión de una desmesurada sofistería, opera evidentemente mediante la técnica del contrasentido. ¡El segundo incurriría en mentira porque comunica que viaja a Cracovia, que es la verdadera meta de su viaje! Empero, este poderoso medio técnico —el contrasentido— se aparea aquí con otra técnica, la figuración por lo contrario, pues según la aseveración del primero, no contradicha, el otro miente cuando dice la verdad y dice la verdad con una mentira. Sin embargo, la sustancia más seria de este chiste es el problema de las condiciones de la verdad; el chiste vuelve a indicar un problema, y saca partido de la incertidumbre de uno de nuestros más usuales conceptos. ¿Consiste la verdad en describir las cosas tal como son, sin preocuparse del modo en que las entenderá el oyente? ¿O esta verdad es sólo jesuitismo, y la veracidad genuina debe más bien tomar en cuenta al oyente y trasmitirle una copia fiel de lo que nosotros sabemos? Considero a los chistes de esta clase lo bastante diversos de los otros para indicarles un lugar particular. No atacan a una persona o a una institución, sino a la certeza misma de nuestro conocimiento, de uno de nuestros bienes especulativos. Por tanto, el nombre adecuado para ellos sería el de chistes *«escépticos»*.

[5]

En el curso de nuestras elucidaciones sobre las tendencias del chiste hemos obtenido quizá muchos esclarecimientos, y sin ninguna duda recogimos abundantes incitaciones para proseguir nuestra indagación; pero los resultados de este capítulo se conjugan con los del anterior en un difícil problema. Si es cierto que el placer que el chiste aporta adhiere por un lado a la técnica y por el otro a la tendencia, ¿bajo qué punto de vista común podrían reunirse estas dos diversas fuentes de placer del chiste?

B. Parte sintética

IV. El mecanismo de placer y la psicogénesis del chiste

[1]

Como punto de partida tenemos el discernimiento cierto de las fuentes de que fluye el placer peculiar que nos depara el chiste. Sabemos que podemos caer en el espejismo de confundir el gusto que nos produce el contenido de pensamiento de la oración con el placer del chiste propiamente dicho, pero que este mismo tiene en lo esencial dos fuentes: la técnica y las tendencias del chiste. Lo que ahora querríamos averiguar son los caminos por los cuales desde esas fuentes se produce el placer: el mecanismo de ese efecto placentero.

Nos parece que resultará mucho más fácil obtener el esclarecimiento buscado en el chiste tendencioso que en el inocente. Comenzaremos, pues, por aquel.

En el chiste tendencioso, el placer es resultado de que una tendencia recibe una satisfacción que de otro modo sería interceptada. No hace falta demostrar que semejante satisfacción es una fuente de placer. Pero la manera en que el chiste la produce está sujeta a particulares condiciones, de las que acaso podamos obtener más noticias. Cabe distinguir aquí dos casos. El más simple es aquel en que la satisfacción de la tendencia tropieza con un obstáculo exterior que es sorteado por el chiste. Hallamos que así era, por ejemplo, en la respuesta que recibió Serenissimus cuando preguntó si la madre del interpelado había vivido alguna vez en palacio [pág. 66], o en la manifestación de aquel conocedor de arte a quien los dos ricos pillos mostraron sendos retratos suyos: «*And where is the Saviour?*» [pág. 71]. La tendencia consiste, en el primer caso, en replicar a un insulto con otro igual, y en el segundo, en pronunciar una diatriba en vez del juicio experto que pedían; lo que a ella se opone son factores puramente externos, la situación de poder de las personas sobre quienes recae la diatriba. De todos modos, acaso nos llame la atención que estos y otros chistes análogos de naturaleza tendenciosa, si bien nos satisfacen, no sean capaces empero de provocarnos un fuerte efecto de risa.

Diverso es el caso en que no son factores exteriores, sino un obstáculo interior, el que estorba la realización directa de la tendencia: aquel en que una moción interior se opone a la tendencia. Según nuestra premisa, esta condición se realizaría, por ejemplo, en los chistes agresivos del señor N., en cuya persona una fuerte inclinación a la invectiva es tenida en jaque por una cultura estética muy desarrollada. En este caso especial, la resistencia interna es vencida con auxilio del chiste, y cancelada la inhibición. Como en el caso del obstáculo externo, por esa vía se posibilita la satisfacción de la tendencia, evitándose una sofocación y la «estasis psíquica»[1] que ella conlleva; hasta aquí, el mecanismo del desarrollo de placer sería el mismo para ambos casos.

Es verdad que en este punto nos sentimos inclinados a profundizar en la diferencia de situación psicológica para el caso del obstáculo externo y del interno, pues entrevemos la posibilidad de que la cancelación del obstáculo interno contribuya al placer en medida incomparablemente mayor. Pero propongo conformarnos con lo dicho y limitarnos por ahora a una comprobación que se mantiene dentro de lo que es esencial para nosotros. Los casos del obstáculo externo e interno sólo se distinguen en que en este se cancela una inhibición preexistente, y en aquel se evita el establecimiento de una nueva. No creemos recurrir en demasía a la especulación aseverando que tanto para establecer como para conservar una inhibición psíquica se precisa de un «gasto psíquico». [Cf. págs. 140 y sigs.] Y si junto a esto resulta que en los dos casos de empleo del chiste tendencioso se obtiene placer, será natural suponer que *esa ganancia de placer corresponda al gasto psíquico ahorrado.*

Ahora bien, así habríamos vuelto a tropezar con el principio del *ahorro*, con el que inicialmente nos topamos a raíz de la técnica del chiste en la palabra [págs. 42 y sigs.]. Pero si entonces creímos descubrirlo en el uso del menor número posible de palabras o en el empleo preferente de palabras idénticas, aquí lo vislumbramos en un sentido mucho más vasto: el ahorro de gasto psíquico en general; y no podemos menos que considerar posible acercarnos a la esencia del chiste mediante una definición más precisa de ese concepto, oscuro todavía, del «gasto psíquico».

En el tratamiento del mecanismo del placer en el chiste tendencioso no hemos podido disipar cierta oscuridad; considerémosla el justo castigo por haber intentado esclarecer lo

---

[1] [La frase fue acuñada por Lipps (1898, pág. 72 y *passim*). Cf. *infra*, pág. 147.]

más complicado antes que lo más simple, el chiste tendencioso antes que el inocente. Dejamos anotado que un «*ahorro en gasto de inhibición o de sofocación*» parece ser el secreto del efecto placentero del chiste tendencioso, y pasamos al mecanismo de placer en el chiste inocente.

De unos ejemplos apropiados de chiste inocente, en los que no cabía temer ninguna perturbación de nuestro juicio por su contenido o su tendencia, debimos inferir que las técnicas del chiste, como tales, son fuentes de placer; ahora examinaremos si ese placer no se deja acaso reconducir a un ahorro de gasto psíquico. En un grupo de estos chistes (los juegos de palabras), la técnica consistía en acomodar nuestra postura psíquica al sonido y no al sentido de la palabra, en poner la representación-palabra {*Wortvorstellung*} (acústica) misma en lugar de su significado dado por relaciones con las representaciones-cosa-del-mundo {*Dingvorstellung*}.[2] Efectivamente, estamos autorizados a suponer que ello implica un gran alivio de trabajo psíquico y que al usar las palabras en serio un cierto esfuerzo nos obliga a prescindir de ese cómodo procedimiento: podemos observar que algunos estados patológicos de la actividad de pensar, en que la posibilidad de concentrar gasto psíquico en un punto probablemente se encuentre limitada, de hecho privilegian de esa manera la representación acústica de la palabra sobre el significado de esta, y que esos enfermos en sus dichos avanzan siguiendo las asociaciones «externas» —según la fórmula en uso—, en lugar de las «internas», de la representación-palabra. También en el niño, habituado a tratar todavía las palabras como cosas,[3] advertimos la inclinación a buscar un mismo sentido tras unidades fonéticas iguales o semejantes, lo cual es fuente de muchos errores que dan risa a los adultos. Entonces, cuando en el chiste nos depara inequívoco contento pasar de un círculo de representaciones a otro distante mediante el empleo de la misma palabra o de otra parecida

---

[2] [No fue sino diez años más tarde, en sus trabajos metapsicológicos, que Freud se explayó sobre el hecho de que «la representación-objeto se nos descompone en la representación-palabra y en la representación-cosa», destacando, como se apunta en el presente párrafo, la importancia de este distingo desde el punto de vista de la psicopatología. Véase en particular la sección VII de «Lo inconciente» (1915*e*), *AE*, **14**, págs. 197 y sigs. No obstante, su interés por esta cuestión se remonta mucho más atrás, a la época de su monografía sobre las afasias (1891*b*). Un fragmento de esta última en que se ocupa del tema es reproducido como «Apéndice» a «Lo inconciente», *AE*, **14**, pág. 207.]

[3] [Cf. *La interpretación de los sueños* (1900*a*), *AE*, **4**, pág. 309. Este fenómeno se ilustra en el historial clínico del pequeño Hans (1909*b*), *AE*, **10**, pág. 50, *n.* 28.]

(como, en el caso de «*home-roulard*» [pág. 89], del círculo de la cocina al de la política), tenemos derecho a reconducir ese contento al ahorro de gasto psíquico. Además, el placer de chiste que provoca ese «cortocircuito» parecerá tanto mayor cuanto más ajenos sean entre sí los círculos de representaciones conectados por una misma palabra, cuanto más distantes sean y, en consecuencia, cuanto mayor resulte el ahorro que el recurso técnico del chiste permita en el camino del pensamiento. Anotemos de pasada que el chiste se sirve aquí de un medio de enlace que el pensar serio desestima y evita cuidadosamente.[4]

Un segundo grupo de recursos técnicos del chiste —unificación, homofonía, acepción múltiple, modificación de giros familiares, alusión a citas— deja ver como su carácter común el siguiente: en todos los casos, uno redescubre algo consabido cuando en su lugar habría esperado algo nuevo. Este reencuentro de lo consabido es placentero, y tampoco nos resultará difícil discernir en ese placer un placer por ahorro, refiriéndolo al de un gasto psíquico.

Todos parecen admitir que el redescubrimiento de lo consabido, el «reconocimiento», es placentero. Groos (1899, pág. 153) dice: «El reconocimiento, toda vez que no esté demasiado mecanizado (como en el caso de disfraces...),

---

[4] Si se me permite anticipar la exposición del texto, puedo aquí arrojar luz sobre la condición que parece decisiva en el uso lingüístico para llamar «bueno» o «malo» a un chiste. Si por medio de un chiste de doble sentido o de modificación leve paso, a través de un atajo, a otro círculo de representación, cuando en verdad entre los dos círculos no existe al mismo tiempo un enlace provisto de sentido, he hecho un chiste «malo». En él sólo una palabra, el «*pointe*» del chiste, es el enlace existente entre las dos representaciones dispares. Un caso así es el del ejemplo antes utilizado: «*home-roulard*». En cambio, un chiste «bueno» se produce cuando la expectativa infantil resulta atinada y con la semejanza de las palabras se indica en realidad, al mismo tiempo, otra semejanza esencial en el sentido, como en el ejemplo «*Traduttore-Traditore!*» [pág. 34]. Las dos representaciones dispares, que están enlazadas aquí por una asociación externa, mantienen además un nexo provisto de sentido que enuncia un parentesco esencial entre ambas. La asociación externa no hace más que sustituir al nexo interno; sirve para indicarlo o ponerlo en claro. El «traductor» no sólo tiene un nombre parecido al «traidor»; es también una clase de traidor, de algún modo lleva con justicia ese nombre.

El distingo aquí desarrollado coincide con la separación, que más adelante se introducirá, entre «chanza» y «chiste» [págs. 124 y sigs.]. Empero, sería injustificado excluir ejemplos como el de «*home-roulard*» de la elucidación acerca de la naturaleza del chiste. En la medida en que consideramos el peculiar placer del chiste, hallamos que los chistes «malos» no son en modo alguno malos como chistes, vale decir, inapropiados para excitar placer.

se asocia con sentimientos placenteros. Ya la mera cualidad de lo familiar fácilmente va acompañada de aquel confortado sosiego que invade a Fausto cuando, tras un ominoso encuentro, se halla de nuevo en su gabinete de estudio.[5] (...) Si el acto del reconocimiento es así de placentero, estamos autorizados a esperar que el ser humano dé en ejercer esa capacidad en bien de ella misma, vale decir, que experimente jugando con ella. Y, de hecho, Aristóteles ha discernido en la alegría del reconocimiento la base del goce artístico; pero aunque este principio no tenga un valor tan preeminente como el que le adjudica Aristóteles, es innegable que no se lo puede desconocer».

Groos elucida luego aquellos juegos cuyo carácter consiste en acrecentar la alegría del reconocimiento poniéndole obstáculos en el camino, o sea, produciendo una «estasis psíquica» que es eliminada con el acto de conocer. Pero en su ensayo de explicación abandona la hipótesis de que el conocer sea placentero en sí, pues, invocando aquellos juegos, reconduce el contento que él proporciona a la *alegría* por el *poder*, por la superación de una dificultad. Yo considero secundario este último factor, y no veo motivo alguno para apartarse de la concepción más simple, a saber, que el conocer en sí es placentero (por un aligeramiento del gasto psíquico), y que los juegos fundados en este placer no hacen más que valerse del mecanismo de la estasis para acrecentar su monto.

La rima, la aliteración, el refrán y otras formas de repetición de sonidos parecidos de las palabras en la poesía aprovechan esa misma fuente de placer, el redescubrimiento de lo consabido. También es esto algo que se reconoce universalmente. Un «sentimiento de poder» no desempeña en estas técnicas, que muestran tan grande armonía con la de «acepción múltiple» en el chiste, ningún papel visible.

Dados los estrechos vínculos entre conocer y recordar, ya no es osado el supuesto de que existe también un placer del recuerdo, o sea, que el acto de recordar está en sí acompañado por un sentimiento placentero de similar origen. Groos no parece adverso a ese supuesto, pero a este placer del recuerdo lo deriva igualmente del «sentimiento de poder», en el que busca —desacertadamente, en mi opinión— la principal razón del goce en casi todos los juegos.

En el «redescubrimiento de lo consabido» descansa también el empleo de otro recurso técnico del chiste, del que no hemos hablado todavía. Me refiero al factor de la *actua-*

---

[5] [*Fausto*, parte I, escena 3.]

lidad, que en muchísimos chistes constituye una generosa fuente de placer y explica algunas peculiaridades de sus peripecias. Los hay que están por completo libres de esa condición, y en un ensayo sobre el chiste nos vemos precisados a servirnos casi exclusivamente de estos ejemplos. Pero no podemos olvidar que acaso más que por estos chistes perennes nos hemos reído por los otros, cuyo empleo aquí sería farragoso porque requieren largos comentarios y ni siquiera con este auxilio alcanzarían el efecto que una vez produjeron. Pues bien; estos últimos chistes contuvieron alusiones a personas y episodios «actuales» en su tiempo, que despertaban el interés general y conservaban su tensión. Extinguido ese interés, liquidado el asunto en cuestión, también esos chistes perdieron una parte (y una parte muy considerable) de su efecto placentero. Por ejemplo, el chiste que hizo mi benévolo huésped cuando sirvieron el manjar que él llamó «*home-roulard*» no me parece hoy ni con mucho tan bueno como entonces, en un tiempo en que «*Home Rule*» era título recurrente en las noticias políticas de nuestros periódicos. Si ahora intento apreciar el mérito de ese chiste puntualizando que mediante esa palabra, y ahorrando a nuestro pensar un gran rodeo, nos lleva del círculo de representaciones de la cocina al de la política, tan alejado, en aquel momento habría debido modificar esa puntualización diciendo que «esa palabra nos lleva del círculo de representaciones de la cocina al de la política, tan alejado de aquel, pero que puede contar con nuestro vivo interés porque en verdad nos ocupa de continuo». Otro chiste: «Esta muchacha me hace acordar a Dreyfus: el ejército no cree en su inocencia» [pág. 40], aunque por fuerza conserva intactos sus recursos técnicos, aparece hoy empalidecido. Ni el desconcierto que la comparación provoca ni el doble sentido de la palabra «inocencia» pueden compensar el hecho de que esa alusión, referida entonces a un asunto investido de excitación fresca, hoy trae a la memoria un interés finiquitado. Un chiste todavía actual, como el siguiente: La princesa heredera, Luisa, se había dirigido a un crematorio de Gotha para preguntar cuánto costaba una incineración {*Verbrennung*}. Y la administración le respondió: «El valor ordinario es de 5.000 marcos, pero a usted se le cobrarán sólo 3.000 porque ya una vez se ha *durchbrennen* {"quemado totalmente" o "hecho humo"}»; ese chiste, digo, nos parece hoy irresistible, pero en algún momento estimaremos en mucho menos su valor, y todavía después, cuando no se lo pueda contar sin acompañarlo de un comentario sobre quién fue la princesa Luisa y cómo se entendía su «estar toda quemada» o «haberse hecho humo», no producirá efecto alguno a pesar de la bondad de su juego de palabras.[6]

Buen número de los chistes en circulación alcanzan, así, cierto lapso de vida, cierto ciclo vital que se compone de un florecimiento y una decadencia que termina en su completo olvido. El afán de los hombres por ganar placer de sus procesos de pensamiento crea, entonces, nuevos y nuevos chistes por apuntalamiento en los nuevos intereses del día. La fuerza vital de los chistes actuales en modo alguno es propia de estos; la toman prestada, por el camino de la alusión, de aquellos otros intereses cuyo decurso determina también la peripecia del chiste. El factor de la actualidad, que se añade al chiste como tal en calidad de fuente de placer efímera, pero particularmente generosa, no puede equipararse sin más al redescubrimiento de lo consabido. Más bien se trata de una particular cualificación de lo consabido, a lo cual es preciso atribuirle la propiedad de lo fresco, reciente y no tocado por el olvido. También en la formación del sueño topamos con una particular predilección por lo reciente, y uno no puede alejar de sí la conjetura de que la asociación con lo reciente[7] es premiada, y así facilitada, por una peculiar prima de placer.

La unificación, que no es sino la repetición en el ámbito de la trama de lo pensado, en vez de serlo en la del material, ha hallado un particular reconocimiento en Fechner como fuente de placer del chiste. Escribe: «En mi opinión, en el campo de lo que aquí consideramos, el principio del enlace unitario de lo diverso desempeña el papel principal, pero necesita de unas condiciones accesorias que lo sostengan para que el contento que son capaces de asegurar los casos correspondientes, con su peculiar carácter, sobrepase el umbral».[8]

En todos estos casos de repetición de la misma trama o del mismo material de palabras, de redescubrimiento de lo consabido y reciente, no se nos puede impedir que derivemos el placer sentido en ellos del ahorro en gasto psíquico, siempre que ese punto de vista demuestre ser fructífero para el esclarecimiento de detalles y para obtener nuevas generalizaciones. No se nos escapa que todavía hemos de aclarar la

[6] [Por eso mismo corresponde explicar que se refiere a Luisa María Antonieta, casada con el príncipe Federico Augusto de Sajonia, de quien huyó en 1903 y posteriormente se divorció. Para un relato de sus vicisitudes, véase su autobiografía (1911).]

[7] [Cf. *La interpretación de los sueños* (1900*a*), esp. *AE*, **4**, págs. 194-7, y **5**, págs. 554-6.]

[8] Fechner, 1897, **1**, capítulo XVII. El título de este capítulo es: «Sobre comparaciones, juegos de palabras y otros casos chistosos y provistos de sentido, que presentan un carácter placentero, divertido o ridículo».

manera en que se produce el ahorro, así como el sentido de la expresión «gasto psíquico».

El tercer grupo de las técnicas del chiste —se trata casi siempre del chiste en el pensamiento—, que comprende las falacias, desplazamientos, el contrasentido, la figuración por lo contrario, etc., a primera vista acaso muestre un sesgo particular y no deje traslucir parentesco alguno con las técnicas del redescubrimiento de lo consabido o de la sustitución de las asociaciones-objeto-del-mundo por las asociaciones-palabra; sin embargo, justamente en este caso es muy fácil hacer valer el punto de vista del ahorro o aligeramiento del gasto psíquico.

Es más fácil y cómodo desviarse de un camino de pensamiento emprendido que mantenerse en él, y confundir lo diferente que ponerlo en oposición; y muy en particular lo es entregarse a modos de inferencia desestimados por la lógica y, por último, en la trabazón de palabras y de pensamientos, prescindir de la condición de que hayan de poseer también un sentido: en verdad, nada de esto es dudoso, y es justamente lo que hacen las técnicas de chiste consideradas. Pero sí provocará asombro que tal proceder abra al trabajo del chiste una fuente de placer, pues salvo el caso del chiste sólo podemos experimentar unos sentimientos displacenteros de defensa frente a todos esos malos rendimientos de la actividad de pensar.

Es cierto que en la vida seria el «placer del disparate», como podríamos decir para abreviar, se encuentra oculto hasta desaparecer. Para pesquisarlo nos vemos obligados a considerar dos casos en los que todavía es visible y vuelve a serlo: la conducta del niño que aprende y la del adulto en un talante alterado por vía tóxica. En la época en que el niño aprende a manejar el léxico de su lengua materna, le depara un manifiesto contento «experimentar jugando» (Groos [cf. *supra*, pág. 117]) con ese material, y entrama las palabras sin atenerse a la condición del sentido, a fin de alcanzar con ellas el efecto placentero del ritmo o de la rima. Ese contento le es prohibido poco a poco, hasta que al fin sólo le restan como permitidas las conexiones provistas de sentido entre las palabras. Pero todavía, años después, los afanes de sobreponerse a las limitaciones aprendidas en el uso de las palabras se desquitan deformándolas por medio de determinados apéndices, alterándolas a través de ciertos arreglos (reduplicaciones, jerigonzas[9]) o aun creando un lenguaje propio para uso

[9] [«*Zittersprache*», lenguaje incomprensible para los extraños, en el que se aplica la repetición de la sílaba «*zitter*». Freud ya se había referido a la «invención de lenguajes nuevos y de formaciones sintácti-

de los compañeros de juego, empeños estos que vuelven a aflorar en ciertas categorías de enfermos mentales.

Opino que no importa el motivo al cual obedeció el niño al empezar con esos juegos; en el ulterior desarrollo se entrega a ellos con la conciencia de que son disparatados y halla contento en ese estímulo de lo prohibido por la razón. Se vale del juego para sustraerse de la presión de la razón crítica. Ahora bien, mucho más coactivas son las limitaciones que deben implantarse en la educación para el pensar recto y para separar lo verdadero de lo falso en la realidad objetiva; por eso tiene tan hondas raíces y es tan duradera la sublevación contra la compulsión del pensamiento y la realidad objetiva. Hasta los fenómenos del quehacer fantaseador caen bajo este punto de vista. En el último período de la infancia, y en el del aprendizaje que va más allá de la pubertad, el poder de la crítica ha crecido tanto en la mayoría de los casos que el placer del «disparate liberado» rara vez osa exteriorizarse directamente. Uno no se atreve a enunciar un disparate; pero la inclinación, característica de los niños varones, al contrasentido en el obrar, a un obrar desacorde con el fin, paréceme un directo retoño del placer por el disparate. En casos patológicos vemos esta inclinación acrecentada hasta el punto de que ha vuelto a dominar los dichos y respuestas del colegial; en algunos alumnos del *Gymnasium* * aquejados de neurosis pude convencerme de que el placer, de eficacia inconciente, por el disparate que producían no contribuía menos a sus operaciones fallidas que su real y efectiva ignorancia.

Más tarde, el alumno universitario no ceja en manifestarse contra la compulsión del pensamiento y la realidad objetiva, cuyo imperio, no obstante, sentirá cada vez más intolerante e irrestricto. Buena parte de los chascos de estudiantes corresponden a esa reacción. El hombre es, justamente, un «incansable buscador de placer» —ya no sé en qué autor he hallado esta feliz expresión—, y le resulta harto difícil cualquier renuncia a un placer que ya haya gozado una vez. Con el alegre disparate del *Bierschwefel*,** el estudiante procura rescatar para sí el placer de la libertad de pensar que la instrucción académica le quita cada vez más. Y aun mucho des-

---

cas artificiales» por parte de los niños en el pasaje antes mencionado (*supra*, pág. 115, *n.* 3) de *La interpretación de los sueños* (1900*a*), *AE*, **4**, pág. 309.]

* {En Alemania, Suiza y otros países europeos, escuela secundaria.}

** {Discurso jocoso pronunciado en una reunión en que se toma cerveza («*Bier*», «cerveza»).}

pués, cuando siendo un hombre maduro se ha reunido con otros en un congreso científico y ha vuelto a sentirse discípulo, concluidas las sesiones se ve precisado a buscar en el *Kneipzeitung*,* que deforma hasta el disparate las intelecciones recién adquiridas, el resarcimiento por la inhibición de pensamiento que acaba de erigirse en él.

«*Bierschwefel*» y «*Kneipzeitung*», por su mismo nombre, atestiguan que la crítica, represora del placer de disparate, ha cobrado ya tanta fuerza que no se la puede apartar, ni siquiera temporariamente, sin el auxilio de recursos tóxicos. La alteración en el estado del talante es lo más valioso que el alcohol depara al ser humano, y por eso no todos pueden prescindir de ese «veneno». El talante alegre, sea generado de manera endógena o producido por vía tóxica, rebaja las fuerzas inhibidoras, entre ellas la crítica, y así vuelve de nuevo asequibles unas fuentes de placer sobre las que gravitaba la sofocación. Es sumamente instructivo ver cómo un talante alegre plantea menores exigencias al chiste. Es que el talante sustituye al chiste, del mismo modo como el chiste debe empeñarse en sustituir al talante, en el que de ordinario reina la inhibición de posibilidades de goce, entre ellas el placer de disparate:

«Con poca gracia {*Witz*} y mucho contento».[10]

Bajo el influjo del alcohol, el adulto vuelve a convertirse en el niño a quien deparaba placer la libre disposición sobre su decurso de pensamiento, sin observancia de la compulsión lógica.

Con lo dicho esperamos haber puesto en evidencia que las técnicas de contrasentido en el chiste corresponden a una fuente de placer. Y sólo necesitamos repetir que ese placer proviene de un ahorro de gasto psíquico, un aligeramiento de la compulsión ejercida por la crítica.

Si echamos otra ojeada retrospectiva sobre los tres grupos separados de técnicas del chiste, notamos que el primero y el tercero, la sustitución de las asociaciones-cosa-del-mundo por las asociaciones-palabra y el empleo del contrasentido, pueden ser conjuntamente considerados como unos restablecimientos de antiguas libertades y unos aligeramientos de la com-

---

* {Actas escritas en son de broma; literalmente, «periódico de taberna».}

[10] [Palabras de Mefistófeles en la taberna de Auerbach, *Fausto*, parte I, escena 5.]

pulsión que la educación intelectual impone; son unos alivios psíquicos que uno puede poner en cierta relación de oposición con el ahorro en que consiste la técnica del segundo grupo. Alivio de gasto psíquico, sea este preexistente, sea reclamado en el momento: he ahí, pues, los dos principios a que se reconduce toda técnica de chiste, y, por tanto, todo placer derivado de tales técnicas. Por lo demás, las dos variedades de la técnica y de la ganancia de placer coinciden —al menos a grandes trazos— con la división de chiste en la palabra y chiste en el pensamiento.

[2]

Las elucidaciones precedentes nos han llevado, sin que lo advirtiésemos, a inteligir una historia evolutiva o psicogénesis del chiste, que ahora abordaremos más de cerca. Hemos tomado noticia de unos estadios previos del chiste, y es probable que su desarrollo hasta el chiste tendencioso ponga en descubierto nuevos vínculos entre los diversos caracteres del chiste. Antes de todo chiste existe algo que podemos designar como *juego* o «*chanza*». El juego —atengámonos a esta designación— aflora en el niño mientras aprende a emplear palabras y urdir pensamientos. Es probable que ese juego responda a una de las pulsiones que constriñen al niño a ejercitar sus capacidades (Groos [1899]); al hacerlo tropieza con unos efectos placenteros que resultan de la repetición de lo semejante, del redescubrimiento de lo consabido, la homofonía, etc., y se explican como insospechados ahorros de gasto psíquico.[11] No es asombroso que esos efectos placenteros impulsen {*antreiben*} al niño a cultivar el juego y lo muevan a proseguirlo sin miramiento por el significado de las palabras y la trabazón de las oraciones. Un *juego* con palabras y pensamientos, motivado por ciertos efectos de ahorro placenteros, sería entonces el primero de los estadios previos del chiste.

El fortalecimiento de un factor que merece ser designado como crítica o racionalidad pone término a ese juego. Ahora este es desestimado por carecer de sentido o ser un directo

---

[11] [El placer que hallan los niños en las repeticiones (al cual se vuelve a hacer referencia *infra*, pág. 214, y que ya había sido comentado en una nota al pie de *La interpretación de los sueños* (1900*a*), *AE*, **4**, pág. 276) es un tema del que Freud se ocupó mucho después, al examinar su hipótesis de una «compulsión de repetición» en *Más allá del principio de placer* (1920*g*), *AE*, **18**, pág. 35.]

contrasentido; se vuelve imposible a consecuencia de la crítica. También queda excluido, salvo por azar, obtener placer de aquellas fuentes del redescubrimiento de lo consabido, etc., a menos que al individuo en crecimiento lo afecte un talante placentero que, semejante a la alegría del niño, cancele la inhibición crítica. Sólo en este último caso vuelve a posibilitarse el viejo juego para ganar placer, pero el ser humano prefiere no esperar que se dé por sí ni renunciar al placer que, según sabe, le procura. Por eso busca medios que lo independicen del talante placentero; el ulterior desarrollo hacia el chiste es regido por ambas aspiraciones: evitar la crítica y sustituir el talante.

Así adviene el segundo estadio previo del chiste, la *chanza*. Lo que se requiere es abrir paso a la ganancia de placer del juego, pero cuidando, al mismo tiempo, de acallar el veto de la crítica que no permite que sobrevenga el sentimiento placentero. Hay un único camino que lleva a esa meta: la reunión de palabras sin sentido o el contrasentido en la secuencia de los pensamientos deben poseer, empero, un sentido. Todo el arte del trabajo del chiste se ofrece para descubrir aquellas palabras y constelaciones de pensamiento en que se cumple esa condición. Todos los recursos técnicos del chiste ya encuentran aplicación aquí, en la chanza, y el uso lingüístico ni siquiera traza un distingo consecuente entre chanza y chiste. Lo que diferencia a la primera del segundo es que en ella el sentido de la oración sustraída de la crítica no necesita ser valioso ni novedoso, ni aun meramente bueno; sólo es preciso que se lo pueda decir, por más que sea insólito, superfluo o inútil decirlo. En la chanza se sitúa en el primer plano la satisfacción de haber posibilitado lo que la crítica prohíbe.

Una mera chanza es, por ejemplo, la definición que da Schleiermacher [*supra*, pág. 35] de los celos {*Eifersucht*} como la pasión {*Leidenschaft*} que busca con celo {*mit Eifer sucht*} lo que hace padecer {*Leiden schafft*}. Una chanza fue la del profesor Kästner, quien en el siglo XVIII [12] enseñaba física en Gotinga —y hacía chistes—, cuando en la matriculación a uno de sus cursos preguntó la edad a un alumno de nombre *Kriegk* {*Krieg* = guerra}, y al responder este que tenía treinta años, dijo: «¡Ah! Tengo el honor de ver la Guerra {*Krieg*} de los Treinta Años» (Kleinpaul, 1890). Con una chanza respondió el maestro Rokitansky [13]

[12] [En la edición de 1905 rezaba aquí, erróneamente, «XVI».]
[13] [Carl Rokitansky (1804-1878) fue el fundador de la escuela vienesa de anatomía patológica.]

a la pregunta por las profesiones escogidas por sus cuatro hijos: «Dos curan {*heilen*} y dos aúllan {*heulen*}» (dos médicos y dos cantantes). La información era correcta y por ende inatacable; pero no agregaba nada que no estuviese ya contenido en la frase que incluimos entre paréntesis. Es inequívoco que la respuesta ha cobrado la otra forma sólo a causa del placer que se deriva de la unificación y de la homofonía de las dos palabras.

Creo que por fin vemos claro. En la apreciación de las técnicas del chiste nos perturbaba el hecho de que no eran exclusivas de este, a pesar de lo cual su esencia parecía depender de ellas, puesto que si se las eliminaba por la reducción desaparecían el carácter y el placer de chiste. Ahora notamos que lo que hemos descrito como las técnicas del chiste —y en cierto sentido debemos seguir llamándolas así— son más bien las fuentes de las que aquel obtiene el placer, y no hallamos asombroso que otros procedimientos aprovechen las mismas fuentes con igual fin. Pues bien, la técnica peculiar del chiste y exclusiva de él consiste en su procedimiento para asegurar el empleo de estos recursos dispensadores de placer contra el veto de la crítica, que cancelaría ese placer. Es poco lo que podemos enunciar con carácter general acerca de ese proceder; como ya dijimos, el trabajo del chiste se exterioriza en la selección de un material de palabras y unas situaciones de pensamiento tales que el antiguo juego con palabras y pensamientos pueda pasar el examen de la crítica, y para este fin se explotan con la máxima habilidad todas las peculiaridades del léxico y todas las constelaciones de la urdimbre de pensamientos. Acaso luego podamos caracterizar el trabajo del chiste mediante una determinada propiedad; por ahora queda sin explicar cómo es posible que se alcance la selección provechosa para el chiste. Pero la tendencia y operación de chiste —proteger de la crítica las conexiones de palabra y de pensamiento deparadoras de placer— se pone de manifiesto ya en la chanza como su rasgo esencial. Desde el comienzo su operación consiste en cancelar inhibiciones internas y en reabrir fuentes de placer que ellas habían vuelto inasequibles; hallaremos que ha permanecido fiel a este carácter a lo largo de todo su desarrollo.

Ahora estamos también en condiciones de señalar su posición correcta al factor del «sentido en lo sin sentido» (cf. la «Introducción», pág. 14), al que los autores atribuyen tan gran valor para caracterizar el chiste y esclarecer su efecto placentero. Los dos puntos firmes de su condicionamiento, su tendencia a abrir paso al juego placentero y su empeño en protegerlo de la crítica racional, explican por sí solos por qué cada chiste, si ante una visión se muestra como sin sentido, ante otra tiene que presentarse como provisto de sentido o al menos como admisible. De qué manera habrá de conseguirlo, es asunto del trabajo del chiste; cuando el chiste no es logrado, se lo desestimará justamente como «sinsentido» {«disparate»}. Pero nosotros no estamos constreñidos a derivar el efecto placentero del chiste de la querella entre los sentimientos que brotan a raíz de su sentido y de su simultáneo sinsentido, sea de manera directa, sea por vía del «desconcierto e iluminación» [págs. 14-5]. Y tampoco nos vemos obligados a tratar de averiguar cómo puede surgir placer de la alternancia entre el tener-por-un-sinsentido al chiste y el discernirlo-como-provisto-de-sentido. Su psicogénesis nos ha enseñado que el placer del chiste proviene del juego con palabras o de la liberación de lo sin sentido, y que el sentido del chiste sólo está destinado a proteger ese placer para que la crítica no lo cancele.

Así, el problema del carácter esencial del chiste ya quedaría explicado en la chanza. Ahora podemos examinar el ulterior desarrollo de la chanza hasta su culminación en el chiste tendencioso. La chanza, pues, está presidida por la tendencia a depararnos contento, y para ello le basta que su enunciado no sea un disparate ni aparezca por completo insostenible. Cuando ese enunciado es él mismo sostenible y valioso, la chanza se muda en *chiste*. Un pensamiento que habría merecido nuestro interés aun expresado en forma llana, ahora se viste con una forma que en sí y por sí no puede menos que excitar nuestra complacencia.[14] Debemos pensar que una conjugación como esa no se ha establecido sin un propósito, y nos empeñaremos entonces en colegir el que pudiera estar en la base de la formación del chiste. Nos pondrá sobre la pista una observación que ya hicimos antes como al pasar. Tenemos anotado, en efecto, que un buen

[14] Como ejemplo que permite discernir la diferencia entre chanza y chiste auténtico, valga el notable chiste en la expresión con que un miembro del «ministerio burgués» respondió en Austria a una pregunta por la solidaridad del gabinete: «¿Cómo podríamos solidarizarnos {*einstehen*} unos con otros si no podemos tolerarnos {*ausstehen*} unos a otros?». Técnica: múltiple acepción del mismo material con una modificación leve (en el sentido de una oposición); el pensamiento correcto y acertado es: «No existe solidaridad sin avenimiento personal». El sentido opuesto de la modificación (ein*stehen* – aus*stehen*) corresponde a la incompatibilidad aseverada por el pensamiento y le sirve como figuración. — [El «ministerio burgués» se hizo cargo del gobierno austríaco luego de establecerse la nueva Constitución de 1867, pero debido a discrepancias internas sólo duró un par de años. Cf. *La interpretación de los sueños* (1900a), *AE*, **4**, pág. 207.]

chiste nos causa, por así decir, una impresión global de complacencia sin que podamos diferenciar de una manera inmediata qué parte del placer proviene de la forma chistosa y cuál del acertado contenido de pensamiento (págs. 88-9). De continuo erramos respecto de esa distribución, sobrestimamos unas veces la bondad del chiste a consecuencia de la admiración que nos provoca el pensamiento contenido en él, y otras veces, a la inversa, tasamos en demasía el valor del pensamiento a causa del contento que nos depara la vestidura chistosa. No sabemos qué nos produce contento ni por qué reímos. Acaso sea esta incertidumbre de nuestro juicio, que aceptamos como un hecho, la que proporciona el motivo para la formación del chiste en el sentido genuino. El pensamiento busca el disfraz de chiste porque mediante él se recomienda a nuestra atención, puede parecernos así más significativo y valioso, pero sobre todo porque esa vestidura soborna y confunde a nuestra crítica. Estamos inclinados a acreditar al pensamiento lo que nos agradó en la forma chistosa, y desinclinados a hallar incorrecto —y así cegarnos una fuente de placer— algo que nos deparó contento. Si el chiste nos hace reír, ello establece además en nosotros la predisposición más desfavorable a la crítica, pues entonces, desde un punto, se nos ha impuesto aquel talante que ya el juego proveía y que el chiste se empeña en sustituir por todos los medios. Si bien ya dejamos establecido que un chiste así debe calificarse de inocente, no tendencioso todavía, no podemos desconocer que, en sentido estricto, sólo la chanza está exenta de tendencia, o sea, sirve al exclusivo propósito de producir placer. El chiste —aunque el pensamiento en él contenido esté desprovisto de tendencia, y por tanto sirva a intereses de pensamiento meramente teóricos— en verdad nunca está exento de tendencia; persigue el propósito segundo de promover lo pensado por medio de una magnificación y asegurarlo contra la crítica. Aquí vuelve a exteriorizar su naturaleza originaria contraponiéndose a un poder inhibidor y limitante, en este caso el juicio crítico.

Este primer empleo del chiste, que rebasa la producción de placer, nos indica el resto del camino. El chiste queda así discernido como un factor de poder psíquico cuyo peso puede decidir que se incline uno u otro platillo de la balanza. Las grandes tendencias y pulsiones de la vida anímica lo toman a su servicio para sus fines. El chiste, que en su origen estuvo exento de tendencia y empezó como un juego, se relaciona *secundariamente* con tendencias a las que a la larga no puede sustraérseles nada de lo que es formado en la vida anímica. Ya conocemos lo que era capaz de operar al servicio de las tendencias desnudadora, hostil, cínica y escéptica. En el chiste obsceno, que procede de la pulla indecente, convierte al tercero —originariamente perturbador de la situación sexual— en un cómplice ante quien la mujer debe avergonzarse, y lo logra sobornándolo mediante la comunicación de su ganancia de placer. En el caso de la tendencia agresiva, y con este mismo recurso, muda al oyente, que al comienzo era indiferente, en partícipe del odio o del desprecio, y así levanta contra el enemigo un ejército de opositores donde al principio sólo había uno. En el primer caso vence las inhibiciones de la vergüenza y del decoro mediante la prima de placer que ofrece; en el segundo, en cambio, torna a revocar el juicio crítico, que de otro modo habría sometido a examen el caso litigioso. En los casos tercero y cuarto, al servicio de la tendencia cínica y de la escéptica, desbarata el respeto por instituciones y verdades en que el oyente ha creído; lo hace, por una parte, reforzando el argumento, pero, por la otra, cultivando una nueva modalidad de ataque. En tanto que el argumento procura poner de su lado la crítica del oyente, el chiste se afana en derogar esa crítica. No hay duda de que el chiste ha escogido el camino psicológicamente más eficaz.

Mientras ensayábamos este vistazo panorámico sobre las operaciones del chiste tendencioso, se nos situó en primer plano lo que es más visible, a saber, el efecto del chiste sobre quien lo escucha. Empero, para entender el chiste son más significativas las operaciones que él consuma en la vida anímica de quien lo hace o, para decirlo de la única manera correcta, de aquel a quien se le ocurre. Ya una vez [pág. 94] concebimos el designio —y aquí hallamos ocasión de renovarlo— de estudiar los procesos psíquicos del chiste con referencia a su distribución entre dos personas. Provisionalmente expresaremos la conjetura de que, en la mayoría de los casos, el proceso psíquico incitado por el chiste es copia en el oyente del que sobreviene en el creador. Al obstáculo externo que debe ser superado en el oyente corresponde un obstáculo interno en el chistoso. En este último ha preexistido por lo menos la expectativa del obstáculo externo como una representación inhibidora. En ciertos casos es evidente el obstáculo interno superado por el chiste tendencioso; acerca de los chistes del señor N., por ejemplo, pudimos suponer (pág. 98) que no sólo posibilitaban al oyente el goce de la agresión mediante injurias, sino sobre todo a él mismo el producirlas. Entre las variedades de la inhibición interna o sofocación, hay una merecedora de nuestro particular interés por ser la más extendida; se la designa con el nombre de «represión» y se le discierne la operación de excluir del devenir-conciente tanto las mociones que sucumben a ella como sus retoños. Pues bien; nos enteraremos de que el chiste tendencioso sabe desprender placer aun de esas fuentes sometidas a la represión. Si de esta suerte, como antes indicamos, la superación de obstáculos externos se puede reconducir a la de obstáculos internos y represiones, es lícito decir que el chiste tendencioso muestra con la mayor claridad, entre todos los estadios de desarrollo del chiste, el carácter rector del trabajo del chiste: liberar placer por eliminación de inhibiciones. Refuerza las tendencias a cuyo servicio se pone aportándoles unos socorros desde mociones que se mantienen sofocadas, o directamente se pone al servicio de tendencias sofocadas.

Muy bien puede uno conceder que son estas las operaciones del chiste tendencioso, y a pesar de ello verse precisado a reparar en que uno no comprende de qué manera le es posible lograr esas operaciones. Su poder consiste en la ganancia de placer que extrae de las fuentes del jugar con palabras y del disparate liberado, y si uno debiera juzgar por las impresiones que ha recibido de las chanzas exentas de tendencia, no podría atribuir a ese placer un monto tan grande que tuviera la fuerza para cancelar inhibiciones y represiones arraigadas. De hecho, no estamos aquí frente a un simple efecto de fuerzas, sino a una enredada constelación de desencadenamiento. En lugar de mostrar el largo rodeo por el cual he llegado a inteligir esa constelación, intentaré exponerla por el atajo de la síntesis.

Fechner (1897, **1**, cap. V) ha postulado el «principio del recíproco valimiento estético, o incremento», que desarrolla con las siguientes palabras: «*De la conjunción no contradictoria entre condiciones de placer que separadas operarían poco resulta un placer mayor, a menudo mucho mayor del que correspondería al valor-placer de las condiciones singulares por sí, mayor del que pudiera explicarse como suma de los efectos separados; y mediante una conjunción de esa clase hasta puede alcanzarse un resultado positivo de placer, superarse el umbral de placer, no obstante ser demasiado débiles para ello los factores singulares; sólo que, comparados con otros, estos tienen que arrojar una ventaja registrable en materia de gusto*». (*Ibid.*, pág. 51. Las bastardillas son de Fechner.)

Creo que el tema del chiste no nos brindará muchas oportunidades para comprobar la corrección de este principio, que puede ser demostrado en gran número de otras formaciones estéticas. En el chiste hemos aprendido algo diverso, que al menos se sitúa en las proximidades de ese principio, a saber: si varios factores actúan conjugadamente para producir placer, no somos capaces de discernir la efectiva contribución de cada uno de ellos al resultado (cf. págs. 88-9). Ahora bien, uno puede concebir unas variaciones para la situación supuesta en el principio del recíproco valimiento, y plantear respecto de tales nuevas condiciones una serie de problemas merecedores de respuesta. ¿Qué acontece, en general, cuando en una misma constelación se conjugan unas condiciones de placer con unas de displacer? ¿De qué dependerá allí el resultado y el signo de este?

El del chiste tendencioso es un caso especial entre esas posibilidades. Preexistía una moción o aspiración que quería desprender placer de una determinada fuente, y lo habría conseguido de no mediar inhibición; junto a ella, existe otra aspiración que actúa en sentido contrario a ese desarrollo de placer, y entonces lo inhibe o sofoca. Como lo muestra el resultado, la corriente sofocadora tiene que ser un poco más fuerte que la sofocada, la cual, empero, no resulta cancelada por ello. Ahora entra en escena una tercera aspiración que desprendería placer de ese mismo proceso, si bien de otras fuentes, y que por ende actúa en el mismo sentido que la sofocada. ¿Cuál puede ser el resultado en tal caso?

Un ejemplo nos orientará mejor de lo que podría hacerlo esta esquematización. Tenemos la aspiración a insultar a cierta persona; pero tanto estorba el sentimiento del decoro, la cultura estética, que el insultar será por fuerza interceptado; y si, por ejemplo a consecuencia de un cambio en el estado afectivo o talante, se abriera paso a pesar de todo, esa irrupción de la tendencia insultadora se sentiría con posterioridad {*nachträglich*} como displacer. Por tanto, queda interceptado el insultar. En este punto se ofrece la posibilidad de extraer un buen chiste del material de palabras y pensamientos que sirven para el insulto, y por consiguiente de desprender placer de otras fuentes a las que no estorba la misma sofocación. Empero, este segundo desarrollo de placer sería interceptado si el insultar no se consintiera; pero toda vez que se lo deje correr, a él se conectará además el nuevo desprendimiento de placer. En el chiste tendencioso la experiencia muestra que en tales circunstancias la tendencia sofocada puede cobrar, por el valimiento del placer de chiste, la fortaleza que le permita vencer a la inhibición, de otro modo más fuerte que ella. Se insulta porque así se posibilita el chiste. Pero el gusto conseguido no es sólo el que el chiste produce; es incomparablemente mayor. Y siendo tanto más grande que el placer de chiste, nos vemos llevados a suponer que la tendencia hasta entonces sofocada pudo abrirse paso sin mengua alguna. Bajo tales circunstancias, se reirá de la manera más copiosa con el chiste tendencioso.[15]

Quizá mediante la indagación de las condiciones de la risa llegaremos a formarnos una representación más intuible del valimiento del chiste contra la sofocación. [Cf. *infra*, págs. 138 y sigs.] Pero ahora vemos que el del chiste tendencioso es un caso especial del principio del recíproco valimiento. Una posibilidad de desarrollo de placer se añade a una situación en que otra posibilidad de placer está estorbada de tal suerte que por sí sola esta última no produciría placer alguno; el resultado es un desarrollo de placer mucho mayor que el de la posibilidad que se añade. Esta última ha actuado, por así decir, como una *prima de incentivación*; por el valimiento de un pequeño monto de placer que se ofrece, se consigue uno mucho mayor, que de otro modo difícilmente se ganaría. Tengo buenas razones para conjeturar que este principio corresponde a una norma que rige en muchos ámbitos de la vida anímica, muy distantes entre sí, y considero adecuado designar *placer previo* al que sirve para desencadenar el desprendimiento de placer mayor, y llamar a aquel principio el *principio del placer previo*.[16]

Ahora podemos enunciar la fórmula para la modalidad de acción del chiste tendencioso: Se pone al servicio de tendencias para producir, por medio del placer de chiste en calidad de placer previo, un nuevo placer por la cancelación de sofocaciones y represiones. Si ahora echamos una ojeada panorámica, tenemos derecho a decir que el chiste permanece fiel a su esencia desde sus comienzos hasta su perfeccionamiento. Empieza como un juego para extraer placer del libre empleo de palabras y pensamientos. Tan pronto como una razón fortalecida le prohíbe ese juego con palabras por carente de sentido, y ese juego con pensamientos por disparatado, él se trueca en chanza para poder retener aquellas fuentes de placer y ganar uno nuevo por la liberación del

[15] [Una hipótesis similar para explicar el monto de afecto, con frecuencia exagerado, que se vivencia en los sueños había sido propuesta por Freud en *La interpretación de los sueños* (1900a), *AE*, **5**, págs. 475 y sigs.]

[16] [El mecanismo del placer previo tal como opera en el acto sexual fue tratado con extensión considerable por Freud en el tercero de los *Tres ensayos de teoría sexual* (1905d), *AE*, **7**, págs. 190 y sigs. También señaló su aplicación a las creaciones artísticas en «El creador literario y el fantaseo» (1908e), *AE*, **9**, pág. 135, así como en un trabajo anterior publicado póstumamente, «Personajes psicopáticos en el escenario» (1942a), *AE*, **7**, pág. 282, y en su *Presentación autobiográfica* (1925d), *AE*, **20**, pág. 61.]

disparate. Luego, como chiste genuino, exento todavía de tendencia, presta su valimiento a lo pensado y lo fortalece contra la impugnación del juicio crítico, para lo cual le es de utilidad el principio de la conjunción de las fuentes de placer; por último, aporta grandes tendencias, que entran en guerra con la sofocación, a fin de cancelar inhibiciones interiores siguiendo el principio del placer previo. La razón– el juicio crítico–la sofocación: he ahí, en su secuencia, los poderes contra los cuales guerrea; retiene las fuentes originarias del placer en la palabra y, desde el estadio de la chanza, se abre nuevas fuentes de placer mediante la cancelación de inhibiciones. Y en cuanto al placer que produce, sea placer de juego o de cancelación, en todos los casos podemos derivarlo de un ahorro de gasto psíquico, siempre que esta concepción no contradiga la esencia del placer y se demuestre fecunda también en otros aspectos.[17]

[17] Los chistes de disparate, que en el texto no han recibido la atención debida, merecen ser considerados con posterioridad.

A raíz del valor que nuestra concepción otorga al factor «sentido en lo sin sentido», se podría estar tentado de reclamar que todo chiste lo fuera de disparate. Pero ello no es necesario, porque sólo el juego con pensamientos lleva de manera inevitable al disparate; la otra fuente del placer de chiste, el juego con palabras, sólo ocasionalmente provoca esa impresión y por lo común no convoca la crítica conectada a ella. La doble raíz del placer de chiste —desde el juego con palabras y desde el juego con pensamientos, que se corresponde con la importantísima clasificación en chiste en la palabra y chiste en el pensamiento— constituye un sensible obstáculo a la formulación de tesis generales sobre el chiste. El juego con palabras da por resultado un manifiesto placer, a consecuencia de los factores ya enumerados del reconocimiento, etc., y sólo en mínima medida está expuesto a la sofocación a raíz de ese placer. El juego con pensamientos no puede estar motivado por un placer de esa índole; sucumbe a una sofocación muy enérgica, y el placer que puede brindar es sólo el placer de la inhibición cancelada; de acuerdo con ello, puede decirse que el placer de chiste muestra un núcleo de originario placer de juego y una envoltura de placer por cancelación. — Desde luego, no percibimos que el placer en el chiste de disparate se debe a que se ha logrado liberar un disparate a pesar de la sofocación, mientras que notamos sin más que jugar con palabras nos ha deparado placer. — En el caso de un chiste en el pensamiento, el disparate que perdura adquiere secundariamente la función de poner en tensión nuestra atención por medio del desconcierto; sirve como recurso de refuerzo para el efecto del chiste, pero sólo cuando es patente, de suerte que el desconcierto pueda anticiparse al entendimiento en un pequeño lapso nítido. Que el disparate en el chiste puede ser empleado para figurar un juicio contenido en el pensamiento, he ahí algo que han mostrado los ejemplos de págs. 54 y sigs. No obstante, tampoco es este el significado primario del disparate en el chiste.

[*Agregado* en 1912:] A los chistes de disparate se los puede hacer seguir de una serie de producciones semejantes a chistes, para las que falta un nombre adecuado, si bien reúnen méritos para la designación de «idiotez de apariencia chistosa». Son innumerables; sólo escogeré dos a modo de ejemplo: Estando a la mesa y al servírsele el pescado, un hombre mete por dos veces ambas manos en la mayonesa y se la desparrama por el cabello. Ante la mirada atónita de su vecino, parece percatarse de su error y se disculpa: «Perdón; creí que era espinaca». El segundo: «La vida es un puente colgante», dice uno. «¿Por qué?», pregunta el otro. «¿Qué se yo?», es la respuesta.

El efecto de estos ejemplos extremos se debe a que despiertan la expectativa del chiste, de suerte que uno se empeña en hallar el sentido escondido tras el disparate. Pero no se lo encuentra, son efectivamente un disparate. Aquel espejismo permitió liberar por un momento el placer en el disparate. Estos chistes no carecen por completo de tendencia; son «engañabobos», deparan cierto placer al que los relata en tanto despistan y enojan al oyente. Este último pone diques a su enojo con el designio de narrarlos, a su vez, a otros.

V. Los motivos del chiste.
El chiste como proceso social

Podría parecer superfluo referirse a los motivos del chiste, puesto que es preciso reconocer en el propósito de ·ganar placer el motivo suficiente del trabajo del chiste. Sin embargo, por una parte no está excluido que otros motivos participen en su producción y, además, con relación a ciertas notorias experiencias es inexcusable plantear el tema del condicionamiento subjetivo del chiste.

Sobre todo dos hechos lo vuelven obligatorio. Aunque el trabajo del chiste es un excelente camino para ganar placer desde los procesos psíquicos, harto se ve que no todos los seres humanos son capaces en igual manera de valerse de este medio. El trabajo del chiste no está a disposición de todos, y en generosa medida sólo de poquísimas personas, de las cuales se dice, singularizándolas, que tienen gracia {*Witz*}. «Gracia» aparece aquí como una particular capacidad, acaso dentro de la línea de las viejas «facultades del alma», y ella parece darse con bastante independencia de las otras: inteligencia, fantasía, memoria, etc. Por lo tanto, en las cabezas graciosas hemos de presuponer particulares disposiciones o condiciones psíquicas que permitan o favorezcan el trabajo del chiste.·

Me temo que en el sondeo de este tema no habremos de llegar muy lejos. Sólo aquí y allí conseguimos avanzar desde el entendimiento de un chiste hasta la noticia sobre sus condiciones subjetivas en el alma de quien lo hizo. A un azar se debe que justamente el ejemplo con que iniciamos nuestras indagaciones sobre la técnica del chiste nos permita también echar una mirada sobre su condicionamiento subjetivo. Me refiero al chiste de Heine, mencionado asimismo por Heymans y Lipps [cf. *supra*, pág. 18]:

«...tomé asiento junto a Salomon Rothschild y él me trató como a uno de los suyos, por entero *famillonarmente*» («Die Bäder von Lucca»).

Heine ha puesto esta frase en boca de una persona cómica, Hirsch-Hyacinth, de Hamburgo, agente de lotería, pedicuro y tasador, valet de cámara del noble barón Cristoforo Gumpelino (antes Gumpel). Es evidente que el poeta siente gran complacencia por esta criatura suya, pues le hace llevar la voz cantante y pone en sus labios las manifestaciones más divertidas y francotas; le presta la sabiduría práctica de un Sancho Panza, ni más ni menos. Uno no puede menos que lamentar que Heine, al parecer no proclive a la plasmación dramática, haya abandonado tan pronto a ese precioso personaje. En no pocos pasajes se nos antoja que a través de Hirsch-Hyacinth habla el poeta mismo tras una delgada máscara, y enseguida adquirimos la certidumbre de que esa persona no es más que una parodia que Heine hace de sí mismo. Hirsch cuenta las razones por las cuales dejó su nombre anterior y ahora se llama Hyacinth. «Además, tengo la ventaja —prosigue— de que hay ya una "H" en mi sello, y no necesito mandarme a grabar uno nuevo». Pero el propio Heine se había procurado ese ahorro cuando trocó su nombre de pila «Harry» por «Heinrich» al ser bautizado.[1] Ahora bien, cualquiera que esté familiarizado con la biografía del poeta recordará que tenía en Hamburgo, ciudad de la que hace oriundo a Hirsch-Hyacinth, un tío de igual apellido, quien, siendo la persona acaudalada de la familia, desempeñó importantísimo papel en su vida. Y ese tío se llamaba... *Salomon*, lo mismo que el viejo Rothschild, el que acogió tan «famillonarmente» al pobre Hirsch. Lo que en boca de Hirsch-Hyacinth parecía una mera broma muestra pronto un trasfondo de seria amargura si lo atribuimos al sobrino Harry-Heinrich. Claro que pertenecía a esa familia, y aun sabemos que era su ardiente deseo casarse con una hija de ese tío; pero la prima lo rechazó, y el tío lo trató siempre algo «famillonarmente», como pariente pobre. Los primos ricos de Hamburgo nunca lo aceptaron del todo; yo me acuerdo del relato de una vieja tía mía, emparentada por matrimonio con la familia Heine: siendo una joven y hermosa señora, se encontró en la mesa familiar, cierto día, vecina de un sujeto que le pareció desagradable y a quien los demás trataban con menosprecio. No se sintió movida a mostrarse afable con él; sólo muchos años después se enteró de que ese primo relegado y desdeñado era el poeta Heinrich Heine. Numerosos testimonios probarían cuánto hubo de sufrir Heine en su juventud, y aun más tarde, por esa desautorización de sus parientes ricos. Entonces, el chiste «famillonarmente» ha crecido en el suelo de esa profunda emoción subjetiva.

Acaso en muchos otros chistes del gran satírico se podrían conjeturar parecidas condiciones subjetivas, pero no sé de

[1] [Heine se bautizó cristiano a los 27 años de edad.]

135

otro ejemplo en que pudiera iluminárselas de un modo tan convincente; por eso andaríamos descaminados pretendiendo formular algo más preciso acerca de la naturaleza de esas condiciones personales; y por otra parte, no será nuestra primera inclinación reclamar para cada chiste unas condiciones genéticas tan complejas como esas. Tampoco en las producciones chistosas de otros hombres famosos nos resulta más fácil obtener la intelección buscada; tal vez uno reciba la impresión de que las condiciones subjetivas del trabajo del chiste no suelen distar mucho de las que presiden la contracción de una neurosis, por ejemplo si se entera de que Lichtenberg sufría de hipocondría grave y toda clase de rarezas lo aquejaban. La gran mayoría de los chistes, en particular los nuevos, producidos a raíz de las ocasiones del día, circulan anónimamente; podría intrigarnos averiguar a qué clase de gente se reconduce esa producción. Si como médico uno llega a conocer a una de estas personas que, aun no descollando en otros terrenos, poseen en su círculo fama de graciosas y autoras de muchos chistes felices, acaso le sorprenda descubrir que ese talento chistoso es una personalidad escindida y predispuesta a contraer neurosis. Pero la insuficiencia de los documentos nos disuadirá, ciertamente, de postular una constitución psiconeurótica semejante como condición regular o necesaria de la formación del chiste.

Un caso más trasparente lo proporcionan otra vez los chistes de judíos creados por los propios judíos, como ya hemos consignado, pues las historias sobre ellos de otro origen casi nunca superan el nivel del chascarrillo o la irrisión brutal (pág. 105). Aquí, como en el chiste «famillonarmente», de Heine, parece destacarse la condición de estar envuelto uno mismo, y el significado de esta última condición residiría en que así la persona halla estorbadas la crítica o agresión directas, que sólo mediante unos rodeos le resultan posibles.

Otras condiciones o favorecimientos subjetivos del trabajo del chiste son menos oscuros. El resorte que pulsiona a la producción de chistes inocentes es, no rara vez, el esfuerzo {*Drang*} ambicioso de hacer gala de espíritu, de ponerse en la escena, pulsión esta que debe ser equiparada a la exhibición en el ámbito sexual. La presencia de numerosas mociones inhibidas cuya sofocación ha acreditado cierto grado de labilidad constituirá la predisposición más favorable para producir el chiste tendencioso. Así, en particular, componentes singulares de la constitución sexual de un individuo pueden entrar como motivos de la formación del chiste. Toda una serie de chistes obscenos permite inferir la existencia en sus autores de una escondida inclinación exhibicionista; las personas que mejor hacen los chistes tendenciosos agresivos son aquellas en cuya sexualidad se registra un poderoso componente sádico, más o menos inhibido en su vida.

El otro hecho que nos invita a indagar el condicionamiento subjetivo del chiste [cf. pág. 134] es la experiencia, notoria para todos, de que nadie puede contentarse haciendo un chiste para sí solo. Es inseparable del trabajo del chiste el esfuerzo a comunicar este; y ese esfuerzo es incluso tan intenso que hartas veces se realiza superando importantes reparos. También en el caso de lo cómico depara goce la comunicación a otra persona; pero no es imperiosa, uno puede gozar solo de lo cómico dondequiera que lo encuentre. En cambio, se ve precisado a comunicar el chiste; el proceso psíquico de la formación del chiste no parece acabado con la ocurrencia de él; todavía falta algo que mediante la comunicación de la ocurrencia quiere cerrar ese desconocido proceso.

A primera vista no colegimos el eventual fundamento de esa pulsión a comunicar el chiste. Pero notamos en este último otra propiedad que vuelve a distinguirlo de lo cómico. Cuando me sale al paso lo cómico, es posible que me provoque franca risa; es verdad que también me alegra si puedo hacer reír a otro comunicándoselo. Pero del chiste que se me ha ocurrido, que yo he hecho, no puedo reír yo mismo, a pesar del inequívoco gusto que siento por él. Quizá mi necesidad de comunicar el chiste a otro se entrame de algún modo con ese efecto de risa denegado a mí, pero manifiesto en el otro.

Ahora bien, ¿por qué no río de mi propio chiste? ¿Y cuál es aquí el papel del otro?

Consideremos primero la segunda de esas preguntas. En lo cómico intervienen en general dos personas; además de mi yo, la persona en quien yo descubro lo cómico. En los casos en que los que me parecen cómicos son objetos del mundo, ello sólo ocurre por una suerte de personificación, no rara en nuestro representar. Al proceso cómico le bastan esas dos personas: el yo y la persona objeto; puede agregarse una tercera, pero no es necesaria. El chiste como juego con las propias palabras y pensamientos prescinde al comienzo de una persona objeto, pero ya en el estadio previo de la chanza, si ha logrado salvar juego y disparate del entredicho de la razón, requiere de otra persona a quien poder comunicar su resultado. Ahora bien, esta segunda persona del chiste no corresponde a la persona objeto, sino a la tercera persona, al otro de la comicidad. Pareciera que en la chanza se trasfiriese a la otra persona el decidir si el trabajo del chiste ha cumplido su tarea, como si el yo no se sintiera seguro de su juicio sobre ello. También el chiste inocente, reforzador del pensamiento, requiere del otro para comprobar si ha alcanzado su propósito. Y cuando el chiste se pone al servicio de tendencias desnudadoras u hostiles, puede ser descrito como un proceso psíquico entre tres personas; son las mismas que en la comicidad, pero es diverso el papel de la tercera: el proceso psíquico del chiste se consuma entre la primera (el yo) y la tercera (la persona ajena), y no como en lo cómico entre el yo y la persona objeto.

También en la tercera persona del chiste tropieza este último con unas condiciones subjetivas que pueden volver inalcanzable la meta de la excitación de placer. Shakespeare lo advierte (*Trabajos de amor perdidos*, acto V, escena 2):

> «*A jest's prosperity lies in the ear*
> *Of him that hears it, never in the tongue*
> *Of him that makes it...*».*

Alguien en quien reine un talante ajustado a pensamientos serios no es apto para corroborar que, en efecto, la chanza logró rescatar el placer en la palabra. Para constituirse en la tercera persona de la chanza tiene que encontrarse en un estado de talante alegre o al menos indiferente. Este mismo obstáculo se extiende al chiste inocente y al tendencioso; sin embargo, en este último emerge, como un nuevo obstáculo, la oposición a la tendencia a que el chiste quiere servir. La prontitud a reír de un chiste marcadamente obsceno no puede instalarse si el desnudamiento recae sobre un allegado de la tercera persona, a quien ella respeta; en una reunión de párrocos y pastores, nadie osaría aludir a la comparación que hace Heine de los sacerdotes católicos y protestantes con los empleados de un gran comercio y unos pequeños comerciantes, respectivamente [págs. 82-3]; y ante una platea de amigos devotos de mi oponente, las más chistosas invectivas que yo pudiera aducir contra él no se considerarían chistes, sino invectivas, provocarían indignación, no placer, en el auditorio. Algún grado de complicidad o cierta indiferencia, la ausencia de cualquier factor que pudiera provocar intensos sentimientos hostiles a la tendencia, es condición indispensable para que la tercera persona colabore en el acabamiento del proceso del chiste.

Pues bien; cuando no median esos obstáculos para el efec-

---

* {«Que una chanza prospere depende del oído / de quien la escucha, nunca de la lengua / de quien la hace...».}

to del chiste, sobreviene el fenómeno sobre el que versa nuestra indagación, o sea que el placer que el chiste ha deparado prueba ser más nítido en la tercera persona que en la autora del chiste. Debemos contentarnos con decir «más nítido» donde nos inclinaríamos a preguntar si el placer del oyente no es más intenso que el del formador del chiste; se entiende, en efecto, que carecemos de elementos para medir y comparar. Ahora bien, vemos que el oyente atestigua su placer mediante una risa explosiva tras haberle contado el chiste la primera persona, casi siempre, con gesto de tensa seriedad. Cuando yo vuelvo a contar un chiste que he escuchado, para no estropear su efecto debo comportarme en su relato exactamente como quien lo hizo. Así, cabe preguntar si desde este condicionamiento de la risa del chiste podemos extraer alguna inferencia retrospectiva sobre el proceso psíquico de su formación.

En este punto no puede ser nuestro propósito considerar todo cuanto se ha afirmado y publicado acerca de la naturaleza de la risa. Bastarían para disuadirnos de semejante empresa las palabras con que Dugas, un discípulo de Ribot, encabeza su libro *Psychologie du rire* (1902, pág. 1): «*Il n'est pas de fait plus banal et plus étudié que le rire; il n'en est pas qui ait eu le don d'exciter davantage la curiosité du vulgaire et celle des philosophes; il n'en est pas sur lequel on ait recueilli plus d'observations et bâti plus de théories, et avec cela il n'en est pas qui demeure plus inexpliqué. On serait tenté de dire avec les sceptiques qu'il faut être content de rire et de ne pas chercher à savoir pourquoi on rit, d'autant que peut-être la réflexion tue le rire, et qu'il serait alors contradictoire qu'elle en découvrît les causes*».*

En cambio, no dejaremos de utilizar para nuestros fines una opinión acerca del mecanismo de la risa que calza excelentemente en el círculo de nuestras ideas. Me refiero al intento de explicación que hace H. Spencer en su ensayo «The Physiology of Laughter» (1860). Según Spencer, la risa es un fenómeno de la descarga de excitación anímica y una prueba de que el uso psíquico de esa excitación ha tropezado repentinamente con un obstáculo. Describe con las siguien-

---

* {«No hay hecho más banal ni más estudiado que la risa; ninguno ha tenido el don de excitar más la curiosidad del vulgo y de los filósofos; sobre ninguno se han recogido más observaciones ni construido más teorías, y, con todo, ninguno permanece más inexplicado. Se estaría tentado de decir, con los escépticos, que hay que estar contento de reír y no tratar de saber por qué se ríe, tanto más cuanto que quizá la reflexión mata la risa y sería entonces contradictorio que descubriese sus causas».}

tes palabras la situación psicológica que desemboca en la risa: «*Laughter naturally results only when consciousness is unawares transferred from great things to small —only when there is what we may call a* descending *incongruity*».*[2]

En un sentido totalmente similar, ciertos autores franceses (Dugas) caracterizan la risa como una «*détente*», un fenómeno de distensión, y paréceme que también la fórmula de A. Bain [1865, pág. 250], «*Laughter a release from constraint*» {«La risa, una liberación del constreñimiento»},[3] diverge de la concepción de Spencer mucho menos de lo que pretenden hacernos creer ciertos autores.

Es cierto que sentimos la necesidad de modificar el pensamiento de Spencer, en parte concibiendo de manera más precisa las representaciones que contiene y, en parte, cambiándolas. Diríamos que la risa nace cuando un monto de energía psíquica antes empleado en la investidura {*Besetzung*} de cierto camino psíquico ha devenido inaplicable, de suerte que puede experimentar una libre descarga. Tengo en claro cuán «mala apariencia» nos echamos encima con esta formulación, pero, a fin de escudarnos, osaremos citar una acertada frase del escrito de Lipps sobre la comicidad y el humor (1898, pág. 71), que arroja luz no meramente sobre esos dos temas: «En definitiva, cada problema psicológico nos lleva a adentrarnos tanto en la psicología que, en el fondo, ninguno puede tratarse aislado». Los conceptos de

---

* {«La risa se produce naturalmente sólo cuando la conciencia es trasferida de manera indeliberada de cosas grandes a pequeñas, sólo cuando existe lo que podríamos llamar "incongruencia *descendente*"».}

[2] Diversos puntos de esta definición pedirían un examen a fondo en una indagación sobre el placer cómico; otros autores lo han emprendido ya, y por lo demás no es nuestra tarea aquí. — No me parece que Spencer haya dado una explicación feliz de la razón por la cual la descarga halla justamente aquellos caminos cuya excitación da por resultado la imagen somática de la risa. Respecto del tema (tratado con prolijidad antes y después de Darwin, pero nunca tramitado de una manera definitiva) del esclarecimiento fisiológico de la risa, y por tanto de la derivación o interpretación de las acciones musculares características de ella, querría brindar un único aporte. Que yo sepa, el gesto característico de sonreír, el estiramiento de las comisuras de la boca, aparece por primera vez en el lactante satisfecho y saciado cuando, adormecido, suelta el pecho. En ese caso es un correcto movimiento expresivo, pues corresponde a la resolución de no tomar más alimento; por así decir, figura un «basta» o más bien un «ya es demasiado». Acaso este sentido originario de la saciedad placentera procuró a la sonrisa, que sin duda es el fenómeno básico de la risa, su posterior nexo con los procesos de descarga placenteros.

[3] [Esta sentencia de Bain se cita erróneamente en todas las ediciones anteriores de *El chiste*, así: «...*a relief from restraint*» {«...un aligeramiento de la restricción»}. Empero, la leve diferencia de matiz no afecta lo que Freud quiere demostrar.]

«energía psíquica» y «descarga», y el abordaje de la energía psíquica como una cantidad, se me han convertido en hábitos de pensar desde que comencé a dar razón en términos filosóficos de los hechos de la psicopatología, y ya en *La interpretación de los sueños* (1900*a*) intenté, en armonía con Lipps, situar lo «eficaz genuinamente psíquico» en los procesos psíquicos en sí inconcientes, y no en los contenidos de conciencia.[4] Sólo cuando hablo de «investidura de caminos psíquicos» parezco distanciarme de los símiles usuales en Lipps. Las experiencias acerca de la desplazabilidad de la energía psíquica a lo largo de ciertas vías asociativas y acerca de la conservación, indestructible casi, de las huellas de procesos psíquicos me han sugerido, de hecho, ensayar esa figuración {*Verbildlichung*; también «ilustración»} de lo desconocido. Para evitar un malentendido debo agregar que no intento proclamar como esos tales caminos a células y haces, ni a los sistemas de neuronas que hoy hacen sus veces,[5] si bien es forzoso que esos caminos sean figurables, de una manera que aún no sabemos indicar, por unos elementos orgánicos del sistema nervioso.

Según nuestro supuesto, entonces, en la risa están dadas las condiciones para que experimente libre descarga una suma de energía psíquica hasta ese momento empleada como investidura; ahora bien, es cierto que no toda risa es indicio de placer, pero sí lo es la risa del chiste; esto nos inclinará a referir ese placer a la cancelación de la investidura mantenida hasta el momento. Cuando vemos que el oyente del chiste ríe, mientras que su creador no puede hacerlo, esto importa decirnos que en el oyente es cancelado y descargado un gasto de investidura, mientras que a raíz de la formación del chiste surgen obstáculos sea en la cancelación, sea en la

---

[4] Véanse las secciones «Sobre la fuerza psíquica», etc., en el capítulo VIII del citado libro de Lipps. «Es válida entonces la tesis general: Los factores de la vida psíquica no son los contenidos de conciencia, sino los procesos psíquicos en sí inconcientes. La tarea de la psicología, en caso de que no quiera limitarse a describir meros contenidos de conciencia, tiene que consistir entonces en inferir, desde la constitución de los contenidos de conciencia y de su concatenación temporal, la naturaleza de aquellos procesos inconcientes. La psicología tiene que ser una teoría de esos procesos. Empero, una psicología de esta índole pronto descubrirá que existen numerosas propiedades de esos procesos no representadas {*repräsentieren*} en los correspondientes contenidos de conciencia». (Lipps, 1898, págs. 123-4.) Véase también el capítulo VII de mi obra *La interpretación de los sueños* [*AE*, 5, págs. 599-602].

[5] [En verdad, diez años antes, en su «Proyecto de psicología» de 1895 (1950*a*), Freud había hecho una tentativa minuciosa pero abortada de demostrar precisamente esto.]

posibilidad de descarga. Difícil sería caracterizar mejor el proceso psíquico del oyente, de la tercera persona del chiste, que destacando que adquiere el placer del chiste con un ínfimo gasto propio. Por así decir, se lo regalan. Las palabras que oye del chiste generan en él de manera necesaria aquella representación o conexión de pensamientos cuya formación, también en su caso, habría tropezado con obstáculos internos igualmente grandes. Habría debido gastar empeño propio para producirlas espontáneamente como primera persona, al menos un gasto psíquico de magnitud correspondiente a la intensidad de la inhibición, sofocación o represión de ellas. Es este gasto psíquico lo que se ha ahorrado. Según nuestras anteriores elucidaciones (cf. pág. 114), diríamos que su placer está en correspondencia con ese ahorro. Según nuestra intelección del mecanismo de la risa diremos, más bien, que la energía de investidura empleada en la inhibición ha devenido de pronto superflua al producirse la representación prohibida siguiendo el camino de la percepción auditiva, y por eso está pronta a descargarse a través de la risa. En lo esencial ambas figuraciones desembocan en lo mismo, pues el gasto ahorrado corresponde exactamente a la inhibición que ha devenido superflua. Empero, la segunda es más plástica {*anschaulich*; «más intuible»}, pues nos permite decir que el oyente del chiste ríe con el monto de energía psíquica liberado por la cancelación de la investidura de inhibición; por así decir, ríe ese monto.

Si la persona en quien se forma el chiste no puede reír, ello indica, según decíamos, una desviación respecto del proceso que sobreviene a la tercera persona y atañe, ya sea a la cancelación de la investidura inhibidora, ya sea a la posibilidad de descargarla. Pero la primera de esas alternativas es desacertada, como acabamos de verlo. Es que también en la primera persona tiene que haber sido cancelada la investidura de inhibición; de lo contrario no se habría generado ningún chiste, cuya formación debió superar, en efecto, esa resistencia. Y también sería imposible que la primera persona sintiera el placer de chiste, que nos hemos visto precisados a derivar de la cancelación de la inhibición. Entonces sólo nos queda la segunda alternativa, a saber, que la primera persona no puede reír, aunque siente placer, porque le es estorbada la posibilidad de descarga. Ese estorbo en la descarga que es condición del reír puede deberse a que la energía de investidura liberada se aplique enseguida a otro uso endopsíquico. Es bueno que hayamos parado mientes en esta posibilidad; muy pronto nos seguirá interesando. Ahora bien, en la primera persona del chiste puede haberse realizado otra condición que lleve a igual resultado. Acaso no se liberó monto alguno de energía, susceptible de exteriorizarse, a pesar de que en efecto se haya cancelado la investidura de inhibición. Es que en la primera persona del chiste se consuma el trabajo del chiste, al cual por fuerza le corresponderá cierto monto de gasto psíquico nuevo. La primera persona aporta, pues, la fuerza misma que cancela la inhibición; de ahí resulta para ella seguramente una ganancia de placer, hasta muy considerable en el caso del chiste tendencioso, pues el propio placer previo ganado por el trabajo del chiste toma a su cargo la ulterior cancelación de la inhibición; no obstante, en todos los casos el gasto del trabajo del chiste se debita de la ganancia obtenida a raíz de la cancelación de la inhibición, ese mismo gasto que el oyente del chiste no tiene que solventar. En apoyo de esto que decimos se puede aducir todavía que el chiste pierde su efecto reidero aun en la tercera persona tan pronto como se la invita a hacer un gasto de trabajo de pensamiento. Las alusiones del chiste tienen que ser llamativas; las omisiones, fáciles de completar; al despertarse el interés del pensar conciente se imposibilita, por lo general, el efecto del chiste. En esto reside una importante diferencia entre chiste y acertijo. Es posible que la constelación psíquica en el curso del trabajo del chiste no favorezca en modo alguno la libre descarga de lo ganado. Parece que no estamos aquí en condiciones de obtener una intelección más profunda; hemos conseguido esclarecer mejor una de las partes de nuestro problema, a saber, por qué la tercera persona ríe, que la otra, la de averiguar por qué la primera persona no ríe.

Comoquiera que fuese, ahora podemos, ateniéndonos a estas intuiciones acerca de las condiciones del reír y del proceso psíquico sobrevenido a la tercera persona, esclarecernos de manera satisfactoria toda una serie de propiedades del chiste bien notorias, pero que no habían sido comprendidas. Para que en la tercera persona se libere un monto de energía de investidura susceptible de descarga tienen que llenarse, o son deseables como favorecedoras, varias condiciones: 1) Tiene que ser seguro que la tercera persona efectivamente realiza ese gasto de investidura. 2) Debe impedirse que este, una vez liberado, encuentre otro empleo psíquico en vez de ofrecerse a la descarga motriz. 3) No puede ser sino ventajoso que la investidura por liberar se refuerce antes todavía más en la tercera persona, se la eleve al máximo. A todos estos propósitos sirven ciertos recursos del trabajo del chiste que acaso pudiéramos reunir bajo el título de técnicas secundarias o auxiliares.

[1] La primera de esas condiciones define una de las aptitudes de la tercera persona como oyente del chiste. Es imprescindible que posea la suficiente concordancia psíquica con la primera persona como para disponer de las mismas inhibiciones internas que el trabajo del chiste ha superado en esta. Quien esté «sintonizado» en la pulla indecente no podrá derivar placer alguno de unos espirituales chistes desnudadores; no entenderían las agresiones del señor N. personas incultas, habituadas a dar rienda suelta a su placer de insultar. Así, cada chiste requiere su propio público, y reír de los mismos chistes prueba que hay una amplia concordancia psíquica. Por lo demás, hemos arribado aquí a un punto que nos permite colegir con mayor exactitud todavía el proceso en la tercera persona. Esta tiene que poder establecer dentro de sí de una manera habitual la misma inhibición que el chiste ha superado en la primera persona, de suerte que al oír el chiste se le despierte compulsiva o automáticamente el apronte de esa inhibición. Ese apronte inhibitorio, que yo debo aprehender como un gasto efectivo análogo a una movilización en el ejército, es al mismo tiempo discernido como superfluo o como tardío, y así descargado *in statu nascendi* por la risa.[6]

[2] La segunda condición para que se produzca la libre descarga, a saber, que se impida un empleo diverso de la energía liberada, parece con mucho la más importante. Proporciona el esclarecimiento teórico del incierto efecto que producirá el chiste cuando los pensamientos que expresa evoquen en quien lo oye unas representaciones intensamente excitadoras, dependiendo entonces de la armonía o la contradicción entre las tendencias del chiste, por un lado, y la serie de pensamientos que gobierne al oyente, por el otro, que la atención se mantenga en el proceso chistoso o se sustraiga de él. Empero, todavía mayor interés teórico merecen una serie de técnicas auxiliares del chiste que evidentemente sirven al propósito de restar por completo del proceso chistoso la atención del oyente, y hacer que trascurra de una manera automática. Digo adrede «automática» y no «inconciente», pues esta última designación sería errónea. Aquí sólo se trata de mantener alejado del proceso psíquico que sobreviene cuando se escucha el chiste el plus de investidura de atención; y la utilidad de estas técnicas auxiliares nos da derecho a conjeturar que precisamente la investidura de aten-

[6] El punto de vista del *status nascendi* ha sido aplicado por Heymans (1896) en un contexto algo diverso.

ción desempeña un considerable papel tanto en la supervisión como en el nuevo empleo de una energía de investidura liberada.

En general, no parece fácil evitar el empleo endopsíquico de unas investiduras que se han vuelto prescindibles, pues en los procesos de nuestro pensar nos ejercitamos de continuo en desplazar de un camino a otro tales investiduras, sin perder, por descarga, nada de su energía. El chiste se sirve para ese objeto de los siguientes recursos. En primer lugar, se afana por obtener una expresión lo más breve posible a fin de ofrecer escasos flancos a la atención. En segundo, observa la condición de una fácil inteligibilidad (cf. *supra* [pág. 143]); tan pronto reclamara reflexionar, seleccionar entre varios caminos de pensamiento, por fuerza pondría en peligro su efecto, no sólo por el inevitable gasto cogitativo, sino por el despertar de la atención. Pero además se vale del artificio de distraer esta última ofreciéndole en la expresión del chiste algo que la cautive, de suerte que entretanto pueda consumarse imperturbada la liberación de la investidura inhibidora, y su descarga. Ya las omisiones en el texto del chiste llenan ese propósito; incitan a llenar las lagunas y de esa manera consiguen apartar la atención del proceso del chiste. Aquí, en cierto modo, la técnica del acertijo, que atrae la atención [pág. 143], es puesta al servicio del trabajo del chiste. Más eficaces aún son las formaciones de una fachada, que hemos hallado sobre todo en muchos grupos de chistes tendenciosos (cf. págs. 99 y sigs.). Las fachadas silogísticas cumplen, de manera notable, el fin de retener la atención planteándole una tarea. Apenas empezamos a reflexionar sobre el defecto que pueda tener esa respuesta cuando ya reímos; nuestra atención ha sido tomada por sorpresa, ya se consumó la descarga de la investidura inhibidora liberada. Lo mismo vale para los chistes con fachada cómica, en que la comicidad hace las veces de auxiliar de la técnica del chiste. Una fachada cómica promueve el efecto del chiste en más de una manera; no sólo posibilita el automatismo del proceso chistoso encadenando la atención, sino que le aligera la descarga haciéndola preceder por una descarga de lo cómico. La comicidad produce aquí el mismo efecto que un placer previo sobornador; así comprendemos que muchos chistes puedan renunciar al placer previo producido por los otros recursos del chiste y servirse sólo de lo cómico como placer previo. Entre las técnicas específicas del chiste son en especial el desplazamiento y la figuración por lo absurdo las que, además de su idoneidad en otros aspectos, procuran esa distracción de la atención, deseable para el decurso automático del proceso chistoso.[7]

Ya vislumbramos, y luego podremos inteligir mejor, que en esa condición de desvío de la atención hemos descubierto un rasgo nada trivial para el proceso psíquico de quien escucha el chiste.[8] Relacionadas con ese rasgo podemos comprender todavía otras cosas. La primera, cómo es que en el chiste casi nunca sabemos de qué reímos, aunque podamos establecerlo mediante una indagación analítica. Esa risa es, justamente, el resultado de un proceso automático sólo posibilitado por el alejamiento de nuestra atención conciente. La segunda: entendemos ahora la propiedad del chiste de producir su pleno efecto sobre el oyente sólo cuando le resulta nuevo, cuando le sale al paso como una sorpresa. Esta

[7] En un ejemplo de chiste por desplazamiento, quiero elucidar todavía otro interesante carácter de la técnica del chiste. De la genial actriz Gallmeyer se cuenta que cierta vez, ante la indeseada pregunta «¿Edad?», respondió, «en el tono de una Margarita y con los ojos bajos, en actitud vergonzosa: "En Brno"». He ahí el modelo de un desplazamiento; preguntada por su edad, ella responde indicando su lugar de nacimiento, anticipándose de tal modo a la siguiente pregunta y dando a entender: «Querría omitir esa pregunta». Y sin embargo sentimos que el carácter de chiste no se expresa aquí imperturbado. La omisión de la pregunta es demasiado clara, el desplazamiento demasiado llamativo. Nuestra atención comprende enseguida que se trata de un desplazamiento deliberado. En los otros chistes por desplazamiento, este último está disfrazado, nuestra atención es cautivada por el empeño de comprobarlo. En un chiste por desplazamiento (pág. 53), la respuesta a la recomendación de montar un corcel, «¿Y qué hago yo en Presburgo a las 6 y media de la mañana?», es también llamativa, pero en cambio obra confundiendo la atención como un disparate, mientras que escuchando a la actriz enseguida discernimos su expresión de desplazamiento. — [*Agregado* en 1912:] En otra dirección divergen del chiste las llamadas «adivinanzas jocosas» {«*Scherzfragen*»}, aunque por lo demás pueden valerse de las mejores técnicas. Un ejemplo de adivinanza jocosa con técnica de desplazamiento es el siguiente: «¿Qué es un caníbal que se ha comido a su padre y a su madre?». — Respuesta: «Huérfano». — «¿Y si se ha comido también a todos sus otros parientes?». — «Heredero universal». — «Y semejante monstruo, ¿dónde hallará aún simpatía?». — «En el diccionario, bajo la letra "S"». Las adivinanzas jocosas no son chistes plenos porque las respuestas chistosas pedidas no pueden adivinarse como las alusiones, omisiones, etc., del chiste. — [Josefine Gallmeyer (1838-1884) era una actriz de comedia sumamente popular en Viena.]

[8] [Freud puntualizó luego que la técnica de distraer la atención es también utilizada en la sugestión hipnótica. Cf. *Psicología de las masas y análisis del yo* (1921*c*), *AE*, **18**, págs. 119-20. Asimismo, en su trabajo póstumo sobre «Psicoanálisis y telepatía» (1941*d*), *AE*, **18**, pág. 176, escrito en 1921, expresó que el mismo mecanismo operaba en ciertos casos de adivinación del pensamiento. Un primer indicio de sus ideas acerca de este procedimiento es tal vez el que aparece en la explicación de su «técnica de la presión sobre la frente», en su contribución a *Estudios sobre la histeria* (1895*d*), *AE*, **2**, págs. 277-8.]

propiedad del chiste, que condiciona su carácter efímero e incita a producir nuevos y nuevos chistes, deriva evidentemente de que es propio de una sorpresa o un asalto imprevisto no prevalecer la segunda vez. Y desde aquí se nos abre el entendimiento del esfuerzo {*Drang*} que lleva a contar el chiste escuchado a otros que aún no lo conocen. Es probable que la impresión que el chiste produce al recién iniciado devuelva una parte de la posibilidad de goce ausente por la falta de novedad. Y acaso un motivo análogo pulsionó al creador del chiste a comunicarlo a los otros.

[3] Como favorecedores —aunque ya no como condiciones— del proceso chistoso cito, en tercer lugar, aquellos recursos técnicos auxiliares del trabajo del chiste cuya finalidad es elevar el monto destinado a descargarse, y de ese modo incrementar su efecto. Es verdad que la mayoría de las veces acrecientan también la atención dedicada al chiste, pero vuelven inocuo su influjo cautivándola al mismo tiempo e inhibiendo su movilidad. Todo cuanto produzca interés y desconcierto operará en ambas direcciones: en especial, lo disparatado, así como la oposición, el «contraste de representación» [págs. 13-4] que muchos autores pretenden convertir en el carácter esencial del chiste, pero en el cual yo no puedo discernir otra cosa que un medio de reforzar su efecto. Todo lo desconcertante convoca en el oyente aquel estado de distribución de la energía que Lipps ha designado «estasis psíquica» [pág. 114]; sin duda este autor acierta también cuando supone que el «aligeramiento» resultará tanto más intenso cuanto más elevada sea la estasis previa. Es verdad que esa figuración de Lipps no se refiere de manera expresa al chiste, sino a lo cómico en general; pero puede parecernos harto probable que la descarga en el chiste, que aligera una investidura de inhibición, sea igualmente llevada al máximo por la estasis.

Ahora nos percatamos de que la técnica del chiste está comandada en general por dos clases de tendencias: las que posibilitan la formación del chiste en la primera persona, y otras destinadas a garantizarle el máximo efecto de placer posible en la tercera persona. Su rostro de Jano, que asegura su originaria ganancia de placer contra la impugnación de la racionalidad crítica, así como el mecanismo del placer previo, pertenecen a la primera tendencia; la ulterior complicación de la técnica mediante las condiciones expuestas en este capítulo se produce por miramiento a la tercera persona del chiste. Así, el chiste es como un pillastre de dos caras, que sirve al mismo tiempo a dos señores. Todo cuanto en el chiste apunta a la ganancia de placer es atribuible a la tercera persona, como si unos obstáculos interiores insuperables la estorbaran en la primera. Se tiene de este modo la impresión de que esa tercera persona es indispensable para la consumación del proceso chistoso. Ahora bien, mientras que hemos obtenido una visión bastante buena de la naturaleza de ese proceso en la tercera persona, sentimos que todavía permanece envuelto en sombras el proceso correspondiente en la primera. De las dos preguntas [pág. 137]: «¿Por qué no podemos reír del chiste hecho por nosotros mismos?» y «¿Por qué nos vemos pulsionados a contar nuestro propio chiste al otro?», a la primera no hemos conseguido aún darle respuesta. Sólo podemos conjeturar que entre esos dos hechos por esclarecer existe un íntimo nexo, y nos vemos precisados a comunicar nuestro chiste al otro *porque* nosotros mismos no somos capaces de reír por él. Desde nuestras intelecciones sobre las condiciones de la ganancia y descarga de placer en la tercera persona podemos extraer, respecto de la primera, la inferencia retrospectiva de que en ella faltan las condiciones de la descarga, mientras que las de la ganancia de placer acaso se llenen sólo incompletamente. No es entonces desechable la idea de que completamos nuestro placer obteniendo la risa, imposible para nosotros, por el rodeo de la impresión de la persona a quien movemos a reír. Reímos en cierto modo «*par ricochet*» {«de rebote»}, como lo expresa Dugas. El reír se cuenta entre las exteriorizaciones en alto grado contagiosas de estados psíquicos; cuando muevo al otro a reír comunicándole mi chiste, en verdad me sirvo de él para despertar mi propia risa, y de hecho se puede observar que quien primero cuenta el chiste con gesto serio, luego acompaña la carcajada del otro con una risa moderada. Entonces, la comunicación de mi chiste al otro acaso sirva a varios propósitos: en primer lugar, proporcionarme la certidumbre objetiva de que el trabajo del chiste fue logrado; en segundo, complementar mi propio placer por el efecto retroactivo de ese otro sobre mí, y en tercero —al repetir un chiste no producido por uno mismo—, remediar el menoscabo que experimenta el placer por la ausencia de novedad.

Al concluir estas elucidaciones sobre los procesos psíquicos del chiste en tanto se desenvuelven entre dos personas, podemos arrojar una mirada retrospectiva hacia el factor del ahorro, que desde nuestro primer esclarecimiento sobre la técnica del chiste entrevimos como sustantivo para su concepción psicológica. Ha tiempo que hemos superado la concepción más evidente, pero también la más trivial, de este ahorro, a saber, que con él se trata de evitar un gasto psíquico en general, lo cual se conseguiría por la mayor limitación posible en el uso de palabras y en el establecimiento de nexos en lo pensado. Ya entonces nos dijimos: lo sucinto y lacónico no es todavía chistoso [pág. 43]. La brevedad del chiste es una brevedad particular; justamente, «chistosa». Es cierto que la originaria ganancia de placer que procuraba el juego con palabras y pensamientos procedía de un mero ahorro de gasto, pero con el desarrollo del juego hasta el chiste también la tendencia a la economía debió replantear sus metas, pues es claro que frente al gasto gigantesco de nuestra actividad de pensar perdería toda importancia lo que se ahorrara por usar las mismas palabras o evitar una nueva ensambladura de lo pensado. Podemos permitirnos comparar la economía psíquica con una empresa comercial. En esta, mientras el giro de negocios es exiguo, sin duda interesa que en total se gaste poco y los gastos de administración se restrinjan al máximo. La rentabilidad depende todavía del nivel absoluto del gasto. Luego, ya crecida la empresa, cede la significatividad de los gastos de administración; ya no interesa el nivel que alcance el monto del gasto con tal que el giro y las utilidades puedan aumentarse lo bastante. Ocuparse de refrenar el gasto de administrarla sería ocuparse de nimiedades, y aun una directa pérdida. Pero importaría un error suponer que, dada la magnitud absoluta del gasto, ya no queda espacio para la tendencia al ahorro. Ahora la mentalidad ahorrativa del dueño se volcará a los detalles y se sentirá satisfecha si puede proveer con costas menores a una función que antes las demandaba mayores, por pequeño que pudiera parecer ese ahorro en comparación al nivel total del gasto. De manera por entero semejante, también en nuestra complicada empresa psíquica el ahorro en los detalles sigue siendo una fuente de placer, como sucesos cotidianos nos lo pueden demostrar. Quien debía iluminar su habitación con una lámpara de gas y ahora instala luz eléctrica registrará un nítido sentimiento de placer al accionar la perilla, mientras permanezca vivo en él el recuerdo de los complejos manejos que se requerían para encender la lámpara de gas. Así también seguirán siendo una fuente de placer para nosotros los ahorros de gasto de inhibición psíquica que el chiste produce, aunque ellos sean ínfimos en comparación con el gasto psíquico total; en efecto, por ellos se ahorra un cierto gasto que estamos habituados a hacer y que también esta vez nos aprontábamos a realizar. El aspecto de ser esperado el gasto, un gasto para el cual uno se prepara, pasa inequívocamente al primer plano.

Un ahorro localizado como el que acabamos de considerar nos deparará ineludiblemente un placer momentáneo, pero no podrá agenciarnos alivio duradero si lo aquí ahorrado puede hallar empleo en otro sitio. Sólo si puede evitarse ese uso en otro lugar, el ahorro especial vuelve a trasmudarse en un alivio general del gasto psíquico. Así, con una mejor intelección de los procesos psíquicos del chiste, el factor del alivio remplaza al del ahorro. Es evidente que es aquel el que proporciona el mayor sentimiento de placer. El proceso sobrevenido en la primera persona del chiste produce placer por cancelación de una inhibición, rebaja del gasto local; sólo que no parece aquietarse hasta alcanzar el alivio general mediante la descarga, por la mediación de la tercera persona interpolada.

C. Parte teórica

VI. El vínculo del chiste con el sueño y lo inconciente

Al final del capítulo donde se procuró descubrir la técnica del chiste dijimos (pág. 84) que los procesos de condensación con formación sustitutiva y sin ella, de desplazamiento, de figuración por un contrasentido y por lo contrario, de figuración indirecta, etc., que según hallamos cooperaban en la producción del chiste, muestran muy amplias coincidencias con los procesos del «trabajo del sueño»; allí nos reservamos, por un lado, estudiar con mayor cuidado esas semejanzas y, por el otro, explorar lo común entre chiste y sueño que así parece insinuarse. Nos facilitaría mucho el desarrollo de esa comparación que pudiéramos dar por sabido uno de los términos de ella —el «trabajo del sueño»—. Pero quizá mejor no hagamos ese supuesto; he recibido la impresión de que mi obra *La interpretación de los sueños*, publicada en 1900, produjo entre mis colegas más «desconcierto» que «iluminación», y sé que vastos círculos de lectores se han contentado con reducir el contenido del libro a una consigna («cumplimiento de deseo») que se retiene con facilidad y se presta a cómodos abusos.

Luego he seguido ocupándome de los problemas allí tratados, para lo cual me brindó abundantes ocasiones mi actividad médica como psicoterapeuta; y debo decir que no he hallado nada que me exigiera alterar o mejorar mis argumentaciones, y por eso puedo aguardar tranquilo a que al fin mis lectores me entiendan o bien una crítica perspicaz me demuestre los errores básicos de mi concepción. A efectos de compararlo con el chiste, repetiré aquí en apretada síntesis lo más indispensable acerca del sueño y del trabajo del sueño.

Tenemos noticia del sueño por el recuerdo de él que nos acude tras despertar y las más de las veces nos parece fragmentario. Es entonces una ensambladura de impresiones sensoriales, casi siempre visuales (pero también de otra índole), que nos han espejado un vivenciar y entre las que pueden haberse mezclado unos procesos de pensamiento (el «saber» en el sueño) y exteriorizaciones de afecto. Llamo «*contenido manifiesto del sueño*» a lo que así recordamos como sueño.

A menudo es por completo absurdo y confuso; otras veces sólo es lo uno o lo otro. Pero aun cuando sea en todas sus partes coherente —así sucede en muchos sueños de angustia—, se contrapone a nuestra vida anímica como algo ajeno, acerca de cuyo origen uno no atina a dar ninguna razón. Hasta ahora se había buscado en el sueño mismo el esclarecimiento de estos caracteres suyos, viéndoselos como indicios de una actividad desarreglada, disociada y por así decir «adormecida» de los elementos nerviosos.

Yo, en cambio, he demostrado que ese tan raro contenido «manifiesto» del sueño puede volverse comprensible de una manera regular como la retrascripción mutilada y cambiada de ciertas formaciones psíquicas correctas que merecen el nombre de *pensamientos oníricos latentes*. Se toma conocimiento de estos últimos descomponiendo el contenido manifiesto del sueño, sin miramiento por su eventual sentido aparente, en sus ingredientes y persiguiendo luego los hilos asociativos que parten de cada uno de esos elementos así aislados. Estos se urden entre sí y al fin conducen a una ensambladura de pensamientos que no sólo son correctos en todos sus puntos, sino que con facilidad los podemos insertar en nuestra familiar trabazón de procesos anímicos. Por el camino de este «análisis» se han eliminado del contenido del sueño todas sus sorprendentes rarezas; pero para llevarlo a buen término debemos rechazar con denuedo, mientras estamos empeñados en él, las objeciones críticas que de continuo quieren estorbar la reproducción de las asociaciones singulares que se ofrecen.

De la comparación entre el contenido manifiesto del sueño recordado y los pensamientos latentes así descubiertos se obtiene el concepto de *«trabajo del sueño»*. Este designa la íntegra suma de los procesos trasmudadores que trasportaron los pensamientos oníricos latentes hasta el sueño manifiesto. Ahora bien, es al trabajo del sueño al que adhiere la extrañeza que antes nos había provocado el sueño.

A su vez, la operación del trabajo del sueño puede describirse del siguiente modo: Una ensambladura de pensamientos, las más de las veces muy complicada, que se edificó en el curso del día y no fue llevada a su tramitación —un *resto diurno*—, retiene aún durante la noche el monto de energía —el interés— que reclamaba y amenaza perturbar el dormir. El trabajo del sueño muda ese resto diurno en un sueño volviéndolo inocuo para el dormir. Para ofrecer asidero a aquel trabajo, el resto diurno tiene que ser susceptible de una formación de deseo, condición esta de cumplimiento no precisamente difícil. El deseo procedente de los pensamientos oníricos forma el estadio previo y luego el núcleo del sueño. La experiencia recogida en los análisis —no la teoría del sueño— nos dice que en el niño basta, para formar un sueño, un deseo cualquiera pendiente de la vigilia; ese sueño se muestra luego entramado y provisto de sentido, pero las más de las veces es breve y con facilidad se lo discierne como un «cumplimiento de deseo». En el adulto, parece condición de universal vigencia para el deseo creador del sueño que sea ajeno al pensar conciente, vale decir, un deseo reprimido, o bien que pueda tener unos refuerzos desconocidos para la conciencia. Sin el supuesto de lo inconciente en el sentido que antes expusimos [pág. 141] yo no sabría llevar más adelante la teoría del sueño ni interpretar el material de experiencia que ofrecen los análisis de sueños. Pues bien; la injerencia de ese deseo inconciente en el material de pensamientos oníricos, material correcto en los términos de la conciencia, es la que produce el sueño. Este último es, por así decir, arrastrado hacia abajo, hacia lo inconciente; dicho con mayor exactitud: sometido a un tratamiento que es corriente en el estadio de los procesos cogitativos inconcientes, y característico de ese estadio. Hasta ahora es sólo desde los resultados del «trabajo del sueño», precisamente, como tenemos noticia sobre los caracteres del pensar inconciente y su diferencia respecto del pensar «preconciente» susceptible de conciencia.

Es harto difícil que en una exposición apretada gane en claridad una doctrina novedosa, nada simple y que contradice la manera usual de pensar. Por eso con estas explicaciones no puedo pretender otra cosa que remitir al tratamiento más detallado de lo inconciente en mi libro *La interpretación de los sueños* y a los trabajos de Lipps, que juzgo de gran valía. Bien lo sé: quienes estén cautivos dentro del círculo de una buena formación académica en filosofía, o rindan lejano vasallaje a uno de los sistemas llamados filosóficos, contrariarán el supuesto de lo «psíquico inconciente» en el sentido de Lipps y en el que yo mismo le atribuyo, y aun querrán probar su imposibilidad a partir de la definición misma de lo psíquico. Pero las definiciones son convencionales y se pueden modificar. A menudo he hecho la experiencia de personas que impugnaban lo inconciente por absurdo o imposible, y no habían recogido sus impresiones de las fuentes de donde, al menos para mí, dimanó el constreñimiento a aceptarlo. Estos opositores de lo inconciente nunca habían presenciado el efecto de una sugestión poshipnótica, y les provocaba el mayor de los asombros lo que yo les comunicaba como muestra de mis análisis de neuróticos no hipnotizados. Nunca se habían hecho cargo de que lo inconciente es algo que real y efectivamente uno no sabe, a la vez que se ve precisado a completarlo mediante unas inferencias concluyentes; en verdad, lo entendían como algo susceptible de conciencia que a uno no se le había pasado por la cabeza y no estaba en el «centro de la atención». Tampoco habían intentado convencerse de la existencia de esos pensamientos inconcientes en su propia vida anímica mediante análisis de un sueño propio, y toda vez que yo lo ensayaba con ellos, sólo asombrados y confusos podían acoger sus propias ocurrencias. Además, he tenido la impresión de que el supuesto de lo inconciente tropieza con resistencias esencialmente afectivas, fundadas en que nadie quiere tomar conocimiento de su inconciente, siendo lo más cómodo desconocer por completo su posibilidad.

El trabajo del sueño, pues, al que vuelvo tras esta digresión, somete a una elaboración peculiarísima el material de lo pensado, puesto en el modo desiderativo. Primero da el paso del desiderativo al presente de indicativo, sustituye el «¡cómo me gustaría!» por un «es». Ese «es» está destinado a la figuración alucinatoria, que yo he designado como la «regresión» del trabajo del sueño; es el camino que va de los pensamientos a las imágenes perceptivas o, si queremos expresarlo con referencia a la todavía desconocida tópica —no se la entienda en sentido anatómico— del aparato anímico, de la comarca de las formaciones de pensamiento a la de las percepciones sensoriales. Por este camino, contrapuesto a la dirección siguiendo la cual evolucionan las complicaciones anímicas, los pensamientos oníricos ganan en lo intuitivo; al fin resulta una situación plástica como núcleo de la «imagen onírica» manifiesta. Para alcanzar esa figurabilidad, los pensamientos del sueño han debido experimentar hondas trasfiguraciones de su expresión. Pero en el curso de la mudanza retrocedente de los pensamientos en imágenes sensoriales les sobrevienen además otras alteraciones que en parte nos resultan comprensibles como cosa necesaria, y en parte nos sorprenden. Como un necesario efecto colateral de la regresión, bien se entiende que para el sueño manifiesto han de perderse casi todas las relaciones internas que daban articulación a lo pensado. El trabajo del sueño sólo recoge en la figuración el material en bruto de las representaciones, por así decir, y no los nexos cognitivos que mantenían unas con otras; o al menos se toma la libertad de prescindir de estos nexos. Hay en cambio otra pieza del trabajo del sueño que no podemos derivar de la regresión, de la mudanza retrocedente en imágenes sensoriales; es justamente aquella

que más valiosa nos resulta para la analogía con la formación
del chiste. El material de los pensamientos oníricos experimenta en el curso del trabajo del sueño una compresión
{*Zusammendrängung*, «esfuerzo de juntura»} o *condensación* a todas luces extraordinaria. Sus puntos de partida
son las relaciones de comunidad presentes en el interior de
los pensamientos oníricos por casualidad o en virtud de
su contenido; y como por regla general ellas no bastan para
una condensación extensa, en el trabajo del sueño son creadas nuevas relaciones de comunidad, artificiales y pasajeras,
y a ese fin se aprovechan de preferencia palabras en cuya
fonética coinciden varios significados. Las comunidades de
condensación recién creadas entran en el contenido manifiesto del sueño como representantes {*Repräsentant*} de los
pensamientos oníricos, de suerte que un elemento del sueño
corresponde a un punto nodal y de entrecruzamiento de
aquellos, con referencia a los cuales se lo debe llamar, en
términos generales, «sobredeterminado». El hecho de la condensación es la pieza del trabajo del sueño que con mayor
facilidad se discierne; basta comparar el texto de un sueño
consignado por escrito con la trascripción de los pensamientos oníricos alcanzados mediante análisis para formarse una
impresión de la vastedad de la condensación onírica.

Menos fácil es convencerse de la segunda gran alteración
operada por el trabajo del sueño en los pensamientos oníricos, el proceso que yo he llamado *desplazamiento* {descen-
tramiento} en el sueño. Se exterioriza en que lo que está
en situación central en el sueño manifiesto y emerge con
gran intensidad sensorial, en los pensamientos oníricos era
periférico y accesorio; y a la inversa. De esa manera el sueño
aparece desplazado {descentrado} respecto de los pensamientos oníricos, y justamente a este desplazamiento se debe
que se presente ajeno e incomprensible a la vida anímica
despierta. Para que se produjera semejante desplazamiento
debería ser posible que la energía de investidura pasara de
las representaciones importantes a las no importantes sin inhibición alguna, lo cual en el pensar normal susceptible de
conciencia sólo provocaría la impresión de una «falacia».

Trasmudación en algo figurable, condensación y desplazamiento son las tres grandes operaciones que podemos
atribuir al trabajo del sueño. Una cuarta, acaso tratada demasiado brevemente en *La interpretación de los sueños*, no
cuenta para nuestros actuales fines.[1] En un desarrollo con-

[1] [La «elaboración secundaria». Cf. *La interpretación de los sueños*
(1900*a*), *AE*, **5**, págs. 485 y sigs. En otros lugares, sin embargo, Freud
opina que *no* constituye una parte del trabajo del sueño; véase, por

157

secuente de las ideas sobre la «tópica del aparato anímico» y la «regresión» —y sólo un desarrollo así conferiría su pleno valor a esas hipótesis de trabajo— habría que tratar de definir las estaciones de la regresión en que se consuman las diversas trasmudaciones de los pensamientos oníricos. Ese intento aún no se ha emprendido seriamente; pero al menos acerca del desplazamiento cabe indicar con certeza que debe consumarse en el material de lo pensado mientras se encuentra en el estadio de los procesos inconcientes. En cuanto a la condensación, uno se la tiene que representar probablemente como un proceso que se extiende por todo el trayecto hasta alcanzar la región de la percepción, pero en general será preciso contentarse con el supuesto de un efecto simultáneo de todas las fuerzas que participan en la formación del sueño. A pesar de la cautela que desde luego hay que guardar en el tratamiento de estos problemas, y respetando los reparos de principio, que no entraremos a considerar aquí, sobre un planteo semejante,[2] yo aventuraría tal vez la tesis de que el proceso del trabajo del sueño, preparatorio de este último, ha de situarse en la región de lo inconciente. Así, en términos gruesos, cabría distinguir tres estadios en la formación del sueño: primero, el traslado de los restos diurnos preconcientes a lo inconciente, en lo cual no pueden menos que colaborar las condiciones del estado del dormir; segundo, el genuino trabajo del sueño en lo inconciente, y tercero, la regresión del material onírico así elaborado hasta la percepción, en calidad de la cual el sueño deviene conciente.

Como fuerzas que participan en la formación del sueño se puede discernir: el deseo de dormir, la investidura energética que los restos diurnos siguen poseyendo aun tras su degradación por el estado del dormir, la energía psíquica del deseo inconciente formador del sueño, y la fuerza contrarrestante de la «censura» que gobierna la vida de vigilia, aunque no es cancelada por completo durante el dormir. Tarea de la formación del sueño es sobre todo vencer la inhibición impuesta por la censura, y justamente esa tarea se soluciona mediante los desplazamientos de la energía psíquica dentro del material de los pensamientos oníricos.

Ahora acordémonos de la ocasión que nos sugirió indagar el chiste con relación al sueño. Hallamos que el carácter y el

ejemplo, «Dos artículos de enciclopedia: "Psicoanálisis" y "Teoría de la libido"» (1923*a*), *AE*, **18**, pág. 237.]

[2] [Probable alusión a la insuficiencia de un enfoque puramente tópico de los procesos anímicos. Sus dudas al respecto fueron expuestas por él mucho después, en «Lo inconciente» (1915*e*), secciones II y VII.]

efecto del chiste están atados a ciertas formas de expresión, ciertos recursos técnicos, entre los cuales los más llamativos son las diversas variedades de la condensación, el desplazamiento y la figuración indirecta. Pues bien; procesos que llevan a esos mismos resultados —condensación, desplazamiento y figuración indirecta— se nos han vuelto notorios como peculiaridades del trabajo del sueño. ¿No nos sugiere esta concordancia inferir que trabajo del chiste y del sueño han de ser idénticos al menos en un punto esencial? Opino que el trabajo del sueño nos revela los principales caracteres de este; y de los procesos psíquicos del chiste se nos oculta justo aquella pieza que tenemos derecho a comparar con el trabajo del sueño, a saber, el proceso de la formación del chiste en la primera persona. ¿No cederíamos a la tentación de construir ese proceso por analogía con la formación del sueño? Algunos de los rasgos del sueño son tan ajenos al chiste que no nos sería lícito trasferir a la formación de este último la pieza de trabajo del sueño que le corresponde. La regresión de la ilación de pensamiento hasta la percepción falta sin duda en el chiste; en cambio, los otros dos estadios de la formación del sueño (la caída de un pensamiento preconciente hasta lo inconciente y la elaboración inconciente) nos brindarían, si los supusiéramos en la formación del chiste, exactamente el resultado que podemos observar en este. Decidámonos entonces por el supuesto de que este es el proceso de la formación del chiste en la primera persona: *Un pensamiento preconciente es entregado por un momento a la elaboración inconciente, y su resultado es aprehendido enseguida por la percepción conciente.*

Pero antes de examinar en detalle esta tesis consideremos una objeción capaz de poner en peligro nuestra premisa. Partimos del hecho de que las técnicas del chiste indican los mismos procesos que nos son notorios como peculiaridades del trabajo del sueño. Ahora bien, es fácil objetar que no habríamos descrito esas técnicas como condensación, desplazamiento, etc., ni obtenido unas concordancias tan vastas entre los medios figurativos de chiste y sueño, si nuestro conocimiento previo del trabajo del sueño no nos hubiera seducido a concebir aquellas así, de suerte que en el fondo no hacemos sino hallar corroboradas en el chiste las expectativas con que lo abordamos viniendo del sueño. Tal génesis de la concordancia no ofrecería una garantía segura de su existencia, sólo nuestro prejuicio. Además, ningún otro autor ha aplicado, de hecho, a las formas expresivas del chiste estos puntos de vista de la condensación, el desplazamiento y la figuración indirecta. Esa sería una objeción posible, aunque no justificada todavía. Muy bien podría suceder que para discernir la concordancia real y objetiva haya sido indispensable aguzar antes nuestra concepción mediante el conocimiento del trabajo del sueño. Por cierto, lo único que permitirá decidir la cuestión será que la crítica examinadora demuestre en los ejemplos individuales que semejante concepción de la técnica del chiste es forzada, y en aras de ella se sofocaron otras concepciones evidentes y de alcance más profundo, o bien se vea precisada a admitir que en el chiste se corroboran efectivamente las expectativas que traíamos desde el sueño. Opino que no debemos temer esa crítica y que nuestros procedimientos de reducción (cf. pág. 24) nos indicaron de una manera confiable las formas expresivas en que debían buscarse las técnicas del chiste. Y teníamos todo el derecho de dar a esas técnicas unos nombres que anticiparan ya esta conclusión, la concordancia entre técnica del chiste y trabajo del sueño; en verdad, no ha sido sino una simplificación fácil de justificar.

Otra objeción no afectaría tanto nuestra causa, pero tampoco se la podría refutar tan radicalmente. Podría pensarse: esas técnicas del chiste que tan bien armonizan con nuestros propósitos merecen, sí, que se las reconozca, pero no serían todas las técnicas de chiste posibles o empleadas en la práctica. Habríamos escogido entonces, influidos por el arquetipo del trabajo del sueño, sólo las técnicas de chiste que se le adecuan, omitiendo otras capaces de demostrar que aquella concordancia no es universal. Y en verdad yo no me atrevo a afirmar que haya logrado esclarecer todos los chistes en circulación, con referencia a su técnica; por eso dejo abierta la posibilidad de que mi recuento de las técnicas de chiste permita discernir muchas omisiones, pero lo cierto es que no he dejado adrede de elucidar ninguna variedad de técnica que yo penetrara, y puedo afirmar que no se me han escapado los más frecuentes, importantes y característicos recursos técnicos del chiste.

El chiste posee aún otro carácter que concuerda satisfactoriamente con nuestra concepción, oriunda del sueño, sobre el trabajo del chiste. Y es que se dice: uno «hace» el chiste, pero siente que su comportamiento es allí diverso de cuando formula un juicio o hace una objeción. El chiste posee, de manera sobresaliente, el carácter de una «ocurrencia involuntaria». Un momento antes uno no sabe qué chiste hará, al que luego sólo le hace falta vestir con palabras. Más bien se siente algo indefinible que yo me inclinaría a comparar con una ausencia, un repentino cese de la tensión intelectual, y hete aquí que el chiste brota de golpe, las más de las veces junto ya con su vestidura. Muchos de los recursos del chiste, por ejemplo el símil y la alusión, hallan también empleo, fuera de él, en la expresión del pensamiento. Puedo proponerme adrede hacer una alusión. En tal caso tengo primero en las mientes (en la audición interior) la expresión directa de mi pensamiento, me inhibo de exteriorizarla por algún reparo debido a la situación (es como si me propusiera sustituir aquella por una forma de la expresión indirecta) y entonces produzco una alusión; pero la alusión así nacida, formada bajo mi continuo control, nunca es chistosa, por feliz que pudiera resultar; la alusión chistosa, en cambio, aparece sin que yo sea capaz de perseguir en mi pensar esos estadios preparatorios. No pretendo atribuir excesivo valor a esta conducta; difícilmente sea lo decisivo, pero armoniza harto bien con nuestro supuesto de que en la formación del chiste uno abandona por un momento una ilación de pensamiento, que luego de repente aflora como chiste desde lo inconciente.

También en lo asociativo los chistes muestran un comportamiento particular. A menudo no están a disposición de nuestra memoria cuando lo queremos, y otras veces, en cambio, se instalan de una manera como involuntaria y aun en lugares de nuestra ilación de pensamiento donde no comprendemos su injerencia. Tampoco son estos más que unos pequeños rasgos, pero que de todos modos señalan su descendencia de lo inconciente.

Procuremos reunir ahora los caracteres del chiste que se puedan referir a su formación en lo inconciente. Tenemos sobre todo su peculiar brevedad, un rasgo por cierto no indispensable de él, pero enormemente singularizador. Cuando lo hallamos por primera vez nos inclinamos a considerarlo una expresión de tendencias al ahorro, pero enseguida desvalorizamos esta concepción mediante unas objeciones naturales [págs. 43-4]. Ahora nos parece más bien signo de la elaboración inconciente que el pensamiento del chiste ha experimentado. En efecto: a su correspondiente en el sueño, la condensación, no podemos acordarlo con otro factor que la localización en lo inconciente, y tenemos que suponer que en el proceso del pensar inconciente están dadas las condiciones, faltantes en lo preconciente, de esas condensaciones.[3] Cabe esperar que en el proceso de condensación se

---

[3] Además del trabajo del sueño y la técnica del chiste, he podido registrar la condensación como un proceso regular y significativo en otro acontecer anímico, el mecanismo del *olvido* normal (no tendencioso). Impresiones singulares ofrecen dificultades al olvido; las análogas de alguna manera se olvidan si son condensadas a partir de sus

pierdan algunos de los elementos a él sometidos, mientras que otros, que se hacen cargo de la energía de investidura de esos, se edifiquen por la condensación fortalecidos o hiperintensos. La brevedad del chiste sería entonces, como la del sueño, un necesario fenómeno concomitante de las condensaciones sobrevenidas en ambos; en los dos casos, un resultado del proceso condensador. A ese origen debe también la brevedad del chiste su particular carácter, no más definible, pero llamativo a la sensación.

Ya antes (pág. 119) hemos concebido como ahorro localizado uno de los resultados de la condensación, a saber, la acepción múltiple del mismo material, el juego de palabras, la homofonía, y derivamos de un ahorro así el placer que procura el chiste (inocente); luego [págs. 123-4] descubrimos el propósito originario del chiste en obtener con las palabras aquella misma ganancia de placer de que se era dueño en el estadio del juego, y a la que en el curso del desarrollo intelectual le fue poniendo diques la crítica de la razón. Ahora nos hemos decidido por el supuesto de que unas condensaciones como las que sirven a la técnica del chiste nacen de manera automática, sin propósito fijo, durante el proceso del pensar en lo inconciente. ¿No estamos frente a dos diversas concepciones del mismo hecho, que parecen inconciliables entre sí? Creo que no; es verdad que son dos concepciones diversas y reclaman que se las acuerde una con la otra, pero no se contradicen. Simplemente, son ajenas entre sí, y cuando establezcamos un vínculo entre ellas es probable que hayamos avanzado un paso en nuestro conocimiento. Que tales condensaciones sean fuente de una ganancia de placer se concilia muy bien con la premisa de que hallan con facilidad en lo inconciente las condiciones de su génesis; más bien vemos la motivación para la zambullida en lo inconciente en la circunstancia de que ahí es fácil que se produzca la condensación, dispensadora de placer, que el chiste necesita. También otros dos factores que en un primer abordaje parecen por completo ajenos y como reunidos por un indeseado azar se discernirán, considerados más a fondo, como íntimamente enlazados y hasta de una misma esencia. Me refiero a estas dos tesis: por una parte, el chiste pudo producir en el curso de su desarrollo, en el estadio del juego (vale decir, en la infancia de la razón), esas condensaciones placenteras; por la otra, en estadios más altos con-

puntos de contacto. La confusión de impresiones análogas es uno de los estadios previos del olvido. [Freud abundó sobre esto en una nota añadida en 1907 a *Psicopatología de la vida cotidiana* (1901b), *AE*, **6**, pág. 266.]

suma esa misma operación mediante la zambullida del pensamiento en lo inconciente. Es que lo infantil es la fuente de lo inconciente, y los procesos del pensar inconciente no son sino los que en la primera infancia se establecieron en forma única y exclusiva. El pensamiento que a los fines de la formación del chiste se zambulle en lo inconciente sólo busca allí el viejo almácigo que antaño fue el solar del juego con palabras. El pensar es retraído por un momento al estadio infantil a fin de que pueda tener de nuevo al alcance de la mano aquella fuente infantil de placer. Si no se lo supiera ya por la exploración de la psicología de las neurosis, por fuerza se vislumbraría a raíz del chiste que esa rara elaboración inconciente no es otra cosa que el tipo infantil del trabajo de pensamiento. Sólo que no es muy fácil atrapar en el niño este pensar infantil con sus peculiaridades, que se conservan en lo inconciente del adulto; en efecto, las más de las veces se lo corrige por así decir *in statu nascendi*. Pero en una serie de casos se lo consigue, y entonces reímos siempre por la «tontería infantil». Cada descubrimiento de algo así inconciente produce sobre nosotros un efecto «cómico».[4]

Más fáciles de asir son los caracteres de estos procesos del pensar inconciente en las exteriorizaciones de los aquejados por diversas perturbaciones psíquicas. Es harto probable que, según conjeturaba el viejo Griesinger,[5] fuéramos capaces de comprender los delirios {*Delirie*} de los enfermos mentales y apreciarlos como unas comunicaciones si, en vez de plantearles los requerimientos del pensar conciente, los tratáramos con nuestro arte interpretativo al igual que a los sueños.[6] También para el sueño hemos hecho valer en su momento el «regreso de la vida anímica al punto de vista embrional».[7]

[4] Muchos de mis pacientes neuróticos bajo tratamiento psicoanalítico suelen atestiguar regularmente, mediante una risa, que se ha conseguido mostrar a su percepción conciente de una manera fiel lo inconciente escondido, y ríen aun en los casos en que el contenido de lo revelado no lo justificaría. Desde luego, condición de ello es que se hayan aproximado a eso inconciente lo bastante para asirlo, tras haberlo colegido el médico y habérselos presentado.

[5] [Wilhelm Griesinger (1817-1868) había señalado que tanto los sueños como las psicosis tenían el carácter de cumplimiento de deseos. A un pasaje de Griesinger, en especial (1845, pág. 89), Freud aludió repetidas veces. Véase una nota mía en «Formulaciones sobre los dos principios del acaecer psíquico» (1911*b*), *AE*, **12**, pág. 223, *n.* 3.]

[6] Al hacerlo, no debemos olvidar la desfiguración producida por la censura, que también es eficaz en la psicosis.

[7] Cf. *La interpretación de los sueños* (1900*a*) [*AE*, **5**, pág. 581; allí, el enunciado se da como cita, aunque sin especificación de fuente].

Hemos elucidado tan a fondo en los procesos de condensación el valor de la analogía entre chiste y sueño que podemos abreviar en lo que sigue. Sabemos que en el trabajo del sueño los desplazamientos señalan la injerencia de la censura propia del pensar conciente, y, de acuerdo con ello, cuando tropecemos con el desplazamiento entre las técnicas del chiste nos inclinaremos a suponer que también en su formación desempeña algún papel un poder inhibidor. Y sabemos ya, además, que esto es así universalmente: el afán del chiste por ganar el antiguo placer obtenido en el disparate o en la palabra es inhibido, en un talante normal, por la objeción de la razón crítica; y en cada caso es preciso vencer esa inhibición. Pero en la manera como el trabajo del chiste resuelve esta tarea se muestra una honda diferencia entre chiste y sueño. En el trabajo del sueño la regla es que se la solucione mediante desplazamientos, eligiéndose representaciones que la censura deja pasar porque se hallan a suficiente distancia de las objetadas, no obstante lo cual son retoños de estas, de cuya investidura psíquica las ha posesionado una plena trasferencia.[8] Por eso los desplazamientos no faltan en ningún sueño y son muy proficuos; no sólo los desvíos de la ilación de pensamiento, sino todas las variedades de la figuración indirecta, deben incluirse entre los desplazamientos, en particular la sustitución de un elemento sustantivo, pero chocante, por otro indiferente, pero que a la censura le parece inocente y se relaciona con aquel como remotísima alusión: la sustitución por un simbolismo {Symbolik}, un símil, algo pequeño. No cabe desechar que fragmentos de esta figuración indirecta aparezcan ya en los pensamientos preconcientes del sueño (p. ej., la figuración por símbolos o por símiles), pues de otro modo tales pensamientos ni siquiera habrían alcanzado el estadio de la expresión preconciente. Figuraciones indirectas de esta índole, y alusiones cuyo vínculo con lo genuino* es fácil de descubrir, son por cierto medios de expresión permitidos y muy usados en nuestro pensar conciente. Pero el trabajo del sueño exagera más allá de todo límite el empleo de esos medios de la figuración indirecta. Bajo la presión de la censura, todo nexo es bueno para servir como sustituto por alusión; se admite el desplazamiento desde un elemento sobre cualquier otro. Muy llamativa y característica del trabajo del sueño es la sustitu-

[8] [En este caso, la palabra «trasferencia» no está empleada, desde luego, en su sentido más corriente, como fenómeno producido durante la psicoterapia. Véase una nota mía al pie en *La interpretación de los sueños* (1900a), *AE*, **5**, pág. 554.]

* {«*Eigentlich*»; aquello de lo cual hacen las veces.}

ción de las asociaciones internas (semejanza, nexo causal, etc.) por las llamadas externas (simultaneidad, contigüidad en el espacio, homofonía).

Todos esos medios de desplazamiento intervienen también como técnicas del chiste, pero cuando ello sucede las más de las veces respetan los límites trazados a su empleo en el pensar conciente; además, pueden estar por completo ausentes, aunque el chiste deba tramitar regularmente una tarea de inhibición. Comprenderemos que los desplazamientos sean así relegados en el trabajo del chiste si recordamos que todo chiste dispone de otra técnica con la cual defenderse de la inhibición, y que incluso no hemos hallado nada más característico de él que, justamente, esa técnica: el chiste no crea compromisos como el sueño, no esquiva la inhibición, sino que se empeña en conservar intacto el juego con la palabra o con el disparate, pero limita su elección a casos en que ese juego o ese disparate puedan parecer al mismo tiempo admisibles (chanza) o provistos de sentido (chiste), merced a la polisemia de las palabras y la diversidad de las relaciones entre lo pensado. Nada separa mejor al chiste de todas las otras formaciones psíquicas que esa su bilateralidad y duplicidad, y es al menos desde este ángulo como los autores, insistiendo en el «sentido en lo sin sentido», más se han acercado al conocimiento del chiste [pág. 14].

Dado el predominio sin excepciones de esa técnica peculiar del chiste para superar sus inhibiciones, podría hallarse superfluo que además se sirviera, en casos individuales, de la técnica del desplazamiento; no obstante, por un lado, ciertas variedades de esta última siguen poseyendo valor para el chiste como metas y fuentes de placer, como por ejemplo el desplazamiento en sentido propio (desvío respecto de lo pensado), que sin duda comparte la naturaleza del disparate; y, por otro lado, no hay que olvidar que el chiste en su estadio más alto, el del chiste tendencioso, a menudo tiene que vencer dos clases de inhibiciones, las propias de él y las que contrarían su tendencia (pág. 95), y que las alusiones y desplazamientos son idóneos para posibilitarle esta segunda tarea.

El empleo generoso e irrestricto de la figuración indirecta, de los desplazamientos y, en particular, de las alusiones en el trabajo del sueño tiene una consecuencia que no menciono por su valor intrínseco sino porque constituyó la ocasión subjetiva que me llevó a considerar el problema del chiste. Si a una persona que lo ignore o no esté habituada le comunicamos el análisis de un sueño en que así se evidencien esos raros caminos, chocantes para el pensar despierto, de las alusiones y desplazamientos de que se ha servido el trabajo del sueño, ese lector experimenta una sensación de molestia, declara «chistosas» tales interpretaciones, pero es manifiesto que las considera unos chistes no logrados, sino rebuscados y que de algún modo infringen las reglas del chiste.[9] Ahora bien, es fácil explicar esa impresión: se debe a que el trabajo del sueño emplea los mismos recursos que el chiste, pero rebasando los límites que este último respeta. Pronto nos enteraremos [pág. 171], además, de que el chiste, a consecuencia del papel de la tercera persona, está atado a cierta condición que no vale para el sueño.

Entre las técnicas comunes a chiste y sueño reclaman cierto interés la figuración por lo contrario y el empleo del contrasentido. La primera se cuenta entre los recursos de gran eficacia para el chiste, como pudimos verlo, por ejemplo, en los «chistes de sobrepuja» (págs. 68-9). En lo que a ella respecta, digamos de paso que no podría sustraerse de la atención conciente, como sí escapan de esta la mayoría de las otras técnicas de chiste; quien hace adrede todo lo posible para activar dentro de sí el mecanismo del trabajo del chiste, el chistoso por hábito, suele descubrir enseguida que a fin de replicar a una afirmación con un chiste lo más fácil es atenerse a su contraria y dejar librado a la ocurrencia el eliminar, mediante una reinterpretación, el veto que sería de temer a eso contrario. Acaso la figuración por lo contrario deba esa predilección a la circunstancia de constituir el núcleo de otro modo placentero de expresión del pensamiento, para entender el cual no nos hace falta requerir a lo inconciente. Me refiero a la *ironía*, que se aproxima mucho al chiste [cf. pág. 70] y se incluye entre las subvariedades de la comicidad. Su esencia consiste en enunciar lo contrario de lo que uno se propone comunicar al otro, pero ahorrándole la contradicción mediante el artificio de darle a entender, por el tono de la voz, los gestos acompañantes o pequeños indicios estilísticos —cuando uno se expresa por escrito—, que en verdad uno piensa lo contrario de lo que ha enunciado. La ironía sólo es aplicable cuando el otro está preparado para escuchar lo contrario, y por ende no puede

[9] [Lo esencial de este párrafo ya había sido incorporado por Freud en una nota al pie de la primera edición de *La interpretación de los sueños* (1900a), *AE*, **4**, págs. 304-5. Fliess, quien leyó la obra en pruebas de imprenta, le planteó el problema, y Freud le respondió, en términos muy semejantes a los que aquí utiliza, en una carta del 11 de setiembre de 1899 (Freud, 1950a, Carta 118).]

dejar de mostrar su inclinación a contradecir. A consecuencia de este condicionamiento, la ironía está particularmente expuesta al peligro de no ser entendida. Para la persona que la aplica tiene la ventaja de sortear con facilidad las dificultades de unas exteriorizaciones directas, por ejemplo en el caso de invectivas; en el oyente produce placer cómico, probablemente porque le mueve a un gasto de contradicción que enseguida discierne superfluo. Semejante comparación del chiste con un género de lo cómico próximo a él acaso nos reafirme en el supuesto de que el vínculo con lo inconciente es lo específico del chiste, y quizá sea eso lo que lo separa de la comicidad.[10]

A la figuración por lo contrario le cabe en el trabajo del sueño un papel todavía más importante que en el chiste. El sueño no sólo gusta de figurar dos opuestos por un mismo producto mixto; además muda tan a menudo una cosa de los pensamientos oníricos en su contraria que ello plantea una gran dificultad al trabajo de interpretación. «De un elemento que admita contrario no se sabe a primera vista si en los pensamientos oníricos está incluido de manera positiva o negativa».[11]

Debo poner de relieve que este hecho en modo alguno ha hallado comprensión todavía. Sin embargo, parece apuntar a un importante carácter del pensar inconciente, en el cual, según toda verosimilitud, falta todo proceso comparable al «juzgar». En lugar de la desestimación por el juicio {Urteilsverwerfung}, hallamos en lo inconciente la «represión» {Verdrängung, «esfuerzo de desalojo»}. Acaso la represión pueda describirse correctamente como el estadio intermedio entre el reflejo de defensa y el juicio adverso {Verurteilung}.[12]

---

[10] En el divorcio entre el enunciado y los ademanes (en el sentido más amplio) que lo acompañan descansa también el carácter de la comicidad que consiste en manifestarse ella «secamente».

[11] *La interpretación de los sueños* (1900a) [*AE*, **4**, pág. 324].

[12] Este comportamiento, en extremo asombroso y nunca bien discernido, en la relación de oposición dentro de lo inconciente no carece sin duda de valor para entender el «negativismo» de los neuróticos y enfermos mentales. Véanse las dos últimas obras sobre este tema: Bleuler, 1904, y Gross, 1904. [Agregado en 1912:] Véase, asimismo, mi reseña «Sobre el sentido antitético de las palabras primitivas» (1910e). — [La tesis de que la represión es una forma antecesora del juicio de negación parece presentarse aquí por primera vez. Más tarde se la repite con frecuencia (p. ej., en «Formulaciones sobre los dos principios del acaecer psíquico» (1911b), *AE*, **12**, págs. 225-6, y en «Lo inconciente» (1915e), *AE*, **14**, pág. 183), y el conjunto del problema se elucida con mucho mayor detalle en «La negación» (1925h), trabajo muy posterior.]

El disparate, lo absurdo, que tan a menudo se presenta
en el sueño y le ha valido tanto desprecio inmerecido, nunca nace al azar de un entrevero de elementos de representación; en todos los casos puede demostrarse que el trabajo
del sueño lo acogió adrede y lo destinó a figurar una crítica
acerba y una contradicción despreciativa incluidas en los
pensamientos oníricos. Por tanto, la absurdidad del contenido del sueño sustituye al juicio «Eso es un disparate», de
los pensamientos oníricos.[13] En mi obra *La interpretación
de los sueños* puse particular empeño en demostrarlo, porque me pareció el modo más incisivo de combatir el error
según el cual el sueño no sería ningún fenómeno psíquico,
error que bloquea el camino hacia el discernimiento de lo
inconciente. Ahora hemos averiguado, a raíz de la resolución de ciertos chistes tendenciosos (págs. 55 y sigs.), que
en el chiste el disparate se pone al servicio de los mismos
fines figurativos. También sabemos que una fachada disparatada es en él particularmente apta para elevar el gasto
psíquico del oyente e incrementar, así, el monto que se li-
bera en la descarga mediante la risa [pág. 145]. Mas no
hemos de olvidar, por otra parte, que el disparate es en el
chiste un fin autónomo, pues el propósito de recuperar el
antiguo placer que brinda el disparate se cuenta entre los
motivos del trabajo del chiste. Hay otros caminos para recuperar el disparate y extraerle placer; la caricatura, la exageración, la parodia y el travestismo se valen de él y crean de
ese modo el «disparate cómico». Si sometemos estas formas
expresivas a un análisis semejante al que practicamos sobre
el chiste, hallaremos que ninguna de ellas ofrece asidero para
aducir en su explicación unos procesos inconcientes tal como nosotros los entendemos. También comprendemos por
qué el carácter de lo «chistoso» puede agregarse a la caricatura, la exageración, la parodia, en calidad de complemento; es la diversidad del «escenario psíquico»[14] la que posibilita esto.

Opino que haber situado el trabajo del chiste en el sistema de lo inconciente se vuelve mucho más valioso para
nosotros, desde que nos encamina a entender el hecho de

13 [Véase la sección G del capítulo VI de *La interpretación de los
sueños* (1900a), *AE*, **5**, págs. 426 y sigs.]

14 Una expresión de G. T. Fechner [1889, **2**, págs. 520-1] que ha
cobrado importancia para mi concepción. [La idea de Fechner según
la cual «el escenario de los sueños es otro que el de la vida de representaciones de la vigilia» había sido citada por Freud en *La interpretación de los sueños* (1900a), *AE*, **5**, pág. 529, en apoyo de la
diferenciación tópica entre procesos anímicos inconcientes y preconcientes.]

que las técnicas a que el chiste va adherido no sean por otra parte de su exclusivo patrimonio. Muchas dudas que en el curso de nuestra inicial indagación de esas técnicas debimos dejar momentáneamente en suspenso [p. ej., cf. págs. 59 y 78] hallan ahora fácil solución. Por eso es tanto más merecedor de nuestra consideración un reparo que podría hacérsenos: el vínculo del chiste con lo inconciente sólo sería innegable respecto de ciertas categorías del chiste tendencioso, a pesar de lo cual nosotros nos inclinamos a extenderlo a todas las variedades y grados de desarrollo del chiste. No podemos esquivar el examen de esta objeción.

Los casos en que con mayor certeza cabe suponer que el chiste se ha formado en lo inconciente son aquellos en que sirve a tendencias inconcientes o reforzadas por lo inconciente, vale decir, la mayoría de los chistes «cínicos» [pág. 107]. En efecto, en ellos la tendencia inconciente arrastra hacia sí, hacia abajo, hacia lo inconciente, a los pensamientos preconcientes a fin de remodelarlos, proceso para el cual el estudio de la psicología de las neurosis nos ha aportado numerosas analogías. Ahora bien, en los chistes tendenciosos de otra variedad, en el chiste inocente y en la chanza parece faltar esa fuerza de arrastre hacia abajo, lo cual pone en entredicho el vínculo del chiste con lo inconciente.

Pero consideremos ahora el caso en que se da expresión chistosa a un pensamiento en sí no carente de valor y que aflora dentro de la urdimbre de los procesos cogitativos. Para convertirlo en un chiste se requiere, evidentemente, una selección entre las formas expresivas posibles a fin de hallar justo la que conlleve la ganancia de placer en la palabra. Por la observación de nosotros mismos sabemos que no es la atención conciente la que realiza esa selección; pero sin duda la favorecerá que la investidura del pensamiento preconciente sea degradada en inconciente, pues en lo inconciente, como nos lo ha enseñado el trabajo del sueño, los caminos de conexión que parten de la palabra son tratados como si fueran conexiones entre cosas concretas. Para seleccionar la expresión, la investidura inconciente ofrece con mucho las condiciones más favorables. Por otra parte, cabe suponer, sin más, que la posibilidad expresiva que contiene a la ganancia de placer en la palabra ejerce un efecto de arrastre hacia abajo, parecido al que antes ejercía la tendencia inconciente, sobre la versión todavía vacilante de lo pensado preconciente. Respecto del caso, más simple, de la chanza, nos es lícito imaginar que un propósito, en permanente acecho, de alcanzar una ganancia de placer en la palabra se apodera de la ocasión que acaba de darse en lo preconciente a fin de arrastrar también a lo inconciente el proceso de investidura según el consabido esquema.

Desde luego me gustaría, por un lado, poder exponer con mayor claridad este punto decisivo de mi concepción sobre el chiste y, por el otro, reforzarlo con argumentos probatorios. Pero en verdad el defecto no es doble, sino uno y el mismo. No puedo ofrecer una exposición más clara porque no poseo otras pruebas para mi concepción. Obtuve esta partiendo del estudio de la técnica y la comparación con el trabajo del sueño, y sólo desde ahí; luego me fue posible hallar que se adecua maravillosamente a las peculiaridades del chiste. Pero se trata de una concepción deducida, lucubrada; si con una deducción así no se llega a un ámbito familiar, sino más bien a uno ajeno y novedoso para el pensar, se la llama «hipótesis», y acertadamente no se considera una «prueba» el nexo de esa hipótesis con el material desde el cual se la dedujo. Sólo se la considerará «probada» si se llega a ella también por otro camino, si se la puede pesquisar como el punto nodal también de otros nexos. Ahora bien, semejante prueba está fuera de nuestro alcance pues apenas hemos comenzado a anoticiarnos de los procesos inconcientes. En el entendimiento de que nos encontramos en un terreno todavía inhollado, contentémonos con extender desde nuestro puesto de observación un único, endeble y estrecho pasadizo hacia lo inexplorado.

No edificaremos mucho sobre esa base. Si referimos los diversos estadios del chiste a las predisposiciones anímicas que los favorecen, acaso podremos decir: La *chanza* surge del talante alegre, al que parece corresponderle una inclinación a aminorar las investiduras anímicas. Ya se vale de todas las técnicas características del chiste y llena su condición básica mediante la selección de un material de palabras o de un enlace de pensamientos tales que satisfagan tanto los requerimientos de la ganancia de placer como los de la crítica racional. Inferiremos que ya en la chanza se produce la caída de la investidura de pensamiento en el estadio inconciente, facilitada por el talante alegre. En el caso del *chiste inocente*, pero enlazado con la expresión de un pensamiento valioso, falta esta promoción por el talante; aquí necesitamos del supuesto de una particular *aptitud personal*, que se expresa en la ligereza con que la investidura preconciente es abandonada y permutada durante un momento por la inconciente. Una tendencia en continuo acecho a renovar la originaria ganancia de placer del chiste opera aquí arrastrando hacia abajo la expresión preconciente, vacilante aún, de lo pensado. Con talante alegre, sin duda la

170

mayoría de las personas son capaces de producir chanzas; la aptitud para el chiste con independencia del talante existe sólo en unas pocas. Por último, la existencia de tendencias intensas, que llegan hasta lo inconciente, obra como la incitación más potente al trabajo del chiste; ellas constituyen una particular aptitud para la producción chistosa y son capaces de explicarnos que las condiciones subjetivas del chiste se realicen tan a menudo en personas neuróticas. Bajo el influjo de intensas tendencias, aun quien de ordinario no esté dotado para ello puede convertirse en chistoso.

Con este último aporte, vale decir el esclarecimiento —aunque todavía hipotético— del trabajo del chiste en la primera persona, nuestro interés por el chiste en sentido estricto queda liquidado. Quizá sólo nos reste una breve comparación del chiste con el sueño, mejor conocido, y que abordaremos con la expectativa previa de que dos operaciones anímicas tan diversas permitirán discernir, además de su ya apreciada concordancia, algunas diferencias. La más importante reside en su conducta social. El sueño es un producto anímico enteramente asocial; no tiene nada que comunicar a otro; nacido dentro de una persona como compromiso entre las fuerzas anímicas que combaten en ella, permanece incomprensible aun para esa persona y por tal razón carece de todo interés para otra. No sólo no le hace falta atribuir valor al hecho de ser entendido: debe precaverse de serlo, pues de lo contrario se destruiría; sólo puede consistir en el disfraz. Por eso le es lícito servirse sin inhibiciones del mecanismo que gobierna los procesos del pensar inconciente hasta obtener una desfiguración ya no reconstruible. El chiste, en cambio, es la más social de todas las operaciones anímicas que tienen por meta una ganancia de placer. Con frecuencia necesita de terceros, y demanda la participación de otro para llevar a su término los procesos anímicos por él incitados. Tiene, por consiguiente, que estar atado a la condición de ser entendible y no puede utilizar la desfiguración, posible en lo inconciente por condensación y desplazamiento, sino hasta el punto en que el entendimiento de la tercera persona la pueda reconstruir. Por lo demás, ambos, chiste y sueño, crecen en ámbitos enteramente diversos de la vida anímica y son colocados en unos lugares del sistema psicológico muy distantes entre sí. El sueño es siempre un deseo, aunque vuelto irreconocible; el chiste es un juego desarrollado. El sueño, a pesar de su nulidad práctica, mantiene su conexión con los grandes intereses vitales; busca satisfacer las necesidades por el rodeo regresivo de la alucinación y debe su admisión a la única necesidad que se mueve durante la noche, la de dormir. En cambio, el chiste procura extraer una pequeña ganancia de placer de la mera actividad de nuestro aparato anímico, exenta de necesidades; luego procura atraparla, como una ganancia colateral, en el curso de la actividad de aquel, y así alcanza, *secundariamente*, unas funciones vueltas hacia el mundo exterior, que no carecen de importancia. El sueño sirve predominantemente al ahorro de displacer; el chiste, a la ganancia de placer; ahora bien, en estas dos metas coinciden todas nuestras actividades anímicas.

VII. El chiste y las variedades de lo cómico

[1]

Nos hemos aproximado a los problemas de lo cómico de una manera inhabitual. Nos pareció que el chiste, al que suele considerarse como una subclase de la comicidad, ofrecía suficientes peculiaridades para ser abordado directamente, y de ese modo, mientras nos fue posible, esquivamos su relación con la categoría más amplia de lo cómico, no sin recoger en el camino algunas valiosas indicaciones respecto de esto último. Hemos descubierto, sin dificultad, que en el aspecto social lo cómico se comporta de otro modo que el chiste [págs. 137-8]. Puede cumplirse con sólo dos personas, una que descubra lo cómico y otra en quien sea descubierto. La tercera persona a quien se lo comunica refuerza el proceso cómico, pero no le agrega nada nuevo. En el chiste, esta tercera persona es indispensable para el acabamiento del proceso placentero; en cambio, la segunda puede faltar, siempre que no se trate del chiste tendencioso, agresivo. El chiste se hace, la comicidad se descubre, y por cierto antes que nada en personas, sólo por ulterior trasferencia también en objetos, situaciones, etc. Acerca del chiste sabemos que no son personas ajenas, sino los propios procesos del pensar, las fuentes que esconden en su interior el placer que se ha de explotar. Además, tenemos noticia de que el chiste en ocasiones sabe reabrir fuentes de comicidad que han devenido inasequibles [pág. 97], y que lo cómico a menudo sirve al chiste de fachada y le sustituye el placer previo que de ordinario se produce mediante la consabida técnica (pág. 145). Nada de esto apunta a unos vínculos demasiado simples, que digamos, entre chiste y comicidad. Por otro lado, los problemas de lo cómico han demostrado ser lo bastante complejos como para desafiar con éxito, hasta hoy, todos los intentos de solución emprendidos por los filósofos, de suerte que no podemos nosotros abrigar la expectativa de dominarlo por así decir de un solo asalto, abordándolo desde el lado del chiste. Además, para la exploración del chiste contábamos con un instrumento de que otros aún no se habían servido: el conocimiento del trabajo del sueño; en cambio, para el discernimiento de lo cómico no disponemos de una ventaja parecida, por lo cual lo lógico es esperar que sobre la esencia de la comicidad no habremos de averiguar nada que no nos enseñara ya el chiste en la medida en que pertenece a lo cómico y lleva en su propio ser algunos de sus rasgos, intactos o modificados.

El género de lo cómico más próximo al chiste es lo *ingenuo*. Al igual que todo lo cómico, ello es descubierto y no hecho como el chiste; y por cierto que lo ingenuo en modo alguno puede ser hecho, mientras que en lo puramente cómico [hay casos en que] cuenta también un hacer, un provocar la comicidad. Lo ingenuo por fuerza ha de aparecer sin nuestra intervención en los dichos y acciones de otras personas, que remplazan a la *segunda* persona de lo cómico o del chiste. Lo ingenuo surge cuando alguien se pone enteramente más allá de una inhibición porque no preexistía en él; cuando aparenta, entonces, haberla superado sin trabajo. Condición para que lo ingenuo produzca su efecto es que sepamos que esa persona no posee aquella inhibición; de lo contrario no la llamaríamos ingenua sino atrevida, no reiríamos sino que nos indignaríamos. El efecto de lo ingenuo es irresistible y parece fácil de entender. Cuando escuchamos el dicho ingenuo se nos vuelve de pronto inaplicable un gasto de inhibición que estamos habituados a hacer, y se descarga mediante la risa; para ello no es preciso distraer la atención [pág. 145], probablemente porque se consigue cancelar la inhibición de una manera directa y no por medio de una operación incitada. Así, nos comportamos análogamente a la tercera persona del chiste, a quien el ahorro de inhibición le es regalado sin trabajo alguno [pág. 142].

Tras la intelección sobre la génesis de las inhibiciones, que obtuvimos al perseguir el desarrollo desde el juego hasta el chiste, no nos asombrará que lo ingenuo se encuentre sobre todo en el niño, y por ulterior trasferencia también en adultos incultos a quienes podemos concebir como infantiles en cuanto a su formación intelectual. Para una comparación con el chiste se prestan mejor, desde luego, los dichos que las acciones ingenuas, pues son dichos y no acciones las formas en que habitualmente se exterioriza el chiste. Ahora bien, es muy singular que a dichos ingenuos como los de los niños se los pueda designar también, y sin forzar las cosas, como «chistes ingenuos». Algunos ejemplos nos mostrarán a las claras la concordancia y el fundamento de la diferencia entre chiste e ingenuidad.

Una niñita de $3\frac{1}{2}$ años advierte a su hermanito: «Tú, no comas tanto de eso, pues te enfermarás y deberás tomar *Bubizin*». «¿*Bubizin*? —pregunta la madre—. ¿Y qué es eso?». «Cuando yo estuve enferma —se justifica la niña— debí tomar *Medi-zin*». La niña opina, pues, que el remedio prescrito por el médico se llama *Mädizin* por estar destinado a la *Mädi* {niñita; se pronuncia casi como *Medi-*}, e infiere que se llamará *Bubizin* cuando debe tomarlo el *Bubi* {varoncito}. Ahora bien, esto está construido como un chiste en la palabra que trabajara con la técnica de la homofonía, y de hecho se lo podría haber presentado como verdadero chiste, en cuyo caso habríamos respondido con una risa desganada. Como ejemplo de ingenuidad nos parece notabilísimo y nos provoca gran risa. Pero, ¿qué es lo que establece aquí la diferencia entre el chiste y lo ingenuo? Es evidente que no el texto ni la técnica, idénticos para ambas posibilidades, sino un factor a primera vista muy alejado de ambos. Es suficiente con que supongamos que el hablante quiso hacer un chiste, o bien que él —el niño— de buena fe, y sobre la base de su ignorancia no corregida, entendió extraer una conclusión seria. Sólo este último caso es el de la ingenuidad. Es la primera vez que tomamos noticia de semejante situarse de la otra persona en el proceso psíquico de la persona productora.

La indagación de un segundo ejemplo corroborará esta concepción. Unos hermanitos, una niña de 12 años y un varón de 10, representan una pieza de teatro compuesta por ellos mismos ante una platea de tíos y tías. La escena figura una chocita a orillas del mar. En el primer acto los dos autores-actores, un pobre pescador y su brava mujer, se quejan de los duros tiempos y la magra ganancia. El marido resuelve lanzarse al mar en su bote para buscar en otra parte la riqueza, y tras una tierna despedida cae el telón. El segundo acto se desarrolla unos años después. El pescador regresa rico, con una gran talega de dinero, y refiere a su esposa, a quien encuentra esperándolo ante la puerta de la chocita, cuánta fue su buena suerte. Pero ella lo interrumpe orgullosa: «Es que yo tampoco estuve ociosa todo este tiempo», y abre la chocita, en cuyo suelo se ven doce grandes muñecas como unos niños durmiendo... En este punto del drama los actores fueron interrumpidos por un vendaval de risas de los espectadores, que aquellos no supieron explicarse. Se quedaron atónitos contemplando a esos queridos parientes que hasta entonces se habían portado con decoro y los seguían con atención. La premisa que explica esa risa es el supuesto de los espectadores de que los jóvenes dramaturgos no conocían aún las condiciones de la procreación, y por eso podían creer que una esposa durante una larga ausencia de su marido podía gloriarse de dar a luz descendientes, y el marido regocijarse por ello. Ahora bien, lo que los dramaturgos produjeron sobre la base de esa ignorancia puede designarse como disparate, como absurdo.[1]

Un tercer ejemplo nos mostrará al servicio de lo ingenuo otra técnica más que hemos conocido a raíz del chiste. Para una niñita contratan una «francesa»[2] como institutriz, y la persona de esta no le cae en gracia. Apenas se aleja la recién colocada cuando la pequeña ya formula su crítica: «¡Qué va a ser una francesa! Quizás ella se llame así porque alguna vez *bei einem Franzosen gelegen ist!* {estuvo acostada con un francés; estuvo guardada junto a un francés}». Hasta podría ser un chiste pasable: doble sentido con equivocidad o alusión equívoca, si es que la niña pudo vislumbrar la posibilidad del doble sentido. En realidad, no había hecho sino trasferir a esa extranjera que le resultaba antipática una afirmación de inautenticidad que a menudo había escuchado decir en chanza. («¡Qué va a ser oro puro! Quizás alguna vez estuvo guardado junto a algo de oro {*bei Gold gelegen ist*}».) A causa de esta ignorancia del niño, que modifica de manera tan radical el proceso psíquico en los oyentes que comprenden, su dicho se convierte en ingenuo. Pero a raíz de esta misma condición existe también la ingenuidad por malentendido; uno puede suponer en el niño una ignorancia que él ya no tiene, y los niños suelen a menudo hacerse los ingenuos para gozar de una libertad que de otro modo no se les concedería.

En estos ejemplos es posible elucidar la posición de lo ingenuo entre el chiste y lo cómico. Con el chiste, lo ingenuo (del dicho) coincide en el texto y en el contenido; produce un abuso en la palabra, un disparate o una pulla indecente. Pero el proceso psíquico en la primera persona productora, que en el chiste nos ofrecía tantas cosas interesantes y enigmáticas, aquí falta por completo. La persona ingenua entiende servirse de sus medios de expresión y caminos de pensamiento de la manera más normal y simple, y nada sabe de un propósito secundario; y por otra parte no extrae ganancia de placer alguna de la producción de lo ingenuo. Todos los caracteres de lo ingenuo se sitúan en la concepción de la persona que escucha, que coincide con la tercera persona del chiste. Además, la persona productora

[1] [Esta historia se relata, con un cambio de ambientación, respecto de los hijos del primer conde de Lytton.]

[2] [«*Französin*», término corriente en Austria para designar a una institutriz francesa.]

176

concibe lo ingenuo sin trabajo; la compleja técnica destinada en el chiste a paralizar la inhibición que impondría la crítica racional está ausente en ella porque todavía no posee esa inhibición, de suerte que puede engendrar disparate y pulla de una manera directa y sin compromiso. En esa medida, lo ingenuo es el caso límite del chiste, que sobreviene cuando en la fórmula de la formación del chiste uno rebaja a cero la magnitud de aquella censura.

Si para la eficacia del chiste era condición que las dos personas se encontraran más o menos bajo iguales inhibiciones o resistencias internas [pág. 144], como condición de lo ingenuo cabe discernir que una de ellas posea inhibiciones de que la otra carezca. Es en la persona provista de inhibiciones donde reside la concepción de lo ingenuo, en ella exclusivamente tiene lugar la ganancia de placer que aquello produce, y estamos casi por colegir que este placer nace por cancelación de inhibición. Puesto que el placer del chiste tiene ese mismo origen —un núcleo de placer en la palabra o en el disparate y una envoltura de placer por cancelación y alivio [pág. 132n.]—, este parecido vínculo con la inhibición fundamenta el parentesco interno de lo ingenuo con el chiste. En ambos, el placer nace por cancelación de una inhibición interna.

Ahora bien, el proceso psíquico de la persona receptora (en el caso de lo ingenuo, ella por lo común coincide con nuestro yo, mientras que en el chiste también podemos ponernos en el lugar de la persona productora) es en lo ingenuo más complejo en la misma medida en que se encuentra simplificado el de la persona productora en comparación al chiste. En la persona receptora, lo ingenuo escuchado tiene que producir por un lado el efecto de un chiste, cosa que nuestros ejemplos pueden atestiguar; de hecho, como en el chiste, el mero trabajo de escuchar posibilita la cancelación de la censura. Pero sólo una parte del placer procurado por lo ingenuo admite esta explicación, y aun ella correría peligro en otros casos de lo ingenuo, por ejemplo cuando se escuchan pullas ingenuas. Frente a estas uno podría reaccionar sin más con la misma indignación que se alza contra la pulla indecente real y efectiva si otro factor no nos ahorrara esa indignación y al mismo tiempo brindara la contribución más sustantiva al placer por lo ingenuo. Este otro factor nos es dado por la condición, ya mencionada [pág. 174], de que para reconocer lo ingenuo tenemos que estar ciertos de que en la persona productora falta la inhibición interna. Sólo cuando ello es seguro reímos en vez de indignarnos. Por tanto, tomamos en cuenta el estado psíquico de la persona productora, nos trasladamos a él, procuramos comprenderlo comparándolo con el nuestro. De ese situarse dentro y comparar resulta un ahorro de gasto que descargamos mediante la risa.

Podría preferirse una exposición más sencilla, reflexionando en que nuestra indignación se vuelve superflua porque la persona no debió vencer inhibición alguna; la risa se produciría a expensas de la indignación ahorrada. Para alejar esta concepción, errónea en general, separaré con mayor precisión dos casos que en la anterior exposición había reunido. Lo ingenuo que nos sale al paso puede ser de la naturaleza del chiste, como en nuestros ejemplos, o de la naturaleza de la pulla indecente, de lo chocante como tal, lo cual será particularmente válido si no se exterioriza como dicho, sino como acción. Este último caso es realmente despistante; uno podría suponer respecto de él que el placer nace de la indignación ahorrada y trasmudada. Pero el primer caso es el esclarecedor. El dicho ingenuo, por ejemplo el de la «*Bubizin*», puede en sí producir el efecto de un chiste menor, y no dar ocasión a indignarse; es sin duda el caso más raro, pero también el más puro y, con mucho, el más instructivo. Tan pronto reparamos en que la criatura, seriamente y sin propósito secundario, considera idénticos las sílabas «*Medi*», de «*Medizin*» {medicina}, y su propio nombre, «*Mädi*» {niñita}, el placer por lo escuchado experimenta un incremento que ya no tiene que ver con el placer de chiste. Ahora abordamos lo dicho desde dos diversos puntos de vista: una vez tal como se produjo en la niña, y la otra como se habría producido para nosotros; a raíz de esa comparación hallamos que el niño descubrió una identidad, venció una barrera que para nosotros subsiste, y entonces todo sigue como si nos dijéramos: «Si quieres comprender lo escuchado puedes ahorrarte el gasto que significa mantener esa barrera». El gasto liberado a raíz de tal comparación es la fuente del placer por lo ingenuo y se lo descarga mediante la risa; es en verdad el mismo gasto que habríamos mudado en indignación si esta última no estuviese excluida por nuestro entendimiento de la persona productora y, en este caso, también por la naturaleza de lo dicho. Ahora bien, si tomamos el caso del chiste ingenuo como paradigma del otro caso, el de lo chocante ingenuo, vemos que también en él el ahorro de inhibición puede provenir directamente de la comparación, que no tenemos necesidad de suponer una indignación incipiente y luego ahogada, y que esta última no corresponde sino a un empleo en otro lugar del gasto liberado, empleo para prevenir el cual se requerirían en el chiste complejos dispositivos protectores [págs. 144-5].

Esta comparación, este ahorro de gasto a raíz del situarse dentro del proceso anímico de la persona productora, sólo pueden reclamar significatividad para lo ingenuo si no convienen a lo ingenuo solo. De hecho nace en nosotros la conjetura de que este mecanismo, por completo ajeno al chiste, es una pieza, quizá la esencial, del proceso psíquico en lo cómico. Desde este ángulo —es por cierto la perspectiva más importante de lo ingenuo—, lo ingenuo se presenta, así, como una variedad de lo cómico. Lo que en nuestros ejemplos de dichos ingenuos viene a sumarse al placer de chiste es un placer «cómico». Respecto de este nos inclinaríamos a suponer, en términos generales, que nace por ahorro de un gasto a raíz de la comparación entre las exteriorizaciones de otro y las nuestras. Empero, como aquí estamos en presencia de unas intuiciones de vasto alcance, concluiremos antes la apreciación de lo ingenuo. Entonces, lo ingenuo sería una variedad de lo cómico en la medida en que su placer brota de la diferencia* de gasto que arroja el querer entender al otro, y se aproxima al chiste por la condición de que ese gasto ahorrado por vía comparativa tiene que ser un gasto de inhibición.[3]

Pasemos todavía rápida revista a algunas concordancias y diferencias entre los conceptos que nosotros hemos obtenido ahora y aquellos que desde hace mucho se mencionan en la psicología de la comicidad. Es evidente que el trasladarse dentro, el querer comprender, no es otra cosa que el «préstamo cómico» que desde Jean Paul desempeña un papel en el análisis de lo cómico; el «comparar» el proceso anímico del otro con el propio corresponde al «contraste psicológico», para el cual al fin hallamos un sitio aquí, después que no supimos qué hacer con él a raíz del chiste [págs. 13-4]. Sin embargo, en la explicación del placer cómico nos apartamos de numerosos autores en cuya opinión el placer nace al fluctuar la atención entre las diversas representaciones contrastantes. Nosotros no sabríamos concebir un mecanismo de placer semejante;[4] en cambio, señalamos que de la

---

* {Véase la nota de la traducción castellana *infra*, pág. 186.}

[3] Aquí he identificado por doquier lo ingenuo con lo cómico-ingenuo, lo cual por cierto no siempre es admisible. Pero basta para nuestros propósitos con estudiar los caracteres de lo ingenuo en el «chiste ingenuo» y la «pulla ingenua». Dar un paso más presupondría el propósito de sondear desde aquí la esencia de lo cómico.

[4] También Bergson rechaza esa derivación del placer cómico, inequívocamente influida por el afán de establecer una analogía con la risa del que tiene cosquillas; lo hace con buenos argumentos (1900, pág. 99). — En un nivel por entero diverso se sitúa la explicación del placer cómico en Lipps, que, en armonía con su concepción de lo cómi-

comparación de los contrastes resulta una diferencia de gasto que, si no experimenta otro empleo, se vuelve susceptible de descarga y, de ese modo, fuente de placer.

Al problema de lo cómico como tal sólo con temor osamos aproximarnos. Sería presuntuoso esperar que nuestros empeños contribuyeran con algo decisivo a su solución después que los trabajos de una vasta serie de notables pensadores no obtuvieron un esclarecimiento satisfactorio en todos sus aspectos. En realidad, no nos proponemos sino perseguir durante un tramo, por el ámbito de lo cómico, aquellos puntos de vista que demostraron ser valiosos respecto del chiste.

Lo cómico se produce en primer lugar como un hallazgo no buscado en los vínculos sociales entre los seres humanos. Se lo descubre en personas, y por cierto en sus movimientos, formas, acciones y rasgos de carácter; originariamente es probable que sólo en sus cualidades corporales, más tarde también en las anímicas, o bien en sus manifestaciones. Por vía de una manera muy usual de personificación, luego también animales y objetos inanimados devienen cómicos. No obstante, lo cómico puede ser desasido de las personas cuando se discierne la condición bajo la cual una persona aparece como cómica. Así nace lo cómico de la situación, y con ese discernimiento se establece la posibilidad de volver adrede cómica a una persona trasladándola a situaciones en que sean inherentes a su obrar esas condiciones de lo cómico. El descubrimiento de que uno tiene el poder de volver cómico a otro abre el acceso a una insospechada ganancia de placer cómico y da origen a una refinada técnica. También es posible volverse cómico uno mismo. Los recursos que sirven para volver cómico a alguien son, entre otros, el traslado a situaciones cómicas, la imitación, el disfraz, el desenmascaramiento, la caricatura, la parodia, el travestismo. Como bien se entiende, estas técnicas pueden entrar al servicio de tendencias hostiles y agresivas. Uno puede volver cómica a una persona para hacerla despreciable, para restarle títulos de dignidad y autoridad. Pero aunque ese propósito se encuentre por lo común en la base del volver cómico, no necesariamente constituye el sentido de lo cómico espontáneo.

Ya este desordenado [5] repaso del surgimiento de lo cómico nos permite advertir que debe atribuírsele un radio de ori-

co, debería basarse en algo «inesperadamente pequeño». [En el original alemán, esta nota se sitúa *al final* del párrafo.]

[5] [«*Ungeordneten*». En la edición de 1912 aparece por error «*untergeordneten*», «secundario».]

gen muy extenso, de suerte que no cabe esperar aquí unas condiciones tan especializadas como las que hallamos, por ejemplo, en lo ingenuo. Con miras a ponernos sobre la pista de la condición válida para lo cómico, lo más atinado es escoger un caso como punto de partida; elegimos lo cómico de los movimientos acordándonos de que la representación teatral más primitiva, la pantomima, se vale de este recurso para hacernos reír. A la pregunta sobre por qué nos reímos de los movimientos del clown, se podría responder: porque nos parecen desmedidos y desacordes con un fin. Reímos de un gasto demasiado grande. Busquemos esta condición fuera de la comicidad obtenida artificialmente, vale decir, allí donde uno la descubre de manera no deliberada.

Los movimientos del niño no nos parecen cómicos, por más que se agite y salte. Cómico es, en cambio, que el niño que aprende a escribir saque la lengua y acompañe con ella los movimientos de la pluma; en estos movimientos concomitantes vemos un gasto superfluo que nosotros en igual actividad nos ahorraríamos. De igual modo, también en adultos nos resultan cómicos unos movimientos concomitantes o aun movimientos expresivos algo desmedidos. Así, son casos puros de esta clase de comicidad los movimientos que ejecuta el jugador de bolos después que arrojó la bola, cuando sigue su trayectoria como si todavía pudiera regularla con posterioridad; cómicos son todos los gestos que exageran la expresión normal de las emociones, aunque se produzcan de manera involuntaria, como en las personas afectadas por el baile de San Vito (*chorea*); también los apasionados movimientos de un moderno director de orquesta parecerán cómicos a toda persona ignara en música que no comprenda su carácter necesario. Y desde esta comicidad de los movimientos se ramifica aún lo cómico de las formas del cuerpo y los rasgos del rostro, en la medida en que se los conciba como si fueran producto de un movimiento llevado demasiado lejos y carente de fin. Ojos saltones, una nariz que se proyecte sobre la boca en forma de pico de loro, orejas salientes, una joroba y rasgos de esta índole probablemente sólo sean cómicos porque uno se representa los movimientos que se habrían requerido para producirlos, a cuyo fin la representación considera móviles mucho más de lo que lo son en realidad a nariz, orejas y otras partes del cuerpo. Es sin duda cómico que alguien pueda «mover las orejas», y por cierto que lo sería todavía más el que pudiera mover su nariz hacia arriba o hacia abajo. Buena parte del efecto cómico que los animales nos producen se debe a que percibimos en ellos movimientos que no podríamos imitar.

Pero, ¿de qué manera damos en reír cuando hemos discernido como desmedidos y desacordes con el fin los movimientos de otro? Opino que por la vía de la comparación entre el movimiento observado en el otro y el que yo mismo habría realizado en su lugar. Desde luego que tiene que aplicarse una misma medida a los términos comparados, y esa medida es mi gasto de inervación conectado a la representación del movimiento en uno y en otro caso. Esta afirmación requiere ser elucidada y desarrollada.

Lo que aquí ponemos en recíproca relación es, por una parte, el gasto psíquico producido a raíz de un cierto representar y, por la otra, el contenido de eso representado. Nuestra afirmación sostiene que el primero no es en general y por principio independiente del segundo, del contenido de representación; en particular, sostenemos que la representación de algo grande exige un plus de gasto respecto de la de algo pequeño. En la medida en que sólo se trate de la representación de unos movimientos de magnitud diversa, la fundamentación teórica de nuestra tesis y su prueba mediante la observación no podrían depararnos dificultad alguna. Se demostrará que en este caso una propiedad de la representación de hecho coincide con una propiedad de lo representado, aunque la psicología nos alerta de ordinario contra esa confusión.

Adquiero la representación de un movimiento de magnitud determinada ejecutando o imitando ese movimiento, y a raíz de esta acción tengo noticia en mis sensaciones de inervación de una medida para ese movimiento.[6]

Ahora bien: cuando percibo en otro un movimiento parecido, de mayor o menor magnitud, el camino más seguro para entenderlo —para apercibirlo— será que lo ejecute imitándolo, y entonces podré decidir mediante la comparación en cuál de los dos fue mayor mi gasto. Es indudable que a raíz de la percepción de movimientos sobreviene ese esfuerzo de imitación. Pero en la realidad efectiva yo no ejecuto la imitación, así como no deletreo aunque aprendí a leer haciéndolo. En vez de imitar el movimiento con mis músculos, procedo a representarlo por medio de mis huellas mnémicas

---

[6] El recuerdo de este gasto de inervación permanecerá como la pieza esencial en la representación de este movimiento, y siempre habrá en mi vida anímica maneras de pensar en que la representación estará representada {repräsentieren} exclusivamente por ese gasto. En otros nexos puede introducirse un sustituto de ese elemento por otros: verbigracia, por las representaciones visuales de la meta del movimiento, por la representación-palabra, y en ciertas variedades del pensar abstracto bastará con un signo en lugar del contenido pleno de la representación.

de los gastos que demandaron movimientos semejantes. El representar o «pensar» se diferencia del obrar o ejecutar, sobre todo, porque hace desplazarse muy escasas energías de investidura e impide que el gasto principal sea drenado.[7] Pero, ¿de qué modo el factor cuantitativo —la magnitud mayor o menor— del movimiento percibido se expresa en la representación? Y si en la representación, compuesta por cualidades, falta una figuración de la cantidad, ¿cómo puedo diferenciar las representaciones de movimientos de magnitud diversa, y emprender entonces la comparación que nos interesa aquí?

En este punto la fisiología nos señala el camino, enseñándonos que también durante el representar discurren inervaciones hacia los músculos, aunque ellas corresponden, claro está, sólo a un gasto modesto.[8] Pero entonces es sugerente suponer que ese gasto de inervación que acompaña al representar se emplea para la figuración del factor cuantitativo de la representación, y es más grande cuando el representado es un movimiento mayor, y menor cuando este es más pequeño. La representación del movimiento más grande sería aquí, pues, efectivamente la mayor, o sea la acompañada de un gasto mayor.

La observación muestra de manera directa que los seres humanos están habituados a expresar lo grande y lo pequeño de sus contenidos de representación por la diversidad de gasto en una suerte de *mímica de representación*.

Cuando un niño, un hombre de pueblo o un miembro de ciertas razas comunica o describe algo, fácilmente se echa de ver que no se contenta con patentizar al oyente su representación escogiendo unas palabras claras, sino que también figura el contenido de ella en sus movimientos expresivos; conecta la figuración mímica con la verbal. Sobre todo dibuja así las cantidades e intensidades: «Una alta montaña», y levanta la mano por encima de su cabeza; «Un enanito», y la hace descender a ras del suelo. Y si se ha

---

[7] [Este importante principio había sido enunciado por Freud, aunque quizá no con la misma claridad que aquí, en *La interpretación de los sueños* (1900*a*), *AE*, **5**, págs. 588-9. Ya en el «Proyecto» de 1895 (1950*a*), *AE*, **1**, págs. 377-80, lo había estudiado en términos cuasineurológicos. Vuelve a traerlo al primer plano en «Formulaciones sobre los dos principios del acaecer psíquico» (1911*b*), *AE*, **12**, pág. 226, y más adelante reaparece en varios pasajes de sus obras; verbigracia, en la 32ª de las *Nuevas conferencias de introducción al psicoanálisis* (1933*a*), *AE*, **22**, pág. 83.]

[8] [Cierta aproximación a las ideas contenidas en este párrafo puede hallarse tal vez en las secciones 17 y 18 de la parte I del «Proyecto» (1950*a*).]

quitado el hábito de pintar con las manos, tanto más lo hará con la voz; si también se ha dominado en esto, puede apostarse a que al describir algo grande abrirá desmesuradamente los ojos y al figurar lo pequeño los entrecerrará. No son sus afectos los que así exterioriza, sino, en realidad, el contenido de lo representado.

¿Deberíamos suponer ahora que esta necesidad de mímica sólo despierta exigida por la comunicación, aunque buena parte de este modo de figurar escapa por completo a la atención del oyente? Prefiero pensar que esta mímica, si bien menos vívida, está presente en ausencia de toda comunicación, y también se produce cuando la persona se representa para sí sola, piensa algo en forma intuible; entonces expresa lo grande y lo pequeño en su cuerpo como lo hace cuando habla, por lo menos mediante una inervación alterada en los rasgos de su rostro y en sus órganos sensoriales. Y hasta puedo pensar que la inervación corporal acorde al contenido de lo representado fue el comienzo y origen de la mímica con fines de comunicación; para cumplir este propósito, no le hizo falta más que acentuarse, volverse llamativa para el otro. En tanto así defiendo el punto de vista de que a la «expresión de las emociones», notoria como un efecto secundario corporal de procesos anímicos, debe agregársele esta «expresión del contenido de representación», tengo bien en claro que mis puntualizaciones sobre la categoría de lo grande y lo pequeño no han agotado el tema. Yo mismo sabría agregar muchas cosas aun antes de llegar a los fenómenos de tensión por los cuales una persona señala corporalmente el recogimiento de su atención y el nivel de abstracción en que su pensar se mantiene durante ese tiempo. Considero muy sustantivo este asunto, y creo que el estudio de la mímica de representación sería en otros campos de la estética tan útil como lo es aquí para entender lo cómico.

Para volver ahora a la comicidad del movimiento, repito que con la percepción de un determinado movimiento se dará el impulso a representarlo mediante un cierto gasto. Por tanto, en el «querer comprender», en la apercepción de ese movimiento, yo hago un cierto gasto, me comporto en esta pieza del proceso anímico exactamente igual que si me situara en el lugar de la persona observada. Ahora bien, es probable que al mismo tiempo tenga en vista la meta de ese movimiento y pueda apreciar, por medio de mi anterior experiencia, la medida de gasto que se requiere para el logro de esta meta. Prescindo en esto de la persona observada y me comporto como si yo mismo quisiera alcanzar la meta del movimiento. Estas dos posibilidades de representación desembocan en una comparación entre el movimiento observado y el mío propio. Ante un movimiento desmedido del otro, y desacorde con el fin, mi plus de gasto para entenderlo es inhibido *in statu nascendi*, por así decir en su movilización misma [pág. 144]; es declarado superfluo y así queda libre para un empleo ulterior, eventualmente su descarga en risa. De esta manera, si vinieran a agregarse otras condiciones favorables, la génesis del placer por el movimiento cómico sería un gasto de inervación que ha devenido inaplicable como excedente a consecuencia de la comparación con el movimiento propio.

Notamos ahora que debemos continuar nuestras elucidaciones en dos sentidos diferentes: en primer lugar, establecer las condiciones para la descarga del excedente; en segundo lugar, examinar si los otros casos de lo cómico pueden concebirse de manera parecida a lo cómico del movimiento.

Abordamos primero la segunda de esas tareas y, tras lo cómico del movimiento y de la acción, pasamos a considerar lo cómico que se descubre en las operaciones mentales y rasgos de carácter del otro.

Podemos tomar como modelo del género el disparate cómico tal como lo producen los candidatos ignorantes en un examen; claro que es más difícil dar un ejemplo simple de los rasgos de carácter. No nos despiste el hecho de que disparate y tontería, de efecto tan a menudo cómico, no sean sentidos así en todos los casos, de igual modo que los mismos caracteres que una vez nos dan risa por cómicos, otras veces pueden parecernos despreciables u odiosos. Este hecho, que no debemos dejar de tener en cuenta, no hace empero sino indicar que en el efecto cómico intervienen todavía otras constelaciones que la comparación ya consabida, unas condiciones que acaso pesquisemos en otro contexto. [Cf. págs. 206 y sigs.]

Es evidente que lo cómico descubierto en las propiedades espirituales y anímicas de otro vuelve a ser resultado de una comparación entre él y mi yo; pero lo notable es que se trata de una comparación que casi siempre ha arrojado el resultado contrapuesto al caso del movimiento o la acción cómicas. En estos últimos era cómico que el otro se impusiera un gasto mayor del que yo creo necesitar; en el caso de la operación anímica, en cambio, será cómico que el otro se haya ahorrado un gasto que yo considero indispensable; en efecto, disparate y .tontería son operaciones por defecto. En el primer caso yo río porque él lo hizo demasiado difícil, y por demasiado fácil en el segundo. Parece entonces que para el efecto cómico sólo importa la diferencia * entre los dos gastos de investidura —el de la «empatía» y el del yo—, y no el sentido de esa diferencia. Esto al comienzo confunde nuestro juicio, pero deja de sonarnos raro tan pronto consideramos que es acorde a nuestro desarrollo personal hacia un estadio más alto de cultura el limitar nuestro trabajo muscular y aumentar nuestro trabajo de pensamiento. Aumentando nuestro gasto de pensamiento logramos reducir nuestro gasto de movimiento para una misma operación, logro cultural de que son prueba nuestras máquinas.[9]

Dentro de una concepción unitaria armoniza, pues, que nos parezca cómico lo que en comparación con nosotros gasta en exceso para sus operaciones corporales y en defecto para sus operaciones anímicas, y no puede desecharse que en los dos casos nuestra risa exprese una superioridad, sentida como placentera, que nos adjudicamos con relación al otro. Y cuando la proporción se invierte en ambos, cuando el gasto somático del otro es menor y hallamos su gasto anímico mayor que el nuestro, ya no reímos: nos asombramos entonces, y admiramos.[10]

El origen aquí elucidado del placer cómico desde la comparación de la otra persona con el yo propio —desde la diferencia entre el gasto empático y el propio— probablemente sea el más sustantivo en lo genético. Pero es seguro que no ha seguido siendo el único. En algún momento hemos aprendido a prescindir de tal comparación entre el otro y el yo, y a procurarnos la diferencia placentera desde un solo lado, sea el de la empatía, sea el de los procesos del yo propio, con lo cual queda demostrado que el sentimiento de superioridad no posee un nexo esencial con el placer cómico. Una comparación es [empero] indispensable para la génesis de ese placer; hallamos que esa comparación se establece entre dos gastos de investidura que se suceden con rapidez y se refieren a la misma operación, y que producimos en nosotros por el camino de la empatía con el otro, o bien hallamos, sin esa referencia, en nuestros propios procesos anímicos.

El primer caso —en el cual, por consiguiente, la otra per-

---

* {Aquí y en todo el resto de la obra se emplea en este contexto la palabra alemana «*Differenz*», en lugar de la habitual «*Unterschied*». Aquella es la utilizada en matemática y apunta más a una diferencia cuantitativa que cualitativa.}

9 «Lo que uno no tiene en la cabeza —dice el proverbio— debe tenerlo en las piernas».

10 Esta relación de oposición que impregna las condiciones de lo cómico —a saber, que aparezca como fuente del placer cómico ora un exceso, ora un defecto— ha contribuido no poco a enredar el problema. Cf. Lipps, 1898, pág. 47.

sona sigue desempeñando un papel, sólo que ya no por su comparación con nuestro yo— se presenta cuando la diferencia placentera de los gastos de investidura se establece por influjos externos que podemos resumir como «situación», en razón de lo cual esta variedad de lo cómico se llama también *comicidad de situación*. En ella no cuentan como asunto principal las propiedades de la persona que ofrece lo cómico; reímos aunque debamos decirnos que en igual situación nos habríamos visto precisados a hacer lo mismo. Aquí extraemos la comicidad del nexo del ser humano con el a menudo hiperpotente mundo exterior, entendiendo por este, respecto de los procesos anímicos en el hombre, también las convenciones y leyes objetivas de la sociedad, y aun sus propias necesidades corporales. Caso típico de esta última especie es que alguien, en una actividad que reclama sus fuerzas anímicas, se vea de pronto perturbado por un dolor o una necesidad excrementicia. La oposición de la cual obtenemos la diferencia cómica por empatía es la que media entre el elevado interés que esa persona ponía en su actividad anímica antes de la perturbación y el mínimo que le queda tras sobrevenir esta. La persona que nos ofrece esa diferencia se nos vuelve cómica, nuevamente, por defecto; pero ese defecto es sólo por comparación con su yo anterior y no con el nuestro, pues bien sabemos que en igual caso no nos habríamos comportado de otro modo. Ahora bien, lo notable es que sólo podemos hallar cómico este defecto del ser humano en el caso de la empatía, vale decir, en el otro, mientras que nosotros mismos en estos y parecidos embarazos sólo devendríamos concientes de unos sentimientos penosos. Probablemente sólo este mantenerse alejado lo penoso de nuestra persona nos posibilite gozar como placentera la diferencia resultante de la comparación entre las investiduras cambiantes.

La otra fuente de lo cómico, la que hallamos en nuestros propios cambios de investidura, se sitúa en nuestras referencias a lo futuro que estamos habituados a anticipar mediante las representaciones-expectativa. Supongo que en cada una de nuestras representaciones-expectativa va envuelto un gasto cuantitativamente determinado, y en caso de desilusión él se reduce en una determinada diferencia; me remito aquí a las puntualizaciones que ya hice sobre la «mímica de representación» [págs. 184-5]. Empero, en el caso de la expectativa me parece más fácil demostrar el gasto de investidura efectivamente movilizado. Para una serie de casos, es palmario que unos preparativos motores constituyen la expresión de la expectativa, sobre todo en aquellos en que el evento esperado pone en juego mi motilidad; y esos preparativos son, sin más, susceptibles de una determinación cuantitativa. Si espero coger una pelota que me arrojaron, imprimo a mi cuerpo unas tensiones que lo habilitarán para atajar su choque, y los movimientos superfluos que hago si la pelota atajada resulta ser demasiado liviana me vuelven cómico ante los espectadores. Mi expectativa me ha llevado a realizar un gasto de movimiento desmedido. Lo mismo ocurrirá si, por ejemplo, levanto de una cesta un fruto que me parece pesado, pero me engañaba por estar hueco, era una imitación en cera. Mi mano delatará, por la rapidez con que se levanta, que yo había aprontado una inervación desmesurada para el fin, y ello me pondrá en ridículo. Y hasta existe por lo menos un caso en que el gasto de expectativa puede medirse de una manera directa mediante un experimento fisiológico con animales. En las experiencias de Pavlov sobre las secreciones de saliva, a perros a los que se les ha colocado una fístula se les enseñan diversos alimentos, y los volúmenes de saliva secretados oscilan según que las condiciones experimentales hayan refirmado o desengañado las expectativas del perro de ser alimentado con lo que le enseñan.

Aun donde lo esperado sólo pone en juego mis órganos sensoriales, y no mi motilidad, tengo derecho a suponer que la expectativa se exterioriza en cierto desembolso motor para poner en tensión los sentidos y para coartar otras impresiones no esperadas; en general, me es lícito concebir el acomodamiento de la atención como una operación motriz que equivale a cierto gasto. Además, puedo presuponer que la actividad preparatoria de la expectativa no ha de ser independiente de la magnitud de la impresión esperada, sino que figuraré lo grande o pequeño de ella mímicamente por medio de un gasto de preparativo mayor o menor, tal como sucede, sin mediar expectativa, en el caso de la comunicación y en el del pensar. Por otra parte, el gasto de expectativa constará de varios componentes, y también para mi desilusión intervendrán diversos, no sólo que lo sobrevenido sea sensorialmente mayor o menor que lo esperado, sino también que sea digno del gran interés que yo había dispensado a la expectativa. Es posible que esto me induzca a considerar, además del gasto para la figuración de lo grande y lo pequeño (la mímica de representación), el gasto para la tensión de la atención (gasto de expectativa) y, en otros casos, aun el gasto de abstracción. Pero estas otras variedades de gasto se reconducen con facilidad al desembolsado para lo grande y lo pequeño, puesto que lo más interesante, lo más elevado y aun lo más abstracto no son sino unos casos especiales de lo más grande, de una particular cualidad. Si agregamos que según Lipps y otros el contraste *cuantitativo* —y no el cualitativo— ha de considerarse en primera línea como fuente del placer cómico, quedaremos por entero satisfechos de haber escogido lo cómico del movimiento como punto de partida de nuestra indagación.

Lipps, en un libro suyo que ya hemos citado repetidas veces, ha intentado, desarrollando la tesis de Kant según la cual «lo cómico es una expectativa pulverizada» [cf. *supra*, pág. 14*n.*], derivar el placer cómico enteramente de la expectativa.[11] A pesar de las múltiples conclusiones instructivas y valiosas que ese intento ha promovido, yo refrendaría la crítica expresada por otros autores, a saber, que Lipps ha concebido demasiado estrecho el ámbito en que se origina lo cómico y no pudo someter sus fenómenos a esa fórmula sin forzar grandemente las cosas.

[2]

Los hombres no se han contentado con gozar lo cómico donde se topaban con ello en su vivenciar, sino que procuraron producirlo adrede; y uno aprende más sobre la esencia de lo cómico cuando estudia los recursos que sirven para engendrarlo. En primer lugar, uno puede provocar lo cómico en su propia persona para alegrar a otros, por ejemplo haciéndose el torpe o el tonto. Uno engendra entonces la comicidad, como si en efecto la tuviera, al satisfacer la condición de la comparación a través de la cual se llega a la diferencia de gasto; pero de esa manera uno no se vuelve ridículo ni despreciable, sino que en ciertas circunstancias hasta puede provocar admiración. El otro, si sabe que uno meramente se ha disimulado, no obtendrá el sentimiento de superioridad, lo cual vuelve a proporcionarnos una buena prueba de que en principio la comicidad es independiente de ese sentimiento [pág. 186].

Como recurso para volver cómico a otro, se usa sobre todo trasladarlo a situaciones en que a consecuencia de la humana dependencia de circunstancias exteriores, en particular factores sociales, uno se vuelve cómico sin que importen sus cualidades personales; vale decir: el aprovechamiento de la comicidad de situación. Ese traslado a una situación cómica puede ser objetivo (*a practical joke*)* cuan-

---

[11] [Lipps, 1898, págs. 50 y sigs.]

* {Broma, acción realizada en son de burla. Literalmente, «chiste práctico» o «llevado a la práctica».}

do se traba a alguien para que caiga como si fuese torpe, se lo hace aparecer tonto explotando su credulidad, se le hace creer algo disparatado, etc., o se lo puede fingir con un dicho o un juego. Es un buen auxiliar para la agresión, a cuyo servicio suele ponerse el volver cómico a alguien, que el placer cómico sea independiente de la realidad objetiva de la situación cómica; de este modo, cada quien está expuesto, inerme, a devenir cómico.

Pero hay también otros medios para volver cómico algo o a alguien, que merecen consideración especial y en parte enseñan nuevos orígenes del placer cómico. Entre ellos se cuenta, por ejemplo, la *imitación*, que garantiza al oyente un placer totalmente extraordinario y vuelve cómico su objeto aunque ella esté todavía lejos de la exageración caricaturizante. Es mucho más fácil sondear el efecto cómico de la caricatura que el de la mera imitación. Caricatura, parodia y travestismo, así como su contrapartida práctica, el desenmascaramiento, se dirigen a personas y objetos que reclaman autoridad y respeto y son *sublimes* en algún sentido. Son métodos de rebajamiento {*Herabsetzung*}, como lo enuncia esta feliz expresión de la lengua alemana.[12] Lo sublime es algo grande en el sentido traslaticio, psíquico, y me gustaría hacer, o más bien renovar, el supuesto de que al igual que lo grande somático está constituido por un plus de gasto. Basta observar un poco para comprobar que yo, cuando hablo de lo sublime, inervo mi voz diversamente, hago otros ademanes y busco armonizar, digamos así, mi postura corporal con la dignidad de lo que me represento. Me impongo una compulsión de solemnidad, no muy diversa de la que adopto frente a una personalidad sublime, un monarca, un príncipe de la ciencia. Difícilmente me equivoque si supongo que esta inervación diversa de la mímica de representación corresponde a un plus de gasto. El tercer caso de un plus de gasto tal[13] lo hallo, sin duda, cuando me entrego a unas ilaciones abstractas de pensamiento en lugar de seguir las representaciones plásticas y concretas ordinarias. Entonces, cuando los métodos de rebajamiento de lo sublime hacen que yo me lo represente como algo ordinario, algo que no me exige guardar la compostura y en cuya presencia ideal

---

[12] «*Degradation*». A. Bain (1865, pág. 248) dice: «*The occasion of the ludicrous is the degradation of some person or interest, possessing dignity, in circumstances that excite no other strong emotion*» {«La ocasión de lo ridículo es la degradación de alguna persona o interés que poseen dignidad, en circunstancias que no excitan ninguna otra fuerte emoción»}.

[13] [Los otros dos serían lo grande somático y lo sublime.]

puedo adoptar «posición de descanso», como reza la fórmula militar, me ahorran el plus de gasto de la compulsión de solemnidad, y la comparación entre ese modo de representar, incitado por la empatía, y el acostumbrado hasta ese momento, que procura establecerse simultáneamente, vuelve a crear la diferencia de gasto que puede ser descargada por la risa.

La *caricatura* opera el rebajamiento, según es notorio, realzando de la expresión global del objeto sublime un único rasgo en sí cómico que no podía menos que pasar inadvertido mientras sólo era perceptible dentro de la imagen total. Ahora, por medio de su aislamiento, se puede obtener un efecto cómico que en nuestro recuerdo se extiende al todo. Condición de ello es que la presencia de lo sublime mismo no nos mantenga en nuestra predisposición a venerarlo. Cuando en la realidad falta un rasgo cómico omitido de ese modo, la caricatura lo crea sin reparo alguno exagerando uno no cómico en sí mismo. Vuelve a ser característico para el origen del placer cómico que el efecto de la caricatura no sufra esencial menoscabo por ese falseamiento de la realidad.

Parodia y *travestismo* obtienen el rebajamiento de lo sublime de otra manera, destruyendo la unidad entre los caracteres que nos resultan familiares en ciertas personas y sus dichos o acciones, o bien sustituyendo las personas sublimes o sus exteriorizaciones por unas de inferior nivel. En esto, y no por el mecanismo para producir placer cómico, se distinguen de la caricatura. Idéntico mecanismo vale también para el *desenmascaramiento*, que sólo interviene allí donde alguien se ha arrogado mediante fraude una dignidad y autoridad de las que es preciso despojarlo realmente. Ya a raíz del chiste tomamos conocimiento del efecto cómico del desenmascaramiento a través de algunos ejemplos; tal la historia de la noble dama que en las primeras ansias del parto exclamó: «*Ah, mon Dieu!*», y a la que el médico no quiso hacer caso hasta que gritó: «¡Ay-ay-ay ay!» [pág. 77]. Ahora que tenemos noticia de los caracteres de lo cómico, ya no podemos negar que esa historia es en verdad un ejemplo de desenmascaramiento cómico y no posee justificados títulos para llamarse chiste. Al chiste recuerda meramente por la escenificación, por el recurso técnico de la «figuración mediante algo pequeñísimo» [*loc. cit.*], o sea, en este caso, el grito, considerado indicio suficiente para iniciar la asistencia. Empero, queda en pie que a nuestro sentimiento lingüístico, si se nos pide pronunciarnos, no le repugna llamar chiste a una historia de esta clase. Nos inclinaríamos a explicarlo reflexionando que el uso lingüístico no parte de la intelección científica de la esencia del chiste que nosotros hemos adquirido en esta laboriosa indagación. Como entre las operaciones del chiste se cuenta la de reabrir fuentes cegadas del placer cómico (pág. 97), dentro de una analogía laxa puede llamarse chiste todo artificio que saque a la luz una comicidad no palmaria. Ahora bien, esto último es válido de preferencia para el desenmascaramiento, como también para otros métodos del volver cómico algo o a alguien.[14]

En el «desenmascaramiento» pueden incluirse, además, aquellos otros procedimientos para volver cómico a un individuo, ya mencionados [pág. 187], que rebajan su dignidad llamando la atención sobre su humana flaqueza, pero en particular sobre la dependencia en que sus operaciones anímicas se encuentran respecto de necesidades corporales. El desenmascaramiento tiene entonces significado equivalente a la advertencia: «Este o aquel a quien admiran como a un semidiós no es más que un hombre como tú y yo». En este punto se incluyen, asimismo, todos los empeños por dejar al descubierto, tras la riqueza y la aparente libertad de las operaciones psíquicas, el monótono automatismo psíquico. En los chistes de casamenteros conocimos ejemplos de tales «desenmascaramientos», y en verdad en ese momento nos asaltó un sentimiento de duda sobre si teníamos derecho a considerar chistes esas historias [págs. 62-3]. Ahora podemos decidir con más certeza que la historia del eco [págs. 61-2], que reafirmaba todas las aseveraciones del casamentero y al final reforzó también su confesión de que la novia tenía una joroba exclamando: «¡Pero qué joroba!», es en lo esencial una historia cómica, un ejemplo de desenmascaramiento del automatismo psíquico. Empero, la historia cómica sirve en este caso solamente como fachada; para quien quiera considerar el sentido oculto de las anécdotas de casamenteros, el conjunto sigue siendo un chiste de excelente escenificación [págs. 99 y sigs.]. Algo parecido vale para aquel otro en que, a fin de refutar una objeción, se confiesa a la postre la verdad mediante la exclamación: «¡Pero por favor! ¿Quién prestaría algo a esta gente?» [pág. 62]; un desenmascaramiento cómico como fachada de un chiste. Sin embargo, en este caso el carácter de chiste es mucho más inequívoco, pues el dicho del casamentero es al mismo tiempo una figuración por lo contrario. Queriendo probar que esa gente es rica, simultáneamente prueba que no lo es, que es muy

[14] «Así, se llama en general chiste a toda provocación conciente y diestra de la comicidad, sea esta de la intuición o de la situación. Desde luego, nosotros no podemos tampoco utilizar aquí este concepto del chiste» (Lipps, 1898, pág. 78).

pobre. Chiste y comicidad se combinan aquí y nos enseñan que un mismo enunciado puede ser a la vez chistoso y cómico.

Aprovechamos gustosos la oportunidad de remontarnos desde la comicidad del desenmascaramiento al chiste, pues nuestra genuina tarea es esclarecer el nexo entre chiste y comicidad, y no definir la naturaleza esencial de lo cómico. Por eso añadiremos al caso de descubrimiento del automatismo psíquico, en el que nos ha dejado en la estacada el sentimiento de si algo es cómico o chistoso, otro caso en que de igual modo chiste y comicidad se confunden entre sí: el de los chistes disparatados. Ahora bien, nuestra indagación terminará por mostrarnos que para este segundo caso la coincidencia de chiste y comicidad es deducible en la teoría. [Cf. págs. 195-6.]

A raíz de la elucidación de las técnicas de chiste hemos hallado que el consentimiento de maneras del pensar usuales en lo inconciente, pero que en lo conciente se juzgarían sólo como «falacias», es el recurso técnico de muchísimos chistes; empero, luego pudimos dudar de que en verdad tuvieran carácter de tales, de suerte que nos inclinamos a clasificarlos como simples historias cómicas [pág. 59]. Y no nos fue posible llegar a una decisión acerca de nuestra duda, porque no poseíamos el previo conocimiento del carácter esencial del chiste. Luego, guiados por la analogía con el trabajo del sueño, hallamos aquel en el compromiso operado por el trabajo del chiste entre los requerimientos de la crítica racional y la pulsión a no renunciar al antiguo placer obtenido en la palabra y el disparate [págs. 131-2]. Lo que se producía en calidad de compromiso entonces, cuando el esbozo preconciente de lo pensado se abandonaba por un momento a la elaboración inconciente, satisfacía en todos los casos los dos requisitos, pero se presentaba ante la crítica en variadas formas y debía consentir apreciaciones diversas. Unas veces el chiste había logrado conquistarse la forma de una frase carente de valor, pero de todos modos admisible; otras, filtrarse en la expresión de un pensamiento valioso; y en el caso límite de la operación de compromiso había renunciado a satisfacer la crítica y, ateniéndose a las fuentes de placer de que disponía, aparecía ante ella como mero disparate, sin arredrarle despertar su contradicción, pues podía contar con que el oyente enderezaría mediante elaboración inconciente la deformidad expresiva, devolviéndole así su sentido.

Ahora bien, ¿en qué caso aparecerá el chiste como disparate ante la crítica? En particular, cuando se vale de aquellos modos del pensar usuales en lo inconciente, pero desterrados del pensar conciente, o sea las falacias. Es que algunos de aquellos se conservan también para lo conciente —p. ej., muchas variedades de la figuración indirecta, la alusión, etc.—, aunque su uso conciente esté sometido a mayores limitaciones. Con estas técnicas el chiste ofrecerá poco o ningún motivo de escándalo a la crítica; esto último sólo sobreviene cuando se vale como técnica también de aquellos recursos de los cuales el pensar conciente ya no quiere saber nada. No obstante, el chiste puede esquivar el escándalo si disimula la falacia empleada, si la reviste con una apariencia de lógica, como en la historia de la torta y el licor [pág. 58], la del salmón con mayonesa [págs. 48-9] y otras semejantes. Pero si ofrece la falacia sin disfraz, el veto de la crítica es cosa segura.

En estos casos hay algo más que opera en favor del chiste. Las falacias que aprovecha para su técnica en calidad de modos del pensar de lo inconciente parecen —si bien no siempre— cómicas a la crítica. El consentimiento conciente de los modos del pensar inconciente, desestimados por falaces, es uno de los recursos para producir el placer cómico; y ello se comprende fácilmente, puesto que sin ninguna duda producir la investidura preconciente requiere un gasto mayor que consentir la inconciente. La diferencia de gasto, de la cual surge el placer cómico, resulta para nosotros tan pronto como, al escuchar el pensamiento formado al modo de lo inconciente, lo comparamos con su rectificación. Un chiste que se valga de tales falacias como técnica y por eso parezca disparatado puede producir entonces, simultáneamente, un efecto cómico. Y si no pescamos el chiste, vuelve a quedarnos sólo la historia cómica, el chascarrillo.

La historia del caldero prestado que al ser devuelto traía un agujero, ante lo cual el que lo tenía respondió que en primer lugar jamás había pedido prestado un caldero, en segundo lugar ya estaba todo agujereado cuando se lo prestaron, y en tercero lo devolvió intacto, sin agujero alguno (pág. 60), es un excelente ejemplo de efecto cómico puro por consentimiento de una falacia inconciente. Justamente falta en lo inconciente esta recíproca cancelación de varios pensamientos cada uno bien motivado por sí mismo. Por eso mismo el sueño, en el cual se manifiestan los modos de pensar de lo inconciente, no conoce ningún «o bien... o bien»,[15] sino sólo una simultaneidad de coexistencia. En

---

[15] A lo sumo, lo introducirá el narrador como una interpretación. [Cf. *La interpretación de los sueños* (1900a), *AE*, **4**, págs. 322-4.]

aquel ejemplo de sueño de mi obra *La interpretación de los sueños* que yo escogí como paradigma para el trabajo interpretativo a pesar de su complicación,[16] procuro librarme del reproche de no haber eliminado mediante cura psíquica los dolores de una paciente. Mis argumentos son: 1) ella misma es culpable de su condición de enferma porque no ha querido aceptar mi solución; 2) sus dolores son de origen orgánico, y por tanto no me competen; 3) sus dolores se deben a su viudez, de la que yo no soy culpable, y 4) sus dolores provienen de una inyección con una jeringa sucia, que otro le administró. Ahora bien, todas estas razones coexisten las unas junto a las otras como si no se excluyeran recíprocamente. Yo debía sustituir el «y» del sueño por un «o bien... o bien» a fin de escapar al reproche de disparate.

Una historia cómica semejante sería aquella de la aldea húngara donde el herrero había cometido un crimen pasible de la pena de muerte, pero el burgomaestre decidió no hacerlo ahorcar a él para expiar el crimen, sino a un sastre; es que en la aldea había establecidos tres sastres, pero el herrero era el único, y una expiación tenía que haber.[17] Semejante desplazamiento desde la persona del culpable a otra contradice desde luego todas las leyes de la lógica conciente, pero en manera alguna el modo de pensar de lo inconciente. No vacilo en llamar cómica a esta historia, pese a haber incluido la del caldero entre los chistes. Ahora acepto que sería mucho más correcto designar «cómica» que no «chistosa» a esta última. Pero a la vez comprendo cómo es posible que mi sentimiento, tan seguro en otros casos, pueda dejarme en la duda de saber si estas historias son cómicas o chistosas. Es este el caso en que no se puede decidir por el sentimiento, o sea, cuando la comicidad nace por la develación de los modos del pensar exclusivos de lo inconciente. Una historia de esta índole puede ser cómica y chistosa al mismo tiempo; ahora bien, me producirá la impresión de lo chistoso aunque sea meramente cómica porque el empleo de las falacias de lo inconciente me recuerda al chiste, lo mismo que antes las escenificaciones para develar una comicidad escondida (págs. 191-2).

Estoy obligado a conceder importancia a la aclaración de este punto peliagudo de mis exposiciones, a saber, la relación del chiste con la comicidad, y por eso complementaré lo

---

[16] [Cf. *ibid.*, pág. 140, donde también es narrada la historia del caldero pedido en préstamo.]

[17] [Esta historia es mencionada, asimismo, en la 11ª de las *Conferencias de introducción al psicoanálisis* (1916-17), *AE*, **15**, pág. 159, y en *El yo y el ello* (1923b), *AE*, **19**, pág. 46.]

dicho con algunas tesis negativas. En primer lugar, puedo señalar que el caso aquí considerado de coincidencia entre chiste y comicidad no es idéntico al anterior (pág. 192). Por cierto se trata de un distingo más fino, pero se lo puede establecer con seguridad. En el caso anterior la comicidad se debía al descubrimiento del automatismo psíquico. Pero este en modo alguno es exclusivo de lo inconciente, y tampoco desempeña un papel llamativo entre las técnicas del chiste. El desenmascaramiento sólo se relaciona con el chiste de una manera contingente valiéndose de alguna otra técnica de este; por ejemplo, de la figuración por lo contrario. En cambio, en el caso del consentimiento de modos del pensar inconciente la coincidencia de chiste y comicidad es necesaria, puesto que el mismo recurso que en la primera persona del chiste es empleado como técnica para desprender placer, por su misma naturaleza produce placer cómico en la tercera persona.

Podríamos caer en la tentación de generalizar este último caso y buscar el nexo del chiste con la comicidad en que el efecto de aquel sobre la tercera persona sobreviene siguiendo el mecanismo del placer cómico. Pero ni hablar de ello, pues el contacto con lo cómico no vale para todos los chistes, ni siquiera para la mayoría de ellos; antes al contrario, en los más de los casos es posible separar chiste y comicidad puros. Toda vez que el chiste logra evitar la apariencia de lo disparatado, o sea en la mayoría de los chistes por doble sentido y alusión, no se descubre en el oyente nada de un efecto semejante a lo cómico. Hágase la prueba en los ejemplos ya comunicados o en algunos nuevos que puedo mencionar:

Telegrama de felicitación por el 70º cumpleaños de un actor: «*Trente et quarante*» {«Treinta y cuarenta»}. (División con alusión [cf. págs. 31-2 y 41-2].)

Hevesi describió cierta vez el proceso de la elaboración del tabaco: «Las hojas doradas ... eran ahí *in eine Beize getunkt* {bañadas en un betún} e *in dieser Tunke gebeizt* {embetunadas en ese baño}». (Acepción múltiple del mismo material.)

Madame *de Maintenon* era llamada «Madame *de Maintenant*» {en francés: «de ahora», «del momento»}. (Modificación de nombre.)

El profesor Kästner [cf. pág. 124] dice a un príncipe que en el curso de una demostración se pone delante del telescopio: «Mi príncipe, sé bien que es usted "*durch*läuchtig" {"ilustrísimo"} pero no es usted "*durch*sichtig" {"trasparente"}».

El conde de Andrássy era llamado «*Ministro del Bello Exterior*».[18]

Además, podría creerse que al menos todos los chistes de fachada disparatada tienen que parecer cómicos y producir ese efecto. Sin embargo, en este punto recuerdo que tales chistes muy a menudo tienen otro efecto sobre el oyente, provocan desconcierto e inclinación a desautorizar (cf. pág. 132*n*.). Evidentemente, interesa entonces que el disparate del chiste parezca cómico o un puro y ordinario disparate, de lo cual no hemos explorado todavía la condición. Según ello, nos atenemos a la conclusión de que el chiste, por su naturaleza, ha de separarse de lo cómico y sólo coincide con esto en ciertos casos especiales, por un lado, y por el otro, en la tendencia a ganar placer de fuentes intelectuales.

En el curso de estas indagaciones sobre los vínculos entre chiste y comicidad se nos acaba de revelar aquella diferencia que no podemos menos que destacar como la más sustantiva y que al mismo tiempo remite a un carácter psicológico rector de la comicidad. Nos vimos precisados a situar en lo inconciente la fuente del placer del chiste; respecto de lo cómico no se avizora ocasión alguna para una localización parecida. Más bien todos los análisis hasta aquí emprendidos señalan que la fuente del placer cómico es la comparación entre dos gastos, y a ambos nos vemos obligados a situarlos en lo preconciente. Chiste y comicidad se distinguen sobre todo en la localización psíquica; *el chiste es, por así decir, la contribución a la comicidad desde el ámbito de lo inconciente.*[19]

[3]

No se nos impute habernos dejado arrastrar por una digresión; en efecto, el nexo del chiste con la comicidad fue la ocasión que nos forzó a indagar lo cómico. Pero ya es tiempo de que volvamos a nuestro tema específico, el tratamiento de los recursos que sirven para volver cómico algo. Comenzamos dilucidando la caricatura y el desenmascaramiento porque a partir de ambos obteníamos algunos apoyos para el análisis de la comicidad de la *imitación*. Es cierto

[18] [El conde Gyula Andrássy (1823-1890) fue por muchos años ministro de Asuntos Extranjeros (de «el Exterior») del imperio austro-húngaro. Vestía como un *dandy*.]

[19] [Estas palabras aparecieron en bastardilla a partir de la segunda edición, de 1912.]

que las más de las veces la imitación va unida a una caricatura, una exageración de rasgos de ordinario no llamativos [pág. 191], y aun conlleva el carácter del rebajamiento. Empero, su esencia no parece agotada con esto; es innegable que constituye en sí misma una fuente extraordinariamente generosa del placer cómico, pues la fidelidad de una imitación nos hace reír mucho. No es fácil dar un esclarecimiento satisfactorio de esto si uno no quiere adherir a la opinión de Bergson (1900), que aproxima la comicidad de la imitación a la que produce el descubrimiento del automatismo psíquico. Bergson opina que provoca efecto cómico todo lo que en una persona viva evoca a un mecanismo inanimado. Su fórmula para esto reza: «*mécanisation de la vie*» {«mecanización de la vida»}. Explica la comicidad de la imitación anudándola a un problema que Pascal ha planteado en sus *Pensées*: por qué se ríe de la comparación de dos rostros parecidos, ninguno de los cuales tiene en sí efecto cómico. «De acuerdo con nuestra expectativa, lo vivo nunca debe repetirse en términos de cabal parecido. Y toda vez que hallamos semejante repetición, conjeturamos un mecanismo oculto tras eso vivo» [Bergson, 1900, pág. 35]. Si uno ve dos rostros de parecido excesivo piensa en dos calcos de un mismo molde o en algún procedimiento similar de producción mecánica. En suma, la causa de la risa sería en estos casos la desviación de lo vivo hacia lo carente de vida; podemos decir: la degradación {*Degradierung*} de lo vivo en algo sin vida (*ibid.*, pág. 35). Aun si aceptáramos estas sugerentes puntualizaciones de Bergson, no nos resultaría difícil subsumir su opinión bajo nuestra propia fórmula. Habiéndonos enseñado la experiencia que todo ser vivo es un otro y requiere de nuestro entendimiento un cierto gasto, nos desilusionamos si a consecuencia de una total concordancia o una imitación engañosa no nos hace falta ningún nuevo gasto. Ahora bien, nos desilusionamos en el sentido del aligeramiento, y el gasto de expectativa devenido superfluo se descarga mediante la risa. Y esta misma fórmula cubriría también todos los casos, estudiados por Bergson, de rigidez cómica (*raideur*), hábitos profesionales, ideas fijas y giros verbales que se repiten con cualquier ocasión. Todos estos casos se reducirían a la comparación del gasto de expectativa con el que se requiere para entender lo que permanece igual a sí mismo, respecto de lo cual la expectativa más grande se apoya en la observación de la diversidad individual y la plasticidad de lo vivo. Por tanto, la fuente de placer cómico en la imitación no sería la comicidad de situación, sino la de expectativa [págs. 187-8].

Puesto que en general derivamos el placer cómico de una comparación, estamos obligados a indagar lo cómico de la comparación misma, que sirve también como recurso para volver cómico algo. Nuestro interés por este problema se verá acrecentado si recordamos que incluso en el caso del símil solía dejarnos a menudo inciertos el «sentimiento» de si algo era un chiste o se lo debía llamar meramente cómico (cf. pág. 78).

El tema merecería sin duda más cuidado del que podemos dispensarle desde nuestro interés. La principal propiedad que demandamos en el símil es que sea certero, vale decir, que destaque una coincidencia realmente presente entre dos objetos diversos. El originario placer por el reencuentro de lo igual (Groos, 1899, pág. 153 [y *supra*, págs. 116-7]) no es el único motivo que promueve el uso de la comparación; a él se añade que el símil es susceptible de un uso capaz de conllevar un aligeramiento del trabajo intelectual, a saber, cuando uno compara, como se hace la mayoría de las veces, lo más desconocido con lo más familiar, lo abstracto con lo concreto, y mediante esa comparación ilustra lo más ajeno y difícil. Con cada comparación de esta índole, en especial de lo abstracto con lo concreto, se conecta una cierta rebaja y un cierto ahorro de gasto de abstracción (en el sentido de una mímica de representación [pág. 188]), a pesar de lo cual ello no basta, desde luego, para hacer resaltar con nitidez el carácter de lo cómico. Este no emerge de pronto, sino poco a poco desde el placer de aligeramiento que procura la comparación; son harto numerosos los casos que apenas rozan lo cómico y de los que podría dudarse que exhiban carácter cómico. Indudablemente cómica se vuelve la comparación cuando se acrecienta la diferencia de nivel en el gasto de abstracción entre dos términos comparados; por ejemplo, si algo serio y ajeno, sobre todo de naturaleza intelectual y moral, es comparado con algo trivial e ínfimo. El previo placer de aligeramiento y el aporte desde las condiciones de la mímica de representación acaso expliquen el pasaje, que se cumple poco a poco y mediante unas proporciones cuantitativas, desde lo placentero en general hasta lo cómico en el caso de la comparación. Sin duda saldré al paso de malentendidos si destaco que en la comparación yo no derivo el placer cómico del contraste entre los dos términos comparados, sino de la diferencia entre los dos gastos de abstracción. Lo ajeno difícil de asir, lo abstracto, en sentido propio lo intelectualmente elevado, al aseverarse su coincidencia con algo ínfimo y familiar, para cuya representación no hace falta gasto alguno de abstracción, es desenmascarado como igualmente ínfimo. La comicidad de la comparación queda reducida, entonces, a un caso de degradación {*Degradierung*}.

Ahora bien, como vimos antes, la comparación puede ser chistosa sin huella de contaminación cómica; lo es cuando escapa a aquel rebajamiento. Así, la comparación de la verdad con una antorcha que uno no puede llevar entre la multitud sin chamuscar alguna barba [pág. 79] es puramente chistosa, por tomar en sentido pleno un giro descolorido («La antorcha de la verdad»), y en modo alguno cómica, pues la antorcha, como objeto, no carece de una cierta dignidad, por más que sea algo concreto. Pero es fácil que una comparación sea al mismo tiempo chistosa y cómica, y por cierto lo uno con independencia de lo otro, en la medida en que se convierta en auxiliar de ciertas técnicas del chiste (p. ej., la unificación o la alusión). Así, la comparación que hace Nestroy del recuerdo con un «almacén» (pág. 81) es al mismo tiempo cómica y chistosa; lo primero por el extraordinario rebajamiento que ese concepto psicológico tiene que sufrir al comparárselo con un «almacén», y lo segundo porque quien aplica la comparación es un mayordomo, y en ella produce entonces una unificación totalmente inesperada entre la psicología y su actividad profesional. Los versos de Heine: «Hasta que al fin se me acabaron los botones / en los calzones de la paciencia» [pág. 81], se presentan al comienzo sólo como un notable ejemplo de comparación cómica degradante; pero tras una reflexión más ajustada es preciso concederles también el carácter de lo chistoso, pues aquella, como recurso de la alusión, cae aquí en el campo de lo obsceno y de ese modo consigue liberar el placer por lo obsceno. Del mismo material nace para nosotros, por un encuentro no del todo casual por cierto, una ganancia de placer a la vez cómica y chistosa; por más que las condiciones de lo uno deban promover también la génesis de lo otro, para el «sentimiento» destinado a indicarnos si estamos frente a algo chistoso o frente a algo cómico aquella reunión tiene por efecto confundir, y solamente puede decidirlo una indagación alertada, e independiente de la predisposición placentera.

Por tentador que sea pesquisar estos condicionamientos más íntimos de la ganancia de placer cómico, el autor debe abstenerse de hacerlo pues ni su formación previa ni su cotidiana actividad profesional lo autorizan a extender sus indagaciones mucho más allá de la esfera del chiste, y cree poder confesar que justamente el tema de la comparación cómica le vuelve sensible su incompetencia.

En este punto admitiremos se nos recuerde que muchos autores no aceptan la nítida separación conceptual y material entre chiste y comicidad a que nosotros nos hemos visto llevados, y postulan al chiste simplemente como «lo cómico del decir» o «de las palabras». Para someter a examen esta opinión escogeremos sendos ejemplos de comicidad deliberada y de comicidad involuntaria del decir a fin de compararlos con el chiste. Ya en un pasaje anterior señalamos que nos creemos muy capaces de distinguir el dicho cómico del dicho chistoso:

«Con un tenedor y con trabajo
su madre del guiso lo extrajo» [pág. 66]

es meramente cómico; en cambio, lo que Heine dice sobre las cuatro castas de la población de Gotinga:

«profesores, estudiantes, filisteos y ganado» [pág. 66]

es por excelencia chistoso.

Como modelo de la comicidad deliberada en el decir, tomo a «Wippchen», de Stettenheim.[20] Se dice de Stettenheim que es chistoso porque posee en particular grado la habilidad de provocar lo cómico. La gracia {Witz} que uno «tiene», por oposición a la gracia {Witz} que uno «hace», está de hecho certeramente determinada por esa aptitud. No puede desconocerse que las cartas de Wippchen, el corresponsal de Bernau, son también chistosas en la medida en que están consteladas de abundantes chistes de todo tipo, y entre ellos algunos seriamente logrados («desvestidos de etiqueta», dicho sobre una fiesta entre salvajes); pero lo que presta su peculiar carácter a estas producciones no son esos chistes aislados, sino lo cómico del decir, que de ellas brota casi con desmesura. Wippchen es por cierto un personaje en su origen concebido a modo de sátira, una modificación del «Schmock» de Freytag,[21] uno de aquellos ignorantes que trafican con el tesoro cultural de la nación y abusan de él; pero es evidente que su complacencia por los efectos cómicos alcanzados con su figuración hizo que el autor fuera relegando poco a poco la tendencia satírica. Las producciones de Wippchen son en buena parte «disparate

[20] [Julius Stettenheim (1831-1916), periodista berlinés.]
[21] [Gustav Freytag (1816-1895), novelista y dramaturgo. En su comedia *Die Journalisten*, «Schmock» era un personaje que representaba a un periodista inescrupuloso.]

cómico»; el talante placentero conseguido por acumulación de esos logros ha sido aprovechado por el autor —con derecho, por lo demás— para presentar, junto a cosas enteramente permisibles, toda clase de rasgos de mal gusto que no serían soportables por sí solos. El disparate de Wippchen se nos aparece, empero, como específico a consecuencia de una técnica particular. Si se considera con mayor cuidado estos «chistes», saltan en particular a la vista algunos géneros que imprimen su sello a toda la producción. Wippchen se sirve principalmente de com-posiciones (fusiones), modificaciones de giros y citas notorios, y sustituciones mediante las cuales se introducen algunos elementos triviales dentro de estos recursos expresivos de elevado valor, las más de las veces pretenciosos.

Fusiones son por ejemplo (tomados del «Prólogo» y de las primeras páginas de toda la serie):

«Turquía tiene dinero como heno el mar»; emparchado a partir de estos dos giros: «Dinero como heno», y «Dinero como arena el mar».

O este otro: «Yo no soy más que una columna marchita, testimonio de desleída pompa», condensado a partir de «rama marchita» y «columna que, etc.». Otro: «¿Dónde está el hilo de Ariadna que permitiera salir de la Escila de este establo de Augias?», para lo cual se han tomado elementos de tres diversas sagas griegas.

Las modificaciones y sustituciones pueden reunirse sin forzar mucho las cosas; su carácter resulta de los siguientes ejemplos, peculiares de Wippchen, en los que por lo general se trasluce otro texto, más corriente, más trivial, rebajado a la condición de lugar común:

«Me colgaron papel y tinta». Se dice figuralmente «Colgarle a uno la galleta» para significar que lo ponen a uno en un aprieto. ¿Por qué no se podría extender esta imagen a otro material?

«Batallas en que los rusos unas veces salían malparados, y otras salían biemparados». Como es notorio, sólo el primer giro es usual; pero dada su inspiración, no sería disparatado aceptar el otro.

«Desde temprano se agitó en mí el Pegaso». Si lo sustituimos por «el poeta», se convierte en un giro autobiográfico ya remanido por el excesivo uso. Es claro que «Pegaso» es inadecuado como sustituto de «poeta», pero se encuentra en una relación de pensamiento con «poeta» y es además una palabra altisonante.

«Así pasé unas espinosas mantillas de infancia». Enteramente una imagen en vez de una simple palabra. «Salir de las mantillas de la infancia» es una de las imágenes que se entraman con el concepto «infancia».

De la multitud de producciones de Wippchen es posible destacar muchas como ejemplos de comicidad pura; verbigracia, en calidad de desengaño cómico: «Durante horas y horas fluctuó el resultado de la batalla, hasta que al fin quedó indecisa»; o de desenmascaramiento cómico (de la ignorancia): «Clío, la Medusa de la Historia»; citas como: «*Habent sua fata morgana*».[22] Pero son más bien las fusiones y modificaciones las que despiertan nuestro interés, porque espejan familiares técnicas del chiste. Compárense, por ejemplo, con las modificaciones, chistes como: «Tiene un gran futuro detrás suyo» [pág. 27], «Tiene un ideal metido en la cabeza» [pág. 73]; o los chistes de Lichtenberg por modificación: «Baño nuevo sana bien» [pág. 72], y otros de esta índole. ¿Llamaremos entonces chistes a las producciones de Wippchen que recurren a la misma técnica, o de lo contrario en qué se distinguen de estos? [23]

Por cierto que no es difícil dar la respuesta. Recordemos que el chiste muestra al oyente un rostro doble, lo constriñe a dos concepciones diversas. En los chistes disparatados, como los citados en último término, una de esas concepciones, la que sólo toma en cuenta el texto, dice que es un disparate; la otra, que siguiendo las indicaciones desanda en el oyente el camino a través de lo inconciente, le halla un notable sentido. En las producciones de Wippchen semejantes a chistes, uno de esos puntos de abordaje del chiste está vacío, como atrofiado: una cabeza de Jano, pero de la que se plasmó uno solo de los rostros. Aquí no obtenemos nada dejándonos llevar a lo inconciente por el señuelo de la técnica. Desde las fusiones no nos vemos conducidos a ningún caso en que los dos términos fusionados arrojen efectivamente un sentido nuevo; ellos se separan por completo ante un ensayo de análisis. Las modificaciones y sustituciones llevan, como en el chiste, a un texto usual y notorio, pero la modificación o sustitución como tales no dicen nada más, y por regla general nada posible ni utilizable. En consecuencia, para estos «chistes» sólo resta una de aquellas concepciones, la que lo considera un disparate. Queda a nuestro parecer, entonces, el decidir si esas producciones,

---

[22] [«*Habent sua fata libelli*» es una sentencia latina atribuida a Terencio. «*Fata Morgana*» es un particular fenómeno óptico que por refracción de la luz se produce en las aguas del Estrecho de Messina, y que toma su nombre de «Morgana», hada de los libros de caballería, hermana del rey Artús.]

[23] [Se encontrarán otros «chistes» de Stettenheim en *La interpretación de los sueños* (1900a), AE, **4**, pág. 220.]

que se han despojado de uno de los caracteres más esenciales del chiste, son chistes «malos» o en modo alguno deben llamarse chistes.

Es indudable que estos chistes atrofiados producen un efecto cómico que podemos explicarnos de más de un modo. O la comicidad nace del descubrimiento de las maneras de pensar de lo inconciente, como en los casos ya considerados [v. gr., págs. 194-5], o el placer brota de la comparación con el chiste completo. Nada impide suponer que aquí se conjugan esas dos modalidades de génesis del placer cómico, y no puede desecharse que justamente el insuficiente apuntalamiento en el chiste convierta al disparate en disparate cómico.

Es que hay otros casos fácilmente penetrables en que esa insuficiencia hace que el disparate adquiera una comicidad irresistible por la comparación con lo que debería operarse. La contrapartida del chiste, el acertijo [pág. 64n.], acaso nos ofrezca en este punto mejores ejemplos que el chiste mismo. Una pregunta jocosa {*Scherzfrage*} [pág. 146, *n*. 7] reza, por ejemplo: «Dime qué es: está colgado de la pared y uno puede secarse con ello las manos». Sería tonto el acertijo si la respuesta pudiera ser: «Una toalla». Más bien se rechaza esa respuesta. — «No, un arenque». — «¡Pero por el amor de Dios —es la horrorizada protesta—; un arenque no cuelga de la pared!». — «Sin embargo puedes colgarlo». — «Pero, ¿quién se secaría las manos con un arenque?». — «Bueno —dice la tranquilizadora respuesta—; no estás obligado». — Este esclarecimiento, brindado mediante dos típicos desplazamientos, muestra cuánto le falta a esta pregunta para ser un verdadero acertijo, y a causa de esta absoluta insuficiencia aparece, en lugar de disparatadamente estúpida... irresistiblemente cómica. De este modo, por inobservancia de condiciones esenciales, un chiste, un acertijo u otras cosas que en sí no arrojan placer cómico pueden convertirse en fuentes de este.

Menos difícil de entender todavía es el caso de la comicidad involuntaria en el decir, de la cual en las poesías de Friederike Kempner (1891) podemos espigar cuantos ejemplos queramos:

«*Contra la vivisección*

»Un ignoto lazo de las almas encadena
al ser humano con el pobre animal.
El animal posee voluntad —ergo, alma—
aunque una más pequeña que la nuestra».

O una plática entre tiernos esposos:

«*El contraste*

»"¡Cuán dichosa soy!", exclama ella quedamente.
"También yo", dice su esposo en alta voz.
"La cualidad que en ti se aprecia
me enorgullece de mi buena elección"».

Pues bien, nada hay aquí que recuerde al chiste. Sin duda lo que vuelve cómicas a estas «poesías» es su insuficiencia, el extraordinario engolamiento de su expresión, sus giros tomados del lenguaje coloquial o del estilo periodístico, la limitación simplota de sus pensamientos, la falta del mínimo asomo de un pensar y decir poéticos. A pesar de todo, no es cosa obvia que hallemos cómicas las poesías de la Kempner; a muchas producciones de ese jaez las encontramos francamente detestables, no reímos de ellas, sino que nos indignan. Lo que nos empuja a concebirlas cómicas es justamente el abismo que las separa de lo que demandamos a una poesía; donde esta diferencia parezca menor, nos inclinaremos más a criticar que a reír. En el caso de las poesías de la Kempner, el efecto cómico es asegurado además por otras circunstancias coadyuvantes: la inequívoca buena intención de la autora, y una cierta ingenuidad de sentimiento que registramos tras sus desvalidas frases y desarma nuestra burla o nuestro enojo. Esto nos advierte sobre la existencia de un problema cuya apreciación habíamos pospuesto. La diferencia de gasto es por cierto la condición básica del placer cómico, pero la observación enseña que de esa diferencia no siempre nace placer. ¿Qué condiciones tienen que añadirse o qué perturbaciones atajarse para que la diferencia de gasto pueda arrojar efectivamente placer cómico? No obstante, antes de pasar a responder esta pregunta dejemos establecido, a modo de conclusión de las elucidaciones anteriores, que lo cómico del decir no coincide con el chiste, y por tanto el chiste forzosamente ha de ser algo diverso de lo cómico del decir. [Cf. pág. 201.]

[4]

A punto de abordar ahora la respuesta a la pregunta, que acabamos de plantear, sobre las condiciones de la génesis del placer cómico a partir de la diferencia de gasto, podemos permitirnos un alivio que no podrá menos de resultarnos placentero a nosotros mismos. La respuesta precisa a esa pregunta coincidiría con una exposición exhaustiva sobre la naturaleza de lo cómico, para la cual no podemos atribuirnos ni aptitud ni competencia. Nos contentaremos, otra vez, con iluminar el problema de lo cómico sólo hasta donde él se recorta con nitidez partiendo del problema del chiste.

A todas las teorías de lo cómico sus críticos les han objetado que su definición descuida lo esencial de la comicidad. Lo cómico descansa en un contraste de representación; sí, mientras ese contraste produzca un efecto cómico y no de otra índole. El sentimiento de la comicidad estriba en la disipación de una expectativa; sí, siempre que esa expectativa no sea más bien penosa. Es indudable que esas objeciones están justificadas, pero se las sobrestima si de ellas se infiere que el signo distintivo esencial de lo cómico ha escapado hasta ahora a la intelección. Lo que menoscaba la validez universal de aquellas definiciones son condiciones indispensables para la génesis del placer cómico; pero no es forzoso buscar en ellas la esencia de la comicidad. Por lo demás, sólo nos resultará fácil rechazar las objeciones y esclarecer las contradicciones planteadas a las definiciones de lo cómico si hacemos brotar el placer cómico de la diferencia por comparación entre dos gastos. El placer cómico y el efecto en que se lo discierne, la risa, sólo pueden nacer entonces si esa diferencia no encuentra aplicación y es susceptible de descarga. Cuando la diferencia, tan pronto es discernida, experimenta otra aplicación, no ganamos ningún efecto placentero, sino a lo sumo un pasajero sentimiento de placer en que no se recorta el carácter cómico. Así como en el chiste es preciso que se den particulares constelaciones para prevenir un diverso empleo del gasto que se juzga superfluo [págs. 144 y sigs.], de igual modo el placer cómico sólo puede nacer bajo circunstancias que satisfagan esta última condición. Por eso, si los casos en que nacen esas diferencias de gasto dentro de nuestro representar son numerosísimos, comparativamente raros son aquellos en que de ahí surge lo cómico.

Dos puntualizaciones se imponen a quien considere aunque sólo sea de pasada las condiciones para la génesis de lo cómico a partir de la diferencia de gasto; la primera, que existen casos en que la comicidad se instala regularmente y como de un modo necesario, y en oposición a estos, otros casos en que ello parece depender por completo de las condiciones del caso y del punto de vista del observador; y la segunda, que diferencias inusualmente grandes suelen abrirse paso aun en condiciones desfavorables, de suerte que, a pesar de estas, nazca el sentimiento cómico. Respecto del primer punto, uno podría establecer dos clases, la de lo cómico obligado y la de lo cómico ocasional, aunque de antemano habría que renunciar a hallar exenta de excepciones la obligatoriedad de lo cómico en la primera clase. Sería sugestivo rastrear cuáles son las condiciones decisivas para cada una de ellas.

Para la segunda de esas clases parecen esenciales las condiciones que en parte han sido reunidas bajo el título de «aislamiento» del caso cómico.[24] Quizás una descomposición más precisa haría posible reconocer las siguientes constelaciones:

a. La condición más favorable para la génesis del placer cómico resulta ser el talante alegre general, en el que uno es «proclive a reír». En los estados tóxicos que lo provocan casi todo parece cómico, probablemente por comparación con el mismo gasto en estado normal. Chiste, comicidad, y todos los métodos semejantes para ganar placer a partir de una actividad anímica, no son en definitiva más que otros tantos caminos para reproducir, desde un punto singular, ese talante alegre —euforia—, toda vez que él no preexista como una predisposición general de la psique.

b. Parecido efecto favorecedor ejerce la expectativa de lo cómico, el acomodamiento al placer cómico. Por eso, dado el propósito de volver cómico algo, si el otro participa de él, basta con unas diferencias tan mínimas que probablemente se las habría pasado por alto de haber sobrevenido en un vivenciar desprovisto de ese propósito. Quien emprende una lectura cómica o va al teatro a ver una farsa, debe a ese propósito el reír luego sobre cosas que en su vida ordinaria difícilmente habrían constituido para él un caso de lo cómico. En definitiva, apenas ve sobre el escenario al actor cómico, y antes que este pueda intentar moverlo a risa, ríe por el recuerdo de haber reído, por la expectativa de reír. Por ese motivo uno confiesa que con posterioridad se avergonzó de haber podido llegar a reírse de tales cosas en el teatro.

c. Condiciones desfavorables para la comicidad proceden de la índole de la actividad anímica que ocupa en el momento al individuo. Un trabajo de representación o de pensamiento que persiga metas serias estorba la susceptibilidad de

---

[24] [Se echa alguna luz sobre esto *infra*, pág. 213.]

las investiduras a la descarga, pues las requiere para sus desplazamientos; por eso en tal caso sólo unas diferencias de gasto inesperadamente grandes pueden abrirse paso hasta el placer cómico. Desfavorables a la comicidad son, muy en particular, todas las modalidades del proceso del pensar lo bastante distanciadas de lo intuible para hacer que cese la mímica de representación; con un meditar abstracto, ya no queda espacio alguno para la comicidad, salvo que esta modalidad del pensar sufra repentina interrupción.

d. La oportunidad de desprender placer cómico desaparece también si la atención se acomoda justamente a la comparación de la que puede surgir la comicidad. En tales circunstancias pierde su fuerza cómica lo que de otro modo produciría el más seguro efecto cómico. Un movimiento o una operación intelectual no pueden ser cómicos para quien orienta su interés justamente a compararlos con una medida que él tiene bien en claro. Así, el examinador no encuentra cómico el disparate que el examinando produce en su ignorancia; le produce enojo, mientras los colegas del examinando, mucho menos interesados en la cuantía de su saber que en la suerte que correrá, ríen de buena gana a causa de ese mismo disparate. El profesor de gimnasia o de danza rara vez verá lo cómico de los movimientos que hacen sus alumnos, y al predicador se le escapa por completo, en los defectos de carácter de los hombres, lo cómico que el autor de comedias sabe recoger con tanta eficacia. El proceso cómico es inconciliable con la sobreinvestidura por la atención; es preciso que se cumpla de una manera por completo inadvertida, totalmente semejante al chiste en este aspecto [págs. 144 y sigs.]. Empero, si se pretendiera calificarlo de necesariamente inconciente, se contradiría la nomenclatura de los «procesos de conciencia» de la cual yo me serví con buen fundamento en mi libro *La interpretación de los sueños*. Más bien es nativo de lo preconciente, y parece adecuado emplear el nombre de «automáticos» para los procesos que se juegan en lo preconciente y escapan a la investidura de atención a que va conectada la conciencia. El proceso de la comparación de los gastos debe permanecer automático si es que ha de producir placer cómico.

e. Es completamente estorboso para la comicidad que el caso del cual está destinada a nacer dé ocasión al mismo tiempo a un intenso desencadenamiento de afecto. Entonces queda excluida, por regla general, la descarga de la diferencia eficaz. Afectos, predisposición y actitud del individuo en cada caso permiten entender que lo cómico surja o desaparezca junto con el punto de vista de aquel, y sólo por vía de excepción exista algo absolutamente cómico. Por eso la dependencia o relatividad de lo cómico es mucho mayor que la del chiste; este nunca surge solo, se lo hace según reglas y en su producción ya se puede atender a las condiciones bajo las cuales halla aceptación. Ahora bien, el desarrollo de afecto es la más intensa entre las condiciones que estorban la comicidad, y nadie le ha cuestionado ese valor.[25] Por eso se dice que el sentimiento cómico se produce sobre todo en casos más bien indiferentes, en que no están envueltos intereses o sentimientos intensos. Sin embargo, es justamente en casos con desprendimiento de afecto donde vemos que una diferencia de gasto muy intensa puede producir el automatismo de la descarga. Así, cuando el coronel Butler responde a las admoniciones de Octavio, «riendo amargamente», con esta exclamación: «¡Agradecida la Casa de Austria!»,[26] su enojo no le impide reír ante el recuerdo del desengaño que cree haber experimentado, y por otra parte el dramaturgo no podría haber pintado más plásticamente la magnitud de esa desilusión que mostrándola capaz de mover a risa en medio de la tormenta de los afectos desencadenados. Me inclino a pensar que esta explicación es aplicable a todos los casos en que la risa sobreviene en oportunidades diversas de las placenteras y con fuertes afectos de pena o tensión.

f. Si, por último, agregamos que el desarrollo de placer cómico puede ser promovido por cualquier otro añadido placentero al caso mismo, así como por una suerte de efecto de contacto (al modo del principio del placer previo en el chiste tendencioso), por cierto que no habremos completado las condiciones del placer cómico, pero sí las tendremos elucidadas lo suficiente para nuestro propósito. Vemos entonces que a estas condiciones, así como a la inconstancia y dependencia del efecto cómico, ningún otro supuesto se adapta mejor que la derivación del placer cómico de la descarga de una diferencia que, bajo las más variables constelaciones, puede recibir otro empleo que la descarga.

---

[25] «Para ti es fácil reír, pues eso no te importa».

[26] [En la tragedia de Schiller *Wallensteins Tod*, acto II, escena 6. El coronel Butler, veterano soldado irlandés que sirvió bajo las armas imperiales durante la Guerra de los Treinta Años, piensa que el emperador lo ha hecho objeto de un desaire y se prepara para desertar hacia las filas enemigas. Octavio Piccolomini, su oficial superior, le ruega reconsiderar su posición y le recuerda la gratitud que a él le debe Austria por sus cuarenta años de leales servicios; es en tales circunstancias cuando Butler responde lo que se lee en el texto.]

Una consideración más atenta merecería aún lo cómico de lo sexual y obsceno, que aquí empero rozaremos sólo con unas pocas puntualizaciones. También esta vez el punto de partida sería el desnudamiento [como en el caso de los chistes obscenos, pág. 91]. Un desnudamiento casual nos produce efecto cómico porque comparamos la facilidad con que gozamos de esa visión con el gran gasto que de ordinario nos requeriría alcanzar esa meta. Así, el caso se aproxima al de lo cómico-ingenuo, pero es más simple. Todo desnudamiento en cuyos espectadores —u oyentes, en el caso de la pulla indecente— nos vemos convertidos por obra de un tercero equivale a un volver-cómica a la persona desnudada. Sabemos ya que es tarea del chiste sustituir a la pulla y así reabrir una fuente cegada de placer cómico. En cambio, espiar un desnudamiento no es un caso de comicidad para quien espía, puesto que el esfuerzo que le demanda cancela la condición del placer cómico; ahí sólo resta el placer sexual que proporciona lo visto. Pero en el relato que el espía hace a otro la persona espiada se vuelve otra vez cómica, porque prevalece el punto de vista de que ha omitido el gasto que habría sido menester para encubrir su secreto. De ordinario, del campo de lo sexual y obsceno resultan las más abundantes oportunidades para ganar un placer cómico junto a la excitación sexual placentera, en la medida en que se puede mostrar al ser humano en su dependencia de necesidades corporales (rebajamiento) o descubrir tras el reclamo del amor anímico la exigencia corporal (desenmascaramiento).

[6]

El bello y vivaz libro de Bergson, *Le rire*, nos invita de una manera sorprendente a procurar entender lo cómico también en su psicogénesis. Bergson, cuyas fórmulas para asir el carácter cómico conocemos ya [pág. 198] —«*mécanisation de la vie*», «*substitution quelconque de l'artificiel au naturel*»—,* pasa, a través de una sugerente conexión de pensamientos, del automatismo a los autómatas, y busca reconducir una serie de efectos cómicos al empalidecido recuerdo de un juguete infantil. En este contexto se eleva un

* {«mecanización de la vida», «cualquier sustitución de lo natural por lo artificial».}

momento hasta un punto de vista que, por lo demás, enseguida abandona; procura derivar lo cómico del eco de las alegrías infantiles. «*Peut-être même devrions-nous pousser la simplification plus loin encore, remonter à nos souvenirs les plus anciens, chercher dans les jeux qui amusèrent l'enfant la première ébauche des combinaisons qui font rire l'homme. (...) Trop souvent surtout nous méconnaissons ce qu'il y a d'encore enfantin, pour ainsi dire, dans la plupart de nos émotions joyeuses*»* (Bergson, 1900, págs. 68 y sigs.). Como nosotros hemos rastreado el chiste hasta un juego infantil con palabras y pensamientos, proscrito por la crítica racional [págs. 123 y sigs.], nos seducirá pesquisar también esta raíz infantil de lo cómico, conjeturada por Bergson.

Y en efecto tropezamos con toda una serie de nexos que nos parecen muy prometedores cuando indagamos la relación de la comicidad con el niño. El niño mismo en modo alguno nos parece cómico, aunque su ser reúne todas las condiciones que en la comparación con nosotros mismos arrojarían una diferencia cómica {véase pág. 186 *n.**}: el desmedido gasto de movimiento y el mínimo gasto intelectual, el gobierno de las operaciones anímicas por las funciones corporales, y otros rasgos. El niño sólo nos produce un efecto cómico cuando no se comporta como tal, sino como un adulto serio; vale decir, de la misma manera que otras personas que se disfrazan. Pero mientras él retiene su naturaleza de niño, su percepción nos depara un placer puro, quizá de eco cómico. Lo llamamos ingenuo cuando nos exhibe su falta de inhibiciones, y cómico-ingenuas nos parecen aquellas exteriorizaciones suyas que en otro habríamos juzgado obscenas o chistosas.

Por otra parte, al niño le falta el sentimiento de la comicidad. Esta tesis parece decir simplemente que el sentimiento cómico se instala en algún momento dentro del curso del desarrollo anímico, como tantas otras cosas; y ello en modo alguno sería asombroso, tanto más cuanto que, según debe admitírselo, ya se recorta con nitidez en años que es preciso incluir en la infancia. Sin embargo, puede demostrarse que la aseveración según la cual al niño le falta el sentimiento de lo cómico contiene algo más que una trivialidad. En pri-

---

* {«Tal vez deberíamos incluso llevar aún más lejos la simplificación, remontarnos a nuestros recuerdos más antiguos, buscar en los juegos que entretenían al niño el primer esbozo de las combinaciones que hacen reír al hombre. (...) Harto a menudo, sobre todo, desconocemos lo que todavía hay de infantil, por decirlo así, en la mayoría de nuestras emociones gozosas».}

mer lugar, fácilmente se echa de ver que no puede ser de otro modo si es correcta nuestra concepción, que deriva el sentimiento cómico de una diferencia de gasto resultante de la comprensión del otro. Volvamos a tomar como ejemplo lo cómico del movimiento. La comparación cuyo resultado es aquella diferencia reza, puesta en fórmulas concientes: «Así hace él» y «Así haría yo, así lo he hecho yo». Ahora bien, el niño carece del rasero contenido en la segunda frase, simplemente comprende por imitación, lo hace del mismo modo. La educación brinda al niño este patrón: «Así debes hacerlo»; y si él ahora lo utiliza en la comparación, le sugiere esta inferencia: «Ese no lo hizo bien» y «Yo puedo hacerlo mejor». En este caso se ríe del otro, lo ridiculiza con el sentimiento de su propia superioridad. Nada obsta derivar también esta risa de la diferencia de gasto, pero según la analogía con los casos de ridiculización que a nosotros nos ocurren, estaríamos autorizados a inferir que en la risa de superioridad del niño no se registra el sentimiento cómico. Es una risa de puro placer. Toda vez que se instala con nitidez en nosotros el juicio de nuestra propia superioridad, nos limitamos a sonreír en vez de reír, o, si reímos, de todos modos podemos distinguir con claridad, de ese devenir-conciente nuestra superioridad, lo cómico que nos hace reír [págs. 186 y 189].

Probablemente sea correcto decir que el niño ríe por puro placer en diversas circunstancias que nosotros sentimos «cómicas» y cuyo motivo no atinamos a encontrar, mientras que los motivos de él son claros y se pueden señalar. Por ejemplo, si alguien resbala y cae en la calle, reímos porque esa impresión —no sabemos por qué— es cómica. En igual caso, el niño ríe por sentimiento de superioridad o por alegría dañina: «Tú te caíste y yo no». Ciertos motivos de placer del niño parecen cegados para nosotros, los adultos, y a cambio en las mismas circunstancias registramos, como sustituto de lo perdido, el sentimiento «cómico».

Si fuera lícito generalizar, parecería muy seductor situar el buscado carácter específico de lo cómico en el despertar de lo infantil, y concebir lo cómico como la recuperada «risa infantil perdida». Y luego podría decirse que yo río por una diferencia de gasto entre el otro y yo toda vez que en el otro reencuentro al niño. O bien, para expresarlo con mayor exactitud, la comparación completa que lleva a lo cómico rezaría:

«Así lo hace él — Yo lo hago de otro modo —
El lo hace como yo lo he hecho de niño».

Por tanto, esa risa recaería siempre sobre la comparación entre el yo del adulto y su yo de niño. Aun la desigualdad de signo de la diferencia cómica, a saber, que me parecen cómicos unas veces el más y otras el menos del gasto [cf. pág. 186, *n.* 10], concordaría con la condición infantil; de esta manera lo cómico queda siempre, de hecho, del lado de lo infantil.

No lo contradice que el niño mismo, como objeto de la comparación, no me haga impresión cómica, sino una puramente placentera; tampoco que esa comparación con lo infantil sólo me produzca efecto cómico cuando se excluye otro empleo de la diferencia. En esto, en efecto, entran en cuenta las condiciones de la descarga. Todo lo que incluya un proceso psíquico dentro de una trama contraría la descarga de la investidura sobrante y la lleva a otro empleo; y todo cuanto aísle a un acto psíquico favorece la descarga [cf. pág. 207]. Así, adoptar una postura conciente frente al niño como persona de comparación imposibilita la descarga requerida para el placer cómico; sólo en el caso de una investidura preconciente [pág. 208] se produce una aproximación al aislamiento, semejante al que, por lo demás, podemos adscribir a los procesos anímicos en el niño. El agregado en la comparación: «Así lo he hecho yo también de niño», del que partía el efecto cómico, sólo contaría en el caso de diferencias medianas cuando ningún otro nexo pudiera apoderarse del sobrante liberado.

Si perseveramos en el ensayo de hallar la esencia de lo cómico en el anudamiento preconciente a lo infantil, nos vemos precisados a dar un paso más que Bergson y admitir que la comparación cuyo resultado es lo cómico tal vez no necesita despertar un antiguo placer y un juego infantiles: bastaría que convocara un ser infantil en general, y quizás hasta una pena de infancia. Nos distanciamos en esto de Bergson, pero permanecemos de acuerdo con nosotros mismos no refiriendo el placer cómico a un placer recordado sino, una y otra vez, a una comparación. Es posible que los casos de la primera clase [los vinculados a un placer recordado] coincidan con lo cómico regular e irresistible [págs. 206-7].

Repasemos ahora el esquema antes expuesto de las posibilidades cómicas [págs. 186-7]. Dijimos que la diferencia cómica se hallaría o bien

a. por una comparación entre el otro y el yo, o
b. por una comparación dentro del otro toda ella, o
c. por una comparación dentro del yo toda ella.

En el primer caso, el otro se me aparecería como niño; en el segundo, él mismo descendería a la condición de niño; en el tercero, yo hallaría el niño dentro de mí.

[*a.*] Al primer caso pertenecen lo cómico del movimiento y de las formas, de la operación intelectual y del carácter; lo infantil correspondiente serían el esfuerzo a moverse y el menor desarrollo intelectual y ético del niño, de suerte que el tonto me resultaría cómico. por recordarme a un niño lerdo, y el malo, por recordarme a un niño díscolo. De un placer infantil cegado para el adulto sólo podría hablarse toda vez que estuviera en juego el gusto de moverse propio del niño.

[*b.*] El segundo caso, en que la comicidad descansa por entero en una «empatía», comprende el mayor número de posibilidades: la comicidad de situación, de exageración (caricatura), de imitación, de rebajamiento y desenmascaramiento. Es el caso en que la introducción del punto de vista infantil viene más a propósito. En efecto, la comicidad de situación se funda las más de las veces en embarazos en que reencontramos el desamparo del niño; lo más enojoso de tales embarazos, la perturbación de otras operaciones por las imperiosas exigencias de las necesidades naturales, corresponde al todavía defectuoso dominio que el niño tiene sobre las funciones corporales. Donde la comicidad de situación actúa por repeticiones, se apoya sobre el placer, peculiar del niño, en la repetición continuada (de preguntas, relato de historias), que lo vuelve importuno para el adulto. [Cf. pág. 123*n*.] La exageración, que todavía depara placer al propio adulto siempre que sepa justificarse ante su crítica, se entrama con la peculiar carencia de sentido de la medida en el niño, su ignorancia de todo nexo cuantitativo, que llega a conocer más tarde que a los cualitativos. El sentido de la medida, la templanza incluso para las mociones permitidas, es un fruto tardío de la educación y se adquiere por inhibición recíproca de las actividades anímicas recogidas en una urdimbre única. Toda vez que esa urdimbre se debilita, en lo inconciente del sueño, en el monoideísmo de las psiconeurosis, sale al primer plano la falta de medida del niño.[27]

La comicidad de la imitación nos había ofrecido dificultades relativamente grandes para entenderla mientras no tomábamos en cuenta este factor infantil en ella. Pero la imitación es el mejor arte del niño y el motivo pulsionante de la mayoría de sus juegos. La ambición del niño tiende mucho

[27] [Esto ya había sido explicitado en una nota al pie de *La interpretación de los sueños* (1900*a*), *AE*, **4**, pág. 276.]

214

menos a destacarse entre sus iguales que a imitar a los grandes. De la relación del niño con el adulto depende también la comicidad del rebajamiento, que corresponde al descenso del adulto a la vida infantil. Es difícil que otra cosa depare al niño mayor placer que el hecho de que el adulto descienda a él, renuncie a su opresiva superioridad y juegue con él como su igual. El alivio, que procura al niño placer puro, se convierte en el adulto, en calidad de rebajamiento, en un medio de volver cómico algo y en una fuente de placer cómico. Acerca del desenmascaramiento sabemos que se remonta al rebajamiento.

[c.] El caso que más dificultades ofrece para fundarlo en lo infantil es el tercero, el de la comicidad de la expectativa, lo cual explica bien que los autores que comenzaron por este caso en su concepción de lo cómico no hallaran ocasión de considerar el factor infantil respecto de la comicidad. Es que está lejos del niño lo cómico de la expectativa; la aptitud para asirlo es la que más tardíamente emerge en él. Es probable que en la mayoría de los casos de este tipo, que al adulto se le antojan cómicos, el niño sienta sólo un desengaño. Sin embargo, se podría tomar como punto de partida la confianza del niño en sus expectativas y su credulidad para comprender que uno se presenta en escena cómicamente «como niño» cuando sucumbe al desengaño cómico.

Si de lo que precede resultara un asomo de probabilidad para traducir el sentimiento cómico por ejemplo en estos términos: «Cómico es lo que no corresponde al adulto», yo no osaría, en vista de mi posición de conjunto sobre el problema cómico, defender esta tesis con el mismo empeño que a las formuladas antes. No me atrevo a decidir si el rebajarse a la condición de niño es sólo un caso especial del rebajamiento cómico, o si toda comicidad en el fondo descansa en un rebajamiento a ser niño.[28]

[7]

Una indagación que trata de lo cómico, aun tan de pasada, sería enojosamente incompleta si no agregara al menos algu-

[28] Que el placer cómico tenga su fuente en el «contraste cuantitativo» por la comparación de lo pequeño y lo grande, el cual expresa también en definitiva la relación esencial del niño con el adulto, sería de hecho una rara coincidencia si lo cómico no tuviera nada más que ver con lo infantil.

nas puntualizaciones respecto del *humor*. Es tan poco dudoso el esencial parentesco entre ambos que un intento de explicar lo cómico tiene que proporcionar siquiera algún componente para entender el humor. Es indudable que muchas cosas certeras e instructivas se han aducido para la apreciación de este, que, siendo a su vez una de las operaciones psíquicas más elevadas, goza del particular favor de los pensadores; no podemos, pues, eludir el intento de expresar su esencia mediante una aproximación a las fórmulas dadas para el chiste y para lo cómico.

Ya averiguamos [págs. 208-9] que el desprendimiento de afectos penosos es el obstáculo más fuerte del efecto cómico. Si el movimiento que no persigue fin alguno provoca daño, si la estupidez lleva a la desgracia y la desilusión al dolor, ello pone fin a la posibilidad de un efecto cómico, al menos para el que no puede defenderse de ese displacer, es aquejado por él o se ve precisado a participar de él, mientras que la persona ajena atestigua con su conducta que la situación del caso respectivo contiene todo lo requerido para un efecto cómico. Ahora bien, el humor es un recurso para ganar el placer a pesar de los afectos penosos que lo estorban; se introduce en lugar de ese desarrollo de afecto, lo remplaza. Su condición está dada frente a una situación en que de acuerdo con nuestros hábitos estamos tentados a desprender un afecto penoso, y he ahí que influyen sobre nosotros ciertos motivos para sofocar ese afecto *in statu nascendi*. Entonces, en los casos recién citados la persona afectada por el daño, el dolor, etc., podría ganar un placer humorístico, en tanto la persona ajena ríe por placer cómico. El placer del humor nace, pues —no podríamos decirlo de otro modo—, a expensas de este desprendimiento de afecto interceptado; surge de *un gasto de afecto ahorrado*.

Entre las variedades de lo cómico, el humor es la más contentadiza; su proceso se completa ya en una sola persona, la participación de otra no le agrega nada nuevo. Puedo reservarme el goce del placer humorístico nacido en mí, sin sentirme esforzado a comunicarlo. No es fácil enunciar lo que sucede en esa persona única a raíz de la producción del placer humorístico; sin embargo, se obtiene cierta intelección indagando los casos de humor comunicado o sentido por simpatía en que yo, al entender a la persona humorista, llego al mismo placer que ella. Tal vez nos ilustre sobre ello el caso más grosero del humor, el llamado humor de patíbulo {*Galgenhumor*, «humor negro»}. El reo, en el momento en que lo llevan para ejecutarlo un lunes, exclama: «¡Vaya, empieza bien la semana!».[29] Es propiamente un chiste, pues la observación es de todo punto certera en sí misma; pero por otro lugar está enteramente fuera de lugar, es disparatada, pues para él no habrá más sucesos en la semana. No obstante, es propio del humor hacer un chiste así, o sea, prescindir de todo cuanto singulariza ese comienzo de semana de todos los demás comienzos, desconocer la diferencia que podría motivar unas mociones de sentimiento muy particulares. Lo mismo si el reo, en camino al cadalso, pide un pañuelo para cubrir su cuello desnudo, no vaya a tomar frío, precaución muy loable si el inminente destino de ese cuello no la volviera absolutamente superflua e indiferente. Hay que admitirlo: algo como una grandeza de alma se oculta tras esa *blague* {humorada}, esa afirmación de su ser habitual y ese extrañamiento de lo que está destinado a aniquilarlo y empujarlo a la desesperación. Esta suerte de grandiosidad del humor resalta de manera inequívoca en casos en que nuestro asombro no halla inhibición alguna por las circunstancias de la persona humorista.

En *Hernani*, de Victor Hugo, el bandido, confabulado contra su rey Carlos I de España, llamado Carlos V en su condición de emperador de Alemania, cae en las manos de este su poderosísimo enemigo; prevé su destino como convicto de alta traición, su cabeza caerá. Pero tal previsión no lo disuade de darse a conocer como Grande de España por derecho de linaje y declarar que no renunciará a ninguna de las prerrogativas que ese título le concede. Un Grande de España tiene permitido permanecer cubierto en presencia de su real majestad. Y bien:

> «*Nos têtes ont le droit*
> *De tomber couvertes devant de toi*».*

He ahí un humor grandioso, y si nosotros como oyentes no reímos se debe a que nuestro asombro tapa al placer humorístico. En el caso del reo que no quiere tomar frío en el trayecto hasta el cadalso reímos a mandíbula batiente. Semejante trance, uno creería, empujará al delincuente a desesperarse, lo cual podría provocarnos una intensa compasión; pero esta se inhibe porque comprendemos que a él, al directamente afectado, le importa un ardite de la situación. Tras entenderlo, el gasto de compasión, que ya estaba pron-

---

[29] [La anécdota vuelve a ser examinada por Freud en su trabajo muy posterior sobre «El humor» (1927*d*), *AE*, **21**, págs. 157-62.]

* {«Nuestras cabezas tienen el derecho / de caer cubiertas ante ti».}

to en nosotros, se vuelve inaplicable y lo reímos. La indiferencia del reo, que sin embargo, lo notamos, a él le ha costado un considerable gasto de trabajo psíquico, se nos contagia de algún modo.

Ahorro de compasión es una de las fuentes más comunes del placer humorístico. El humor de Mark Twain suele trabajar con este mecanismo. Cuando nos refiere de la vida de su hermano, empleado en una gran empresa constructora de carreteras, que la explosión anticipada de una mina lo hizo volar por el aire para devolverlo a tierra en un sitio alejado de su puesto de trabajo, es inevitable que despierten en nosotros unas mociones de compasión por el desdichado; querríamos preguntar si salió ileso de su accidente; pero la continuación de la historia, a saber, que al hermano le descontaron medio jornal «por alejarse de su puesto de trabajo», nos desvía enteramente de la compasión y nos vuelve casi tan duros de corazón como mostró ser aquel empresario, tan indiferentes ante las lesiones que el hermano pudiera haber sufrido. En otra ocasión, Mark Twain nos expone su árbol genealógico, que hace remontarse hasta uno de los compañeros de viaje de Colón. Pero luego de pintarnos el carácter de este antepasado, cuyo equipaje se reducía a varias prendas procedentes cada una de una lavandería distinta, no podemos hacer otra cosa que reír a expensas de la piedad ahorrada, piedad que se nos había instilado al comienzo de esa historia familiar. Y no perturba al mecanismo del placer humorístico nuestro saber que esa historia de los antepasados es imaginaria y que esta ficción sirve a la tendencia satírica de desnudar la inclinación embellecedora en que otros incurren en semejantes comunicaciones; aquel mecanismo es tan independiente de la condición de realidad objetiva como en el caso del volver cómico algo [cf. págs. 189-90]. Otra historia de Mark Twain, que informa cómo su hermano se instaló en un sótano al que debió llevar cama, mesa y lámpara, y para formar el techo aparejó una gran lona agujereada en su centro; cómo a la noche, luego de haber terminado el arreglo de su habitación, una vaca de establo cayó por el agujero del techo sobre la mesa y apagó la lámpara, y el hermano con paciencia ayudó al animal para que volviera a la superficie, y debió reparar toda su instalación; cómo hizo lo mismo cuando igual inconveniente se repitió la próxima noche, y luego noche tras noche; una historia así se vuelve cómica por su repetición. Pero Mark Twain la concluye informándonos que la noche número 46, cuando la vaca volvió a caer, su hermano observó al fin: «El asunto empieza a ponerse monótono», y entonces nosotros no podemos retener nuestro placer humorístico, pues desde hacía rato esperábamos enterarnos de que el hermano... se enojaba por esa obstinada desgracia. El pequeño humor que acaso nosotros mismos criamos en nuestra vida, por regla general lo producimos a expensas del enojo, en lugar de enojarnos.[30]

Las variedades del humor son de una extraordinaria diversidad, según sea la naturaleza de la excitación de sentimiento ahorrada en favor del humor: compasión, enojo, dolor, enternecimiento, etc. Por otra parte, su serie no parece cerrada, pues el ámbito del humor experimenta continuas extensiones cuando los artistas o escritores consiguen domeñar humorísticamente mociones de sentimiento no conquistadas todavía, convertirlas en fuentes de placer humorístico por medio de artificios semejantes a los de los ejemplos anteriores. Verbigracia, los artistas de *Simplicissimus* [cf. pág.

[30] El grandioso efecto humorístico de una figura como la del obeso caballero Sir John Falstaff descansa en un desprecio y una indignación ahorrados. Sin duda discernimos en él al indigno glotón y estafador, pero nuestra condena se ve desarmada por toda una serie de factores. Comprendemos que se conoce a sí mismo en los mismos términos en que lo juzgamos; se nos impone por su gracia, y además su deformidad física ejerce un efecto por contacto en favor de una concepción cómica, no seria, de su persona, como si nuestras exigencias de moral y honor no pudieran menos que rebotar contra un vientre tan abultado. Su ajetreo es inocente en su conjunto, y las cómicas naderías que son el objeto de sus fraudes casi lo disculpan. Admitimos que el pobre tiene derecho a procurar vivir y gozar como cualquiera, y estamos a punto de compadecerlo cuando en las situaciones capitales lo vemos como un mero juguete en manos de alguien muy superior a él. Por eso no podemos guardarle rencor, y todo lo que nos ahorramos en indignación a propósito de él lo sumamos al placer cómico que en otros aspectos nos depara. El humor del propio Sir John proviene en verdad de la superioridad de un yo a quien ni sus tachas físicas ni sus defectos morales pueden quitarle la alegría y la seguridad. [Falstaff aparece tanto en *Enrique IV*, partes 1 y 2, como en *Las alegres comadres de Windsor*, ambas de Shakespeare.]

En cambio, el ingenioso hidalgo Don Quijote de la Mancha es una figura que, no poseyendo ella misma humor alguno, nos depara en su seriedad un placer que se podría llamar humorístico, aunque su mecanismo permite discernir una importante desviación respecto del mecanismo del humor. Don Quijote es originariamente una figura puramente cómica, un niño grande a quien le han sorbido el seso las fantasías de sus libros de caballería. Es sabido que al comienzo fue sólo eso para el autor, y que la criatura fue creciendo poco a poco más allá de los primeros propósitos de su creador. Pero después que el autor provee a esa ridícula persona de la sabiduría más profunda y los propósitos más nobles, y lo convierte en campeón simbólico de un idealismo que cree en la realización de sus metas, que toma en serio sus deberes y al pie de la letra sus promesas, esa persona cesa de producir efecto cómico. Así como de ordinario el placer humorístico se genera al impedirse una excitación de sentimiento, aquí nace por perturbación del placer cómico. Pero con estos ejemplos ya nos alejamos mucho de los casos simples de humor.

70, *n.* 64] han obtenido asombrosos logros en ganar humor a expensas de cosas crueles y asquerosas. Además, las formas de manifestación del humor están comandadas por dos propiedades que se entraman con las condiciones de su génesis. En primer lugar, el humor puede aparecer fusionado con el chiste u otra variedad de lo cómico, en cuyo caso le compete la tarea de eliminar una posibilidad de desarrollo de afecto contenida en la situación y que sería un obstáculo para el efecto de placer. En segundo lugar, puede cancelar este desarrollo de afecto de una manera completa o sólo parcial; esto último es sin duda lo más frecuente, por ser la operación más simple, y arroja como resultado las diferentes formas del humor «quebrado»,[31] el humor que sonríe entre lágrimas. Le sustrae al afecto una parte de su energía y a cambio le proporciona un eco humorístico.

El placer humorístico ganado por simpatía corresponde, como pudo notarse en los ejemplos anteriores, a una técnica particular comparable al desplazamiento, mediante la cual el aprontado desprendimiento de afecto recibe un desengaño y la investidura es guiada hacia otra cosa, no raramente algo accesorio. Empero, esto en nada nos ayuda a entender el proceso por el cual en la propia persona humorista se cumple el desplazamiento que la lleva a apartarse del desprendimiento de afecto. Vemos que el receptor imita al creador del humor en sus procesos anímicos, pero con esto no averiguamos nada acerca de las fuerzas que posibilitan ese proceso en el segundo.

Cuando alguien logra, por ejemplo, situarse por encima de un afecto doloroso representándose la grandeza de los intereses universales en oposición a su propia insignificancia, sólo podemos decir que no vemos ahí una operación del humor, sino del pensar filosófico, y tampoco obtenemos una ganancia de placer si nos compenetramos con la ilación de pensamiento de esa persona. Por tanto, si la atención conciente lo ilumina, el desplazamiento humorístico es tan imposible como la comparación cómica [pág. 208]; como esta, se encuentra atado a la condición de permanecer preconciente o automático.

Alguna noticia sobre el desplazamiento humorístico se obtiene si se lo considera bajo la luz de un proceso defensivo. Los procesos de defensa son los correlatos psíquicos del reflejo de huida y tienen la misión de prevenir la génesis de un displacer que proceda de fuentes internas; en el

---

[31] Término utilizado en un sentido totalmente diverso en la estética de F. T. Vischer [1846-57].

cumplimiento de esa tarea sirven al acontecer anímico como una regulación automática que, es verdad, resulta ser dañina a la postre y por eso es preciso que sea sometida al gobierno del pensar conciente. En una determinada variedad de esa defensa, la represión fracasada, he podido pesquisar el mecanismo eficiente para la génesis de las psiconeurosis. Pues bien; el humor puede concebirse como la más elevada de esas operaciones defensivas. Desdeña sustraer de la atención conciente el contenido de representación enlazado con el afecto penoso, y de ese modo vence al automatismo defensivo; lo consigue porque halla los medios para sustraer su energía al aprontado desprendimiento de placer, y mudarlo en placer mediante descarga. Hasta es imaginable que de nuevo la conexión con lo infantil ponga a su disposición los recursos para esta operación. Sólo en la vida infantil hubo intensos afectos penosos de los cuales el adulto reiría hoy, como en calidad de humorista ríe de sus propios afectos penosos del presente. La exaltación de su yo, de la que da testimonio el desplazamiento humorístico —y cuya traducción sin duda rezaría: «Yo soy demasiado grande (grandioso) {*gross(artig)*} para que esas ocasiones puedan afectarme de manera penosa»—, muy bien podría él tomarla de la comparación de su yo presente con su yo infantil. En alguna medida esta concepción es apoyada por el papel que toca a lo infantil en los procesos neuróticos de represión.

En términos globales, el humor se sitúa más cerca de lo cómico que del chiste. Tiene en común con lo cómico, además, su localización psíquica en lo preconciente, mientras que el chiste se forma, según nos vimos precisados a suponerlo, como un compromiso entre inconciente y preconciente. En cambio, no tiene participación alguna en un peculiar carácter en que chiste y comicidad coinciden, y que acaso no hayamos destacado hasta este momento con la debida nitidez. Condición de la génesis de lo cómico es que nos veamos movidos a aplicar a la misma operación del representar, *simultáneamente o en rápida sucesión*, dos diversas maneras de representación entre las que sobreviene la «comparación» y surge como resultado la diferencia cómica [págs. 186-7]. Tales diferencias de gasto surgen entre lo ajeno y lo propio, lo habitual y lo alterado, lo esperado y lo que sobreviene.[32]

---

[32] Si no se teme hacer alguna violencia al concepto de expectativa, se puede, siguiendo a Lipps, incluir en la comicidad de expectativa un ámbito muy grande de lo cómico; no obstante, justo los casos que probablemente sean los más originarios de la comicidad, que surgen de la comparación de un gasto ajeno con el propio, serían los más reacios a esa asimilación.

En el caso del chiste, la diferencia entre dos maneras de concepción que se ofrecen simultáneamente y trabajan con un gasto desigual cuenta para el proceso que ocurre en el oyente. Una de esas dos concepciones, siguiendo las indicaciones contenidas en el chiste, recorre el camino de lo pensado a través de lo inconciente; la otra permanece en la superficie y se representa al chiste como a cualquier otro texto devenido conciente desde lo preconciente [pág. 203]. Acaso no sería una exposición ilícita derivar el placer del chiste escuchado a partir de la diferencia entre estas dos maneras de representación.[33]

Lo que aquí enunciamos acerca del chiste es lo mismo que hemos descrito como su cabeza de Jano [pág. 203] cuando la relación entre chiste y comicidad se nos presentaba aún no tramitada.[34]

En el caso del humor desaparece ese carácter aquí situado en un primer plano. Es cierto que registramos el placer humorístico toda vez que se evita una moción de sentimiento que habríamos esperado, por hábito, como propia de la situación, y que en esa medida también el humor cae dentro del concepto ampliado de la comicidad de expectativa. Pero en el humor ya no se trata de dos diversas maneras de representar un mismo contenido; el hecho de que la situación esté dominada por una excitación de sentimiento a evitar, de carácter displacentero, pone término a toda posibilidad de

[33] Es posible atenerse sin más a esta fórmula, pues no lleva a nada que contradiga nuestras anteriores elucidaciones. La diferencia entre los dos gastos tiene que reducirse en lo esencial al gasto de inhibición ahorrado. La falta de ese ahorro de inhibición en lo cómico y la ausencia del contraste cuantitativo en el chiste condicionarían la diferencia del sentimiento cómico respecto de la impresión del chiste, a pesar de que ambos coincidan en emplear un trabajo de representación de dos clases para la misma concepción.

[34] Desde luego, a los autores no se les ha escapado la peculiaridad de la «*double face*». Mélinand (1895), de quien tomo la expresión del texto, resume la condición de la risa en la siguiente fórmula: «*Ce qui fait rire, c'est ce qui est à la fois, d'un côté, absurde et de l'autre, familier*» {«Hace reír lo que es a la vez, por un lado, absurdo y, por el otro, familiar»}. La fórmula se adecua mejor al chiste que a lo cómico, pero tampoco recubre por completo al primero. — Bergson (1900, pág. 98) define la situación cómica por la «*interférence des séries*» {«interferencia de las series»}: «*Une situation est toujours comique quand elle appartient en même temps à deux séries d'événements absolument indépendantes, et qu'elle peut s'interpréter à la fois dans deux sens tout différents*» {«Una situación es siempre cómica cuando pertenece al mismo tiempo a dos series de acontecimientos absolutamente independientes, y puede interpretarse a la vez dentro de dos sentidos por entero diferentes»}. — Para Lipps, la comicidad es «la grandeza y pequeñez de una misma cosa».

comparación con los rasgos de lo cómico y del chiste. El desplazamiento humorístico es en verdad un caso de aquel diverso empleo de un gasto liberado que resultaba tan peligroso para el efecto cómico [pág. 206].[35]

[8]

Hemos llegado al final de nuestra tarea, tras reconducir el mecanismo del placer humorístico a una fórmula análoga a las del placer cómico y del chiste. El placer del chiste nos pareció surgir de un *gasto de inhibición ahorrado*; el de la comicidad, de un *gasto de representación* (investidura) *ahorrado*, y el del humor, de un *gasto de sentimiento ahorrado*. En esas tres modalidades de trabajo de nuestro aparato anímico, el placer proviene de un ahorro; las tres coinciden en recuperar desde la actividad anímica un placer que, en verdad, sólo se ha perdido por el propio desarrollo de esa actividad. En efecto, la euforia que aspiramos a alcanzar por estos caminos no es otra cosa que el talante de una época de la vida en que solíamos arrostrar nuestro trabajo psíquico en general con escaso gasto: el talante de nuestra infancia, en la que no teníamos noticia de lo cómico, no éramos capaces de chiste y no nos hacía falta el humor para sentirnos dichosos en la vida.

35 [En su ya citado trabajo sobre «El humor» (1927*d*), Freud volvió a ocuparse del tema partiendo de sus nuevas concepciones acerca de la estructura psíquica.]

Apéndice. Los acertijos de Franz Brentano

[La descripción que hace Freud de los acertijos de Franz Brentano en la nota de página 32 es tan oscura que exige una explicitación. En 1879, Brentano publicó (con el seudónimo «Aenigmatias») un folleto de unas doscientas páginas con el título *Neue Räthsel* {Nuevos acertijos}. Incluía especímenes de varios tipos diferentes de acertijos, el último de los cuales se denominaba «*Füllräthsel*» {«acertijos de completamiento»}. En la introducción al folleto se refiere a estos acertijos diciendo que constituían un entretenimiento favorito en la región alemana del Main, pero desde hacía sólo poco tiempo habían llegado a conocerse en Viena. Se dan en el opúsculo treinta ejemplos de ellos, incluyendo los dos citados (no muy precisamente) por Freud. Su traducción completa será la mejor manera de aclarar cómo estaban construidos.

«XXIV
»¡Cómo turba a nuestro amigo su creencia en las premoniciones! El otro día, hallándose su madre enferma, lo encontré sentado bajo un alto árbol. El viento agitaba las ramas de este de modo tal que algunas de sus grandes hojas se desprendieron, y una de ellas acertó a caer sobre su falda. Entonces estalló en lágrimas, y comenzó a lamentarse de que su madre habría de morir: *"das lasse ihn das herabgefallene* {literalmente: 'a esto fue llevado por la caída'} daldaldaldaldaldal"*.

»Respuesta: *"Platanenblatt ahnen"* {"hoja del plátano a sospechar"}».

«XXVIII
»Un hindú cayó enfermo. Su médico le estaba prescribiendo una receta cuando repentinamente lo llamaron para una emergencia. Terminó de escribirla apurado y se fue. Poco después le llegó la noticia de que apenas hubo el hindú probado la droga prescrita tuvo un ataque de convulsiones y murió. "¡Desgraciado imbécil!", se dijo a sí mismo el médico, horrorizado. "¿Qué has hecho? ¿Es posible que hayas

indem du den Trank dem {literalmente: 'cuando la poción para el'} daldaldaldaldaldal-daldaldaldaldaldal?".

»Respuesta: *"Inder hast verschrieben, in der Hast verschrieben?"* {"prescrito al hindú, equivocándote por el apuro en el escrito?"}».

{A continuación, Strachey da un ejemplo en inglés para aclarar algo más este tipo de acertijos. Nos vemos obligados a buscarle un sustituto en castellano: «Un paciente se demora demasiado tiempo en el sillón del dentista. En la sala de espera, el próximo paciente, después de haber aguardado lo que le parece un plazo excesivo, irrumpe de pronto en el consultorio donde el odontólogo aún se encuentra tratando a su antecesor y le impreca a este: "¿Cuándo va a desocupar ese sillón?". El paciente responde sin inmutarse: "Daldaldaldaldaldal daldaldal-daldaldal".

»Respuesta: "Sillón ocupado si yo no curado"».}]

Bibliografía e índice de autores

[Los títulos de libros y de publicaciones periódicas se dan en bastardilla, y los de artículos, entre comillas. Las abreviaturas utilizadas para las publicaciones periódicas fueron tomadas de la *World List of Scientific Periodicals* (Londres, 1952; 4ª ed., 1963-65). Otras abreviaturas empleadas en este libro figuran *supra*, pág. xii. Los números en negrita corresponden a los volúmenes en el caso de las revistas y otras publicaciones, y a los tomos en el caso de libros. Las cifras entre paréntesis al final de cada entrada indican la página o páginas de este libro en que se menciona la obra en cuestión. Las letras en bastardilla anexas a las fechas de publicación (tanto de obras de Freud como de otros autores) concuerdan con las correspondientes entradas de la «Bibliografía general» que será incluida en el volumen 24 de estas *Obras completas*.

Esta bibliografía cumple las veces de índice onomástico para los autores de trabajos especializados que se mencionan a lo largo del volumen. Para los autores no especializados, y para aquellos autores especializados de los que no se menciona ninguna obra en particular, consúltese el «Indice alfabético».

{En las obras de Freud se han agregado entre llaves las referencias a la *Studienausgabe* (*SA*), así como a las versiones castellanas de Santiago Rueda (*SR*) o Biblioteca Nueva (*BN*, 1972-75, 9 vols.), y a las incluidas en los volúmenes correspondientes a esta versión de Amorrortu editores (*AE*). En las obras de otros autores se consignan, también entre llaves, las versiones castellanas que han podido verificarse con las fuentes de consulta bibliográfica disponibles.}]

Bain, A. (1865) *The Emotions and the Will*, 2ª ed., Londres. (1ª ed., Londres, 1859.) (140, 190)

Bergson, H. (1900) *Le rire*, París. {*La risa*, Buenos Aires: Losada.} (179, 198, 210-1, 213, 222)

Bleuler, E. (1904) «Die negative Suggestibilität», *Psychiat.-neurol. Wschr.*, **6**, págs. 249 y 261. (167)

Breuer, J. y Freud, S. (1895): *véase* Freud, S. (1895*d*).

Brill, A. A. (1911) «Freud's Theory of Wit», *J. abnorm. Psychol.*, **6**, pág. 279. (23, 32-4)

Dugas, L. (1902) *Psychologie du rire*, París. (139-40, 148)

Ehrenfels, C. von (1903) «Sexuales Ober- und Unterbewusstsein», *Politisch-anthrop. Rev.*, **2**. (105)

Falke, J. von (1897) *Lebenserinnerungen*, Leipzig. (17, 58, 67)

Fechner, G. T. (1889) *Elemente der Psychophysik* (2 vols.), 2ª ed., Leipzig. (1ª ed., Leipzig, 1860.) (168)
(1897) *Vorschule der Ästhetik* (2 vols.), 2ª ed., Leipzig. (1ª ed., Leipzig, 1876.) (119, 129)
(s.f. [1875] *Rätselbüchlein von Dr. Mises*, 4ª ed. aumentada, Leipzig. (1ª ed., Leipzig, 1850.) (64)

Fischer, K. (1889) *Über den Witz*, 2ª ed., Heidelberg. (12, 15, 19, 32, 37, 41, 45-7, 63, 65-7, 87, 90)

Freud, S. (1891*b*) *Zur Auffassung der Aphasien* {*La concepción de las afasias*}, Viena. {*Véase* (1897*b*).} (115)
(1895*d*) En colaboración con Breuer, J., *Studien über Hysterie* {*Estudios sobre la histeria*}, Viena; reimpresión, Francfort, 1970. *GS*, **1**, pág. 3; *GW*, **1**, pág. 77 (estas ediciones no incluyen las contribuciones de Breuer); *SE*, **2** (incluye las contribuciones de Breuer). {*SA*, «Ergänzungsband» (Volumen complementario), pág. 37 (sólo la parte IV: «Zur Psychotherapie der Hysterie»); *SR*, **10**, pág. 7; *BN*, **1**, pág. 39 (estas ediciones no incluyen las contribuciones de Breuer); *AE*, **2** (incluye las contribuciones de Breuer).} (4, 146)
(1897*b*) *Inhaltsangaben der wissenschaftlichen Arbeiten des Privatdozenten Dr. Sigm. Freud (1877-1897)* {*Sumario de los trabajos científicos del docente adscrito Dr. Sigmund Freud*}, Viena. *GW*, **1**, pág. 463; *SE*, **3**, pág. 225. {*SR*, **22**, pág. 457; *AE*, **3**, pág. 219.}
(1900*a* [1899]) *Die Traumdeutung* {*La interpretación de los sueños*}, Viena. *GS*, **2-3**; *GW*, **2-3**; *SE*, **4-5**. {*SA*, **2**; *SR*, **6-7**, y **19**, pág. 217; *BN*, **2**, pág. 343; *AE*, **4-5**.} 4-7, 29, 84, 115, 119, 121, 123, 126, 131, 141, 153-159, 163-4, 166-8, 183, 194-5, 203, 208, 214)
(1901*b*) *Zur Psychopathologie des Alltagslebens* {*Psicopatología de la vida cotidiana*}, Berlín, 1904. *GS*, **4**, pág. 3; *GW*, **4**; *SE*, **6**. {*SR*, **1**; *BN*, **3**, pág. 755; *AE*, **6**.} (5-6, 28, 88, 100, 162)
(1905*d*) *Drei Abhandlungen zur Sexualtheorie* {*Tres ensayos de teoría sexual*}, Viena. *GS*, **5**, pág. 3; *GW*, **5**,

Freud, S. *(cont.)*.
  pág. 29; *SE*, **7**, pág. 125. {*SA*, **5**, pág. 37; *SR*, **2**, pág. 7, y **20**, pág. 187; *BN*, **4**, pág. 1169; *AE*, **7**, pág. 109.} (5, 92-3, 131)

  (1905*e* [1901]) «Bruchstück einer Hysterie-Analyse» {«Fragmento de análisis de un caso de histeria»}, *GS*, **8**, pág. 3; *GW*, **5**, pág. 163; *SE*, **7**, pág. 3. {*SA*, **6**, pág. 83; *SR*, **15**, pág. 7; *BN*, **3**, pág. 933; *AE*, **7**, pág. 1.} (5)

  (1908*d*) «Die "kulturelle" Sexualmoral und die moderne Nervosität» {«La moral sexual "cultural" y la nerviosidad moderna»}, *GS*, **5**, pág. 143; *GW*, **7**, pág. 143; *SE*, **9**, pág. 179. {*SA*, **9**, pág. 9; *SR*, **13**, pág. 27; *BN*, **4**, pág. 1249; *AE*, **9**, pág. 159.} (74, 105)

  (1908*e* [1907]) «Der Dichter und das Phantasieren» {«El creador literario y el fantaseo»}, *GS*, **10**, pág. 229; *GW*, **7**, pág. 213; *SE*, **9**, pág. 143. {*SA*, **10**, pág. 169; *SR*, **18**, pág. 47; *BN*, **4**, pág. 1343; *AE*, **9**, pág. 123.} (131)

  (1909*b*) «Analyse der Phobie eines fünfjährigen Knaben» {«Análisis de la fobia de un niño de cinco años»}, *GS*, **8**, pág. 129; *GW*, **7**, pág. 243; *SE*, **10**, pág. 3. {*SA*, **8**, pág. 9; *SR*, **15**, pág. 113; *BN*, **4**, pág. 1365; *AE*, **10**, pág. 1.} (115)

  (1909*d*) «Bemerkungen über einen Fall von Zwangsneurose» {«A propósito de un caso de neurosis obsesiva»}, *GS*, **8**, pág. 269; *GW*, **7**, pág. 381; *SE*, **10**, pág. 155. {*SA*, **7**, pág. 31; *SR*, **16**, pág. 7; *BN*, **4**, pág. 1441; *AE*, **10**, pág. 119.} (74, 77)

  (1910*a* [1909]) *Über Psychoanalyse* {*Cinco conferencias sobre psicoanálisis*}, Viena. *GS*, **4**, pág. 349; *GW*, **8**, pág. 3; *SE*, **11**, pág. 3. {*SR*, **2**, pág. 107; *BN*, **5**, pág. 1533; *AE*, **11**, pág. 1.} (71)

  (1910*e*) «Über den Gegensinn der Urworte» {«Sobre el sentido antitético de las palabras primitivas»}, *GS*, **10**, pág. 221; *GW*, **8**, pág. 214; *SE*, **11**, pág. 155. {*SA*, **4**, pág. 227; *SR*, **18**, pág. 59; *BN*, **5**, pág. 1620; *AE*, **11**, pág. 143.} (167)

  (1910*f*) «Brief an Dr. Friedrich S. Krauss über *Anthropophyteia*» {«Carta al Dr. Friedrich S. Krauss sobre *Anthropophyteia*»}, *GS*, **11**, pág. 242; *GW*, **8**, pág. 224; *SE*, **11**, pág. 233. {*SR*, **20**, pág. 139; *BN*, **5**, pág. 1931; *AE*, **11**, pág. 233.} (6)

  (1911*b*) «Formulierungen über die zwei Prinzipien des psychischen Geschehens» {«Formulaciones sobre los dos principios del acaecer psíquico»}, *GS*, **5**, pág. 409;

Freud, S. *(cont.)*
    GW, **8**, pág. 230; *SE*, **12**, pág. 215. {*SA*, **3**, pág. 13; *SR*, **14**, pág. 199; *BN*, **5**, pág. 1638; *AE*, **12**, pág. 217.} (163, 167, 183)

    (1914*d*) «Zur Geschichte der psychoanalytischen Bewegung» {«Contribución a la historia del movimiento psicoanalítico»}, *GS*, **4**, pág. 411; *GW*, **10**, pág. 44; *SE*, **14**, pág. 3. {*SR*, **12**, pág. 100; *BN*, **5**, pág. 1895; *AE*, **14**, pág. 1.} (58)

    (1915*e*) «Das Unbewusste» {«Lo inconciente»}, *GS*, **5**, pág. 480; *GW*, **10**, pág. 264; *SE*, **14**, pág. 161. {*SA*, **3**, pág. 119; *SR*, **9**, pág. 133; *BN*, **6**, pág. 2061; *AE*, **14**, pág. 153.} (115, 158, 167)

    (1916-17 [1915-17]) *Vorlesungen zur Einführung in die Psychoanalyse* {*Conferencias de introducción al psicoanálisis*}, Viena. *GS*, **7**; *GW*, **11**; *SE*, **15-16**. {*SA*, **1**, pág. 33; *SR*, **4-5**; *BN*, **6**, pág. 2123; *AE*, **15-16**.} (6, 88, 195)

    (1920*g*) *Jenseits des Lustprinzips* {*Más allá del principio de placer*}, Viena. *GS*, **6**, pág. 191; *GW*, **13**, pág. 3; *SE*, **18**, pág. 7. {*SA*, **3**, pág. 213; *SR*, **2**, pág. 217; *BN*, **7**, pág. 2507; *AE*, **18**, pág. 1.} (123)

    (1921*c*) *Massenpsychologie und Ich-Analyse* {*Psicología de las masas y análisis del yo*}, Viena. *GS*, **6**, pág. 261; *GW*, **13**, pág. 71; *SE*, **18**, pág. 69. {*SA*, **9**, pág. 61; *SR*, **9**, pág. 7; *BN*, **7**, pág. 2563; *AE*, **18**, pág. 63.} (146)

    (1923*a* [1922]) «"Psychoanalyse" und "Libidotheorie"» {«Dos artículos de enciclopedia: "Psicoanálisis" y "Teoría de la libido"»}, *GS*, **11**, pág. 201; *GW*, **13**, pág. 211; *SE*, **18**, pág. 235. {*SR*, **17**, pág. 183; *BN*, **7**, pág. 2661; *AE*, **18**, pág. 227.} (158)

    (1923*b*) *Das Ich und das Es* {*El yo y el ello*}, Viena. *GS*, **6**, pág. 351; *GW*, **13**, pág. 237; *SE*, **19**, pág. 3. {*SA*, **3**, pág. 273; *SR*, **9**, pág. 191; *BN*, **7**, pág. 2701; *AE*, **19**, pág. 1.} (195)

    (1925*d* [1924]) *Selbstdarstellung* {*Presentación autobiográfica*}, Viena, 1934. *GS*, **11**, pág. 119; *GW*, **14**, pág. 33; *SE*, **20**, pág. 3. {*SR*, **9**, pág. 239; *BN*, **7**, pág. 2761; *AE*, **20**, pág. 1.} (6, 131)

    (1925*h*) «Die Verneinung» {«La negación»}, *GS*, **11**, pág. 3; *GW*, **14**, pág. 11; *SE*, **19**, pág. 235. {*SA*, **3**, pág. 371; *SR*, **21**, pág. 195; *BN*, **8**, pág. 2884; *AE*, **19**, pág. 249.} (167)

    (1927*d*) «Der Humor» {«El humor»}, *GS*, **11**, pág. 402; *GW*, **14**, pág. 383; *SE*, **21**, pág. 159. {*SA*, **4**, pág. 275;

Freud, S. *(cont.)*
  SR, **21**, pág. 245; *BN*, **8**, pág. 2997; *AE*, **21**, pág. 153.}
  (6, 217, 223)
  (1933*a* [1932]) *Neue Folge der Vorlesungen zur Einfüh-*
  rung in die Psychoanalyse {*Nuevas conferencias de in-*
  troducción al psicoanálisis}, Viena. *GS*, **12**, pág. 151;
  GW, **15**; *SE*, **22**, pág. 3. {*SA*, **1**, pág. 447; *SR*, **17**,
  pág. 7; *BN*, **8**, pág. 3101; *AE*, **22**, pág. 1.} (183)
  (1933*b* [1932]) *Warum Krieg?* {*¿Por qué la guerra?*},
  París. *GS*, **12**, pág. 349; *GW*, **16**, pág. 13; *SE*, **22**,
  pág. 197. {*SA*, **9**, pág. 271; *SR*, **18**, pág. 245; *BN*, **8**,
  pág. 3207; *AE*, **22**, pág. 179.} (81)
  (1941*d* [1921]) «Psychoanalyse und Telepathie» {«Psicoanálisis y telepatía»}, *GW*, **17**, pág. 27; *SE*, **18**, pág.
  177. {*SR*, **21**, pág. 33; *BN*, **7**, pág. 2648; *AE*, **18**,
  pág. 165.} (61, 146)
  (1942*a* [1905-06]) «Psychopathic Characters on the
  Stage» {«Personajes psicopáticos en el escenario»}. El
  original alemán se publicó en 1962 con el título «Psy-
  chopathische Personen auf der Bühne», *Neue Rund-*
  schau, **73**, pág. 53; *SE*, **7**, pág. 305. {*SA*, **10**, pág.
  161; *SR*, **21**, pág. 388; *BN*, **4**, pág. 1272; *AE*, **7**, pág.
  273.} (131)
  (1950*a* [1887-1902]) *Aus den Anfängen der Psychoana-*
  lyse {*Los orígenes del psicoanálisis*}, Londres. Abarca
  las cartas a Wilhelm Fliess, manuscritos inéditos y el
  «Entwurf einer Psychologie» {«Proyecto de psicología»}, 1895. *SE*, **1**, pág. 175 {incluye 29 cartas, 13 manuscritos y el «Proyecto de psicología». *SR*, **22**, pág.
  13; *BN*, **9**, pág. 3433, y **1**, pág. 209; incluyen 153
  cartas, 14 manuscritos y el «Proyecto de Psicología»;
  AE, **1**, pág. 211 (el mismo contenido que *SE*).} (4-5,
  141, 166, 183)
  (1966*a* [1912-36]) *Sigmund Freud/Lou Andreas Salomé.*
  Briefwechsel (ed. por E. Pfeiffer), Francfort. {*Corres-*
  pondencia, México: Siglo XXI editores.} (103)
Griesinger, W. (1845) *Pathologie und Therapie der psy-*
  chischen Krankheiten, Stuttgart. (163)
Groos, K. (1899) *Die Spiele der Menschen*, Jena. (116-7,
  120, 123, 199)
Gross, O. (1904) «Zur Differentialdiagnostik negativisti-
  scher Phänomene», *Psychiat.-neurol. Wschr.*, **6**. (167)
Hermann, W. (1904) *Das grosse Buch der Witze*, Berlín.
  (38)
Hevesi, L. (1888) *Almanaccando, Bilder aus Italien*, Stuttgart. (45)

Heymans, G. (1896) «Ästhetische Untersuchungen im Anschluss an die Lippssche Theorie des Komischen», *Z. Psychol. Physiol. Sinnesorg.*, **11**, págs. 31 y 333. (14, 18, 38, 134, 144)

Jones, E. (1955) *Sigmund Freud: Life and Work*, **2**, Londres y Nueva York. (Las páginas que se mencionan en el texto remiten a la edición inglesa.) {*Vida y obra de Sigmund Freud*, Buenos Aires: Hormé, **2**.} (5)

Kempner, F. (1891) *Gedichte*, 6ª ed., Berlín. (204-5)

Kleinpaul, R. (1890) *Die Rätsel der Sprache*, Leipzig. (89, 124)

Kraepelin, E. (1885) «Zur Psychologie des Komischen», *Philosophische Studien*, W. Wundt (ed.), **2**, págs. 128 y 327, Leipzig. (13)

Lichtenberg, G. C. von (el Viejo) (1853) *Witzige und satirische Einfälle*, vol. 2 de la nueva ed. aumentada, Gotinga. (78-82)

Lipps, T. (1883) *Grundtatsachen des Seelenlebens*, Bonn. (5)

— (1897) «Der Begriff des Unbewussten in der Psychologie», *Records of the Third Int. Cong. Psychol.*, Munich. (5)

— (1898) *Komik und Humor*, Hamburgo y Leipzig. (5, 11-15, 18-20, 29, 38, 66, 114, 134, 140-1, 147, 186, 189, 192)

Luisa María Antonieta [de Toscana] (1911) *Mein Lebensweg*, Berlín. (119)

Mélinand, C. (1895) «Pourquoi rit-on?», *Revue des deux mondes*, **127**, febrero, pág. 612. (222)

Michelet, J. (1860) *La femme*, París. {*La mujer*, Buenos Aires: Tor.} (57)

Moll, A. (1898) *Untersuchungen über die Libido Sexualis*, **1**, Berlín. (93)

Richter, J. P. F. [Jean Paul] (1804) *Vorschule der Ästhetik* (2 vols.), Hamburgo. (13, 15)

Spencer, H. (1860) «The Physiology of Laughter», *Macmillan's Magazine*, marzo; en *Essays*, **2**, Londres, 1901. (139-40)

Spitzer, D. (1912) *Wiener Spaziergänge I, Gesammelte Schriften*, 2 vols., Munich. (33, 39-40)

Überhorst, K. (1900) *Das Komische* (2 vols.), Leipzig. (65)

Vischer, F. T. (1846-57) *Aesthetik*, Leipzig y Stuttgart. (13, 32, 220)

Indice de chistes

233

Indice alfabético

El presente índice incluye los nombres de autores no especializados, y también los de autores especializados cuando en el texto no se menciona una obra en particular. Para remisiones a obras especializadas, consúltese la «Bibliografía». Este índice, así como el de chistes que le antecede, fue preparado {para la *Standard Edition*} por la señora R. S. Partridge. {El de la presente versión castellana se confeccionó sobre la base de aquel.}

Técnicas del chiste (*véase* Alusión; Atención, distracción de la; Comparación; Condensación; Contraste; Desplazamiento; Enumeración; Exageración; Falacia; Figuración indirecta; Figuración por lo contrario; Modificación; Reordenamiento de las palabras; Semejanza; Unificación)

Telepatía, 146

Terencio, 203 *n.* 22

Trabajo del chiste, 52, 89, 91, 105, 120, 124-6, 129, 134, 136-8, 143-8, 166-72
comparado con el trabajo del sueño, 83-4, 101, 153, 156-165, 169-70, 193

Trabajos de amor perdidos (de *Shakespeare*), 138

Tratamiento psicoanalítico de los neuróticos, 163 *n.* 4

Travestismo, 168, 180, 190-1

«Trionfo di Bacco e di Arianna, Il» (de *Medici*), 103

Twain, M., 218

Überhorst, K. (*véase* la «Bibliografía»)

Unger, J. (*véase* N., señor)

Unificación como técnica del chiste (*véase también* Fusiones), 35, 39-40, 64-6, 76, 80-1, 86-8, 99, 116, 119, 125, 149, 200

Urania (en *El Banquete*, de *Platón*), 75 *n.* 71

Venus de Milo, 67

Vergüenza, 92, 96, 128

Verne, J., 73

Vida de vigilia y sueños, 84, 153-154, 157-8, 165-6, 168 *n.* 14

Vischer, T. (*véase también* la «Bibliografía»), 11, 85

Voltaire, F. de, 65

Voyeurismo (*véase* Placer de ver)

Vuelta al mundo en 80 días, La (de *Verne*), 73

Wallensteins Lager (de *Schiller*), 31 y *n.* 18, 45 y *n.**

Wallensteins Tod (de *Schiller*), 209 y *n.* 26

Weinberl (en *Einen Jux...*, de *Nestroy*), 81

Wellington, duque de, 58n., 68

Wilt, M., 73

«*Wippchen*» (personaje cómico de *Stettenheim*), 201-3

Württemberg, K. von, 66-7

Impreso en los Talleres Gráficos Color Efe, Paso 192, Avellaneda, provincia de Buenos Aires, en abril de 1997.